Khaled Hosseini

Under en strålende sol

Oversat fra amerikansk
af
Alis Friis Caspersen

Cicero

Originaltitel: *A Thousand Splendid Suns*
Sats: Cicero, København
Tryk: CPI books GmbH, Tyskland
Omslagsillustration: All Over Press / Shaul Schwarz
Omslagslayout: stoltzedesign
ISBN: 978-87-7714-991-7
Tredje danske udgave 2009

www.cicero.dk

Af samme forfatter:

Drageløberen

Denne bog er tilegnet Haris og Farah,
mine øjnes *noor*,
og til kvinderne i Afghanistan.

Første del

1

Mariam var fem år gammel første gang hun hørte ordet *harami*.

Det skete på en torsdag. Det må have været en torsdag, for Mariam kunne huske at hun var rastløs og distræt den dag, sådan som hun altid var det om torsdagen, den dag Jalil besøgte hende i *kolba*'en. For at få tiden til at gå til det øjeblik han vinkende og kæmpende sig gennem det knæhøje græs kom til syne i lysningen, var Mariam begyndt at lege med sin mors kinesiske testel. Stellet var det eneste Mariams mor, Nana, havde tilbage efter sin egen mor som døde da Nana var to år gammel. Nana elskede hver eneste del af det blå og hvide stel, tekandens elegant buede tud, de håndmalede finker og krysantemummer og dragen på sukkerskålen som skulle beskytte mod det onde.

Det var sukkerskålen der gled ud af Mariams hænder, faldt ned på kolbaens plankegulv og gik i stykker.

Da Nana så skålen, blev hun rød i hovedet, overlæben bævede, og hendes øjne, både det dovne og det gode, faldt til ro på Mariam på en død, ublinkende måde. Nana så så vred ud at Mariam var bange for at *jinn*'en ville trænge ind i hendes mors krop igen. Men jinnen kom ikke, ikke denne gang. I stedet for tog Nana Mariam om håndleddene, trak hende hen til sig og sagde med sammenbidte tænder: „Du er en klodset, lille harami. Det er min belønning for alt hvad jeg har måttet udholde. En klodset, lille harami der ødelægger mine arvestykker."

Dengang forstod Mariam det ikke. Hun vidste ikke hvad en

'harami' var, og hun var heller ikke gammel nok til at se uretfærdigheden i beskyldningen, til at forstå at de skyldige var dem der havde fundet på ordet 'harami', og ikke de uægte børn hvis eneste synd det var at være blevet født. Men Mariam forstod jo godt – ud fra måden Nana sagde det på – at det var en hæslig, afskyelig ting at være en harami, som et insekt, som de kakerlakker der pilede rundt, og som Nana altid bandede over og fejede ud af kolbaen.

Det var først senere, da Mariam var blevet ældre, at hun forstod det. Det var måden Nana havde sagt det på – nej, ikke sagt, *spyttet* det efter hende – der fik Mariam til at mærke brodden i det. Hun forstod da hvad Nana havde ment: at en harami var noget uønsket, at hun, Mariam, var et uægte barn der aldrig ville have et berettiget krav på de ting som andre mennesker havde, ting som kærlighed, en familie, et hjem, anerkendelse.

Jalil kaldte aldrig Mariam for en harami. Jalil sagde at hun var hans lille blomst. Han kunne lide at tage hende op på skødet og fortælle hende historier, som dengang han fortalte hende at Herat, byen hvor Mariam blev født i 1959, engang havde været vugge for persisk kultur, det sted hvor forfattere, malere og sufier havde slået sig ned.

„Man kunne ikke strække benet uden at ramme en digter i bagdelen," lo han.

Jalil fortalte hende historien om dronning Gawhar Shad der tilbage i det femtende århundrede havde bygget de berømte minareter som en ode til hendes elskede Herat. Han beskrev Herats grønne hvedemarker, frugtlundene, vinstokkene med de svulmende drueklaser, byens myldrende, overdækkede basarer.

„Der står et pistacietræ der," fortalte Jalil hende en dag, „og under det, Mariam, ligger ingen anden end den store digter Jami begravet." Han bøjede sig frem og hviskede: „Jami levede for over fem hundrede år siden. Det er sandt. Jeg har engang vist dig træet. Du var lille dengang og kan ikke huske det."

Det var sandt. Mariam kunne ikke huske det. Og selv om hun i de første femten år af sit liv boede inden for gåafstand af Herat, ville hun aldrig få det sagnomspundne træ at se. Hun ville aldrig se de berømte minareter på nært hold, og hun ville aldrig plukke frugt i Herats frugtlunde eller gå en tur i hvedemarkerne omkring byen. Men når Jalil talte med Mariam på denne måde, lyttede hun henført. Hun beundrede Jalil for hans store indsigt i verden. Hun skælvede af fryd over at have en far der vidste den slags ting.

„Sikke latterlige løgne," sagde Nana efter at Jalil var gået. „En latterlig mand der fortæller latterlige løgne. Han har aldrig taget dig med og vist dig et træ. Lad dig ikke forblænde. Han forrådte os, din elskede far. Han smed os ud. Han smed os ud af sit store fine hus som om vi intet betød for ham. Han gjorde det med et smil."

Mariam lyttede pligtskyldigt til dette. Hun vovede aldrig at sige til Nana hvor lidt hun kunne lide at høre hende tale sådan om Jalil. Sandheden var at når Mariam var sammen med Jalil, følte hun sig ikke som en harami. En time eller to hver torsdag, når Jalil kom for at besøge hende og overøste hende med smil, gaver og kærtegn, følte Mariam at hun havde fortjent al den skønhed og overflod som livet kunne byde hende. Og af den grund elskede Mariam Jalil.

Også selv om hun var nødt til at dele ham med andre.

Jalil havde tre koner og ni børn – ni ægte børn – som Mariam aldrig havde mødt. Han var en af Herats rigeste mænd. Han ejede en biograf som Mariam aldrig havde set, men da hun insisterede, fortalte Jalil hende om den, og hun vidste derfor at facaden var beklædt med blå og brune terracottafliser, at der var loger på balkonen, og at der var tremmeværk i loftet. Fløjdøre førte ud til en flisebelagt lobby hvor der hang plakater fra hindifilm i glasmontrer. Om tirsdagen fik børnene gratis is henne ved udskænkningsskranken, fortalte Jalil hende.

Nana smilede alvorligt når han fortalte dem om det. Hun ventede indtil han var gået, før hun fik luft og sagde: „Fremmede børn får is. Hvad får du, Mariam? Historier om is.“

Ud over biografen ejede Jalil jord i Karokh og Farah, tre tæppeforretninger, en tøjbutik og en sort Buick Roadmaster model 1956. Han havde de allerbedste forbindelser i Herat og var venner med både borgmesteren og provinsguvernøren. Han havde en kok, en chauffør og tre husbestyrerinder.

Nana havde været en af husbestyrerinderne. Indtil hendes mave begyndte at svulme.

Da det skete, sugede Jalil-familiens fælles gisp luften ud af Herat, fortalte Nana. Hans svigerfamilier svor på at blod ville komme til at flyde. Hustruerne forlangte at han satte hende på porten. Nanas egen far, en fattig stenhugger i den nærliggende landsby Gul Daman, slog hånden af hende. Fuld af skam pakkede han sine ejendele og tog en bus til Iran. Ingen havde siden hverken set eller hørt fra ham.

„En gang imellem ville jeg ønske at min far havde været mand nok til at hvæsse en af sine knive og gøre det ærefulde,“ sagde Nana en tidlig morgen mens hun fodrede hønsene uden for kolbaen. „Det havde været bedre for mig.“ Hun smed endnu en håndfuld kerner ind i hønsegården, tav et øjeblik og så så hen på Mariam. „Måske også bedre for dig. Det ville have sparet dig for den sorg det er at vide hvad du er. Men han var en kujon, min far. Han havde ikke *dil* til at gøre det.“

Heller ikke Jalil havde mod til at gøre det ærefulde, sagde Nana, at trodse sin familie, sine hustruer og svigerfamilier og påtage sig ansvaret for det han havde gjort. I stedet var man bag lukkede døre blevet enige om en ansigtsreddende aftale, og næste dag fik han hende til at pakke sine få ejendele i tjenerfløjen hvor hun boede, og satte hende på porten.

„Ved du forresten hvad han forsvarede sig med over for sine

koner? At jeg bød mig til. At det var min fejl. *Didi?* Sådan er det at være kvinde i vores verden."

Nana satte skålen med hønsefoder fra sig. Hun løftede Mariams hage med en finger.

„Se på mig, Mariam."

Mariam adlød modvilligt.

„Hør efter hvad jeg siger, datter, og læg dig det på sinde," sagde Nana. „Som en kompasnål der peger mod nord, vil en mands anklagende finger altid finde en kvinde. Altid. Læg dig det på sinde, Mariam."

2

„I Jalil og hans koners øjne var jeg farlig. Som kermesbær. Også dig. Og du var ikke engang født endnu."

„Hvad er kermesbær?"

„En giftig plante." sagde Nana. „Ukrudt som du river op og smider væk."

Mariam fik indvendige rynker i panden. Jalil behandlede hende ikke som ukrudt. Det havde han aldrig gjort. Men Mariam mente det var klogest ikke at protestere.

„I modsætning til ukrudt skulle jeg plantes om, forstår du, have mad og vand. På grund af dig. Det var den handel Jalil slog af med sin familie."

Nana sagde at hun havde nægtet at bo i Herat.

„Hvorfor skulle jeg det? For at se ham køre sine *kinchini*-koner rundt i byen hele dagen?"

Hun nægtede også at flytte ind i faderens nu tomme hus i Gul Daman som lå på en stejl bakke to kilometer nord for Herat. Hun sagde at hun ville bo et fjernt sted, isoleret, et sted hvor naboerne ikke ville stirre på hendes mave, pege på hende, fnise ondskabsfuldt eller, værre: falde over hende med hyklerisk venlighed.

„Og tro mig," sagde Nana, „det var en lettelse for din far ikke at have mig i nærheden. Det passede ham helt fint."

Det var Muhsin, Jalils ældste søn med hans første kone Khadija, som pegede på lysningen i udkanten af Gul Daman. For at komme dertil skulle man ud ad hovedvejen mellem Herat og Gul Daman og videre op ad et stejlt hjulspor. På begge sider af hjulsporet voksede der knæhøjt græs og strålende hvide og gule blomster. Sporet snoede sig op ad bakke og førte til en flad mark med høje popler og balsamtræer og masser af vilde buske. Deroppefra kunne man til venstre lige ane toppen af de rustne vinger på Gul Damans vindmølle, og til højre bredte Herat sig ud langt nede. Sporet endte foran en å der var fyldt med ørreder, og som kom brusende ned fra Safid-koh-bjergene omkring Gul Daman. To hundrede meter op langs åen, i retning af bjergene, lå en lille lund med grædepile. Midt i lunden var der en lysning.

Jalil tog af sted for at besigtige lysningen. Da han kom tilbage, lød han som en fængselsdirektør der pralede af de hvide vægge og skinnende rene gulve i sit fængsel, fortalte Nana.

„Og så byggede din far denne rotterede til os."

Nana havde været tæt på at blive gift engang. Som femtenårig. Bejleren var en mand fra Shin Dand, en ung papegøjesælger. Det var Nana selv der fortalte Mariam om det, og selv om Nana affærdigede hele episoden, kunne Mariam se på hendes længselsfulde blik at hun havde været lykkelig. Måske havde Nana den ene gang i sit liv, i dagene før sit bryllup, været fuldstændig lykkelig.

Da Nana fortalte historien, sad Mariam på hendes skød og så for sig billedet af sin mor der blev klædt i bryllupstøj. Hun så hende på hesteryg, genert smilende bag et grønt slør, med hænder der var røde af henna, hår der var blevet børstet med sølvfarve, og fletninger der blev holdt sammen ved hjælp af plantesaft. Hun så musikere spille på *shahnai*-fløjte og slå på *dohol*-trommer, børn i gaden der hujende løb efter optoget.

Men så en uge før brylluppet var en jinn trængt ind i Nanas krop. Mariam behøvede ingen nærmere beskrivelse af hvad der var sket. Hun havde ofte nok set det med egne øjne: Nana faldt om på gulvet, hendes krop spændtes i en bue, blev stiv, øjnene rullede tilbage i hovedet, hendes arme og ben spjættede som om et eller andet indvendigt var ved at kvæle hende, og det skummede om hendes mundvige, hvidt, en gang imellem lyserødt af blod. Så sløvheden, den skræmmende desorientering, den usammenhængende mumlen.

Da nyheden nåede frem til Shin Dand, aflyste papegøjesælgerens familie brylluppet.

„De blev bange," sagde Nana.

Den fine brudekjole blev gemt af vejen, og derefter meldte der sig ikke flere bejlere.

Jalil og to af hans sønner, Farhad og Muhsin, byggede den lille kolba i lysningen hvor Mariam skulle bo de første femten år af sit liv. De byggede den af soltørrede lersten og tætnede med mudder og strå. Der var to sovepladser, et træbord, to stole, et vindue og hylder på væggene hvor Nana havde lergryder og sit elskede kinesiske testel stående. Jalil kom med en ny smedejernsovn til når det blev vinter, og stablede brændestykker bag kolbaen. Han stillede en *tandoor* op udenfor som man kunne bage brød i, og byggede en hønsegård med et gærde omkring. Han købte et par får og lavede et trug. Han fik Farhad og Muhsin til at grave et dybt hul hundrede meter fra de omgivende grædepile og byggede et udhus over hullet.

Jalil kunne have ansat arbejdere til at bygge kolbaen, sagde Nana, men gjorde det ikke.

„Det var vel hans måde at gøre bod på."

Ifølge Nana var der ingen hjælp at hente den dag hun fødte Mariam. Det skete på en fugtig, overskyet dag i foråret 1959, sagde hun, det seksogtyvende år i kong Zahir Shahs temmelig begivenhedsløse regeringstid. Hun sagde at Jalil ikke havde ulejliget sig med at tilkalde en læge, ikke engang en jordemoder, selv om han vidste at jinnen kunne trænge ind i hendes krop og udløse et anfald mens hun var ved at føde. Hun lå alene på kolbaens gulv, gennemblødt af sved og med en kniv ved siden af sig.

„Da smerterne blev for slemme, bed jeg i en pude og skreg ind i den indtil jeg var helt hæs. Men der kom stadig ikke nogen og tørrede mig i ansigtet eller gav mig lidt vand at drikke. Og du, Mariam *jo*, havde ikke travlt. Næsten to dage fik du mig til at ligge på det kolde, hårde gulv. Jeg hverken spiste eller sov, det eneste jeg gjorde, var at presse og bede til at du ville komme ud.“

„Undskyld, Nana.“

„Jeg skar selv navlestrengen over. Det var det jeg skulle bruge kniven til.“

„Undskyld.“

På dette tidspunkt i fortællingen plejede Nana at smile et langsomt, træt smil, måske anklagende, måske modvilligt tilgivende, Mariam kunne ikke afgøre om det var det ene eller det andet. Det faldt ikke barnet ind at overveje det uretfærdige i at skulle undskylde for måden hun var kommet til verden på.

Og da det *faldt* hende ind, omkring hendes tiårs fødselsdag, var hun holdt op med at tro på historien om sin fødsel. Hun troede på Jalils version hvor han – selv om han havde været bortrejst – havde sørget for at Nana kom på hospitalet i Herat hvor en læge havde taget sig af hende. Hun havde ligget i en ren seng – en rigtig seng! – i et lyst værelse. Jalil rystede bedrøvet på hovedet da Mariam fortalte ham om kniven.

Mariam begyndte også at tvivle på at hun havde ladet sin mor lide i hele to dage.

„De fortalte mig at det var overstået i løbet af en time," sagde Jalil. „Du var en god datter, Mariam jo. Selv mens du var ved at blive født, var du en god datter."

„Han var slet ikke til stede!" hvæsede Nana. „Han var ude at ride med sine fine venner i Takht-e-Safar."

Da de fortalte Jalil at han havde fået en ny datter, havde han ifølge Nana trukket på skuldrene og fortsat med at strigle sin hest. Han var blevet i Takht-e-Safar i yderligere to uger.

„Sandheden er at han først holdt dig i sine arme da du var en måned gammel. Og så kun for at kaste et enkelt blik på dig, kommentere dit lange ansigt og derefter række dig tilbage til mig."

Også denne historie var Mariam endt med at tvivle på. Ja, indrømmede Jalil, han havde været ude at ride i Takht-e-Safar, men da de kom og gav ham nyheden, havde han ikke trukket på skuldrene. Han var sprunget i sadlen igen og var redet tilbage til Herat. Han havde vugget hende i sine arme, ladet tommelfingeren glide hen over hendes lige øjenbryn og nynnet en sang for hende. Mariam kunne ikke forestille sig at Jalil havde sagt noget om at hendes ansigt var langt – selv om det var sandt nok: Det var ret langt.

Nana sagde at det var hende der valgte navnet Mariam fordi det var hendes mors navn. Jalil sagde at han valgte det fordi det var navnet på en meget smuk blomst, en tuberose.

„Din yndlingsblomst?" spurgte Mariam.

„Ja, en af dem," svarede han og smilede.

3

Et af Mariams tidligste minder var lyden af en trillebør der med skrigende jernhjul bumpede hen over stenene. Trillebøren kom en gang om måneden, fyldt med ris, mel, te, sukker, madolie, sæbe og tandpasta. Det var to af Mariams halvbrødre, oftest Muhsin og Ramin, en gang imellem Ramin og Farhad, der kom med den. Op ad hjulsporet, hen over sten og grus, rundt om huller og buske. Drengene skiftedes til at skubbe indtil de nåede frem til åen hvor trillebøren skulle tømmes, og tingene bæres over vandet. Derefter blev børen båret over på den anden bred og fyldt med ting igen. Endnu et par hundrede meter fulgte, denne gang gennem højt græs og rundt om tæt buskads. Frøer sprang i sikkerhed. Brødrene viftede sværme af myg væk fra deres svedige ansigter.

„Han har tjenere," sagde Mariam. „Han kunne sende en tjener."

„Det er hans måde at gøre bod på," svarede Nana.

Lyden af trillebøren lokkede Mariam og Nana udenfor. Mariam ville aldrig glemme hvordan Nana så ud på Rationsdagen: en høj, mager, barfodet kvinde der stod i døråbningen med det dovne øje knebet sammen og armene lagt over kors på en trodsig og spottende måde. Hendes kortklippede, solbeskinnede hår var udækket og uredt. Hun var iført en dårligt siddende grå skjorte der var knappet op i halsen. Lommerne var fyldt med sten på størrelse med valnødder.

Drengene sad nede ved åen og ventede mens Mariam og Nana bar tingene ind i kolbaen. De vidste at de gjorde klogt i at holde sig på en afstand af mindst tredive meter selv om Nana sigtede dårligt, og de fleste sten ramte langt forbi deres mål. Nana skreg ad drengene mens hun bar sække med ris ind i huset, og kaldte dem navne som Mariam ikke forstod. Hun forbandede deres mødre, skar hadefulde grimasser i retning af dem. Drengene gav aldrig igen på fornærmelserne.

Mariam havde ondt af drengene. Hvor måtte de være trætte i arme og ben, tænkte hun medfølende, det var et tungt læs at skubbe. Hun ville ønske at Nana gav hende lov til at tilbyde dem lidt vand. Men hun sagde ikke noget, og hvis de vinkede til hende, vinkede hun ikke tilbage. Én gang – for at behage Nana – havde Mariam råbt ad Muhsin og sagt at hans mund lignede røven på et firben, og bagefter havde hun været ved at blive ædt op af skyld, skam og angst for at de skulle sladre til Jalil. Nana havde imidlertid grinet så højt og fuldstændig blottet sine rådne fortænder at Mariam troede hun var ved at få et af sine anfald. Bagefter havde hun set ned på Mariam og sagt: „Du er en god datter."

Når børen var tom, kom drengene tøvende nærmere og hentede den. Mariam blev altid stående i døren og så efter dem indtil de forsvandt mellem det høje græs og det blomstrende ukrudt.

„Kommer du?"

„Ja, Nana."

„De griner ad dig. Jeg kan høre dem."

„Jeg kommer nu."

„Du tror måske ikke på mig?"

„Her er jeg."

„Du ved godt at jeg elsker dig, ikke, Mariam jo?"

Om morgenen vågnede de til den fjerne lyd af brægende får og det skingre trut i fløjter når Gul Damans hyrder førte deres flokke op til græsning på bakkeskråningerne. Mariam og Nana malkede gederne, fodrede hønsene og samlede æg. De bagte brød sammen. Nana viste hende hvordan hun skulle ælte dejen, tænde op i tandooren og klaske den flade dej op på ovnens inderside. Nana lærte hende også at sy og koge ris og tilberede forskellige retter: *shalqam* med roe, spinat-*sabzi*, blomkål med ingefær.

Nana lagde ikke skjul på sin afsky for gæster – ja faktisk for mennesker generelt – men hun gjorde en undtagelse med nogle få personer.

For eksempel kom Gul Damans øverste, landsby-*arbab*'en, Habib Khan, en skægget mand med et lille hoved og en stor mave, på besøg en gang om måneden fulgt af en tjener der bar på en kylling, en gang imellem en gryde med *kichiri*-ris eller en kurv med malede æg til Mariam.

Og så var der den buttede, gamle kvinde som Nana kaldte Bibi jo, hvis afdøde mand havde været stenhugger og gode venner med Nanas far. Bibi jo kom uvægerligt i selskab med en af sine seks svigerdøtre og et barnebarn eller to. Haltende og pustende arbejdede hun sig hen over lysningen og gjorde et stort nummer ud af at gnide sig på hoften og med et forpint suk sænke sig ned i en stol som Nana trak frem til hende. Bibi jo havde altid noget med til Mariam, måske en æske *dishlemeh*-konfekt eller en kurv med kvæder. Til Nana havde hun klager over sit svigtende helbred og derefter sladder fra Herat og Gul Daman, detaljeret og veloplagt, mens hendes svigerdatter stille og pligtopfyldende sad bag hende og lyttede.

Men den gæst Mariam holdt mest af, ud over Jalil selvfølgelig, var mullah Faizullah, den ældre landsbylærer i koranskolen, Gul Damans *akhund*. Han kom et par gange om ugen nede fra landsbyen for at undervise Mariam i de fem daglige *namaz*-bønner og vejlede hende i Koranens tekster nøjagtig som han havde vejledt Nana da hun var en lille pige. Det var mullah Faizullah som lærte Mariam at læse, som tålmodigt så hende over skulderen mens hendes læber lydløst formede ordene, og pegefingeren tøvede under hvert eneste tegn – en gang imellem sådan at neglen blev lidt hvid – som om hun kunne presse betydningen ud af tegnene. Det var mullah Faizullah der holdt hendes hånd og førte blyanten i opstregen af hvert *alef*, nedstregen i hvert *beh* og satte de tre prikker, der hørte til *seh*.

Mullahen var en mager, rundrygget gammel mand med et tandløst smil og et hvidt skæg der gik ned til midt på brystet. Normalt kom han alene til kolbaen, men en gang imellem havde han sin rødhårede søn Hamza med som var et par år ældre end Mariam. Når mullah Faizullah dukkede op foran kolbaen, kyssede Mariam hans hånd – det føltes som at kysse et bundt kviste under et tyndt lag hud – og han kyssede hende på panden før de satte sig ned til dagens undervisning. Bagefter sad de ude foran kolbaen og spiste pinjekerner og nippede til en kop grøn te mens de med øjnene fulgte en flok nattergale der smuttede fra træ til træ. En gang imellem gik de en tur op ad bjergskråningen, langs åen, hen over orangefarvede blade og rundt mellem elletræer. Mullah Faizullah drejede på perlerne i sin *tasbeh*-krans mens de gik, og fortalte med sprød stemme Mariam historier om alt det han havde oplevet i sin ungdom, som for eksempel dengang han så en tohovedet slange i Iran på en af Isfahans treogtredive broer, eller om en vandmelon han engang havde delt i to uden for Den Blå Moské i Mazar og set at kernerne dannede ordene *Allah* i den ene halvdel og *Akbar* i den anden.

Mullah Faizullah indrømmede over for Mariam at han en gang imellem ikke forstod meningen med Koranens ord, men han sagde at han godt kunne lide den messende lyd af arabiske ord, når de rullede fra hans tunge og ud af munden. Han sagde at de bragte ham trøst, lettede hans hjerte.

„De vil også bringe dig trøst, Mariam," sagde han. „Du vil kunne kalde dem til dig i nødens stund, og de vil ikke svigte dig. Guds ord vil aldrig svigte dig, min pige."

Mullah Faizullah var god til at fortælle historier, men han var også en god lytter. Hans tanker gik aldrig på langfart når Mariam talte. Han nikkede langsomt og smilede næsten taknemmeligt – som om det var et eftertragtet privilegium han havde fået tilstået. Det var let at fortælle mullah Faizullah ting som Mariam ikke turde tale med Nana om.

En dag da de var ude at gå, fortalte Mariam ham at hun ville ønske hun kunne få lov til at gå i skole.

„Jeg mener en rigtig skole, akhund sahib. I et klasseværelse. Ligesom min fars andre børn.“

Mullah Faizullah standsede.

Ugen før havde Bibi jo haft nyt med om at Jalils døtre Saideh og Nahid skulle begynde i Mehri-skolen for piger. Lige siden havde tanker om klasseværelser og lærere rumlet rundt i Mariams hoved sammen med billeder af linjerede stilehefter, talrækker, og blyanter der lavede mørke tegn. Mariam længtes efter at lægge en lineal på et stykke papir og lave streger der virkede betydningsfulde.

„Er det det du gerne vil?“ spurgte mullah Faizullah og så på hende med sine bløde, fugtige øjne mens han gik videre med hænderne på ryggen, og skyggen fra hans turban faldt på en klynge strunke smørblomster.

„Ja.“

„Og du beder mig om at spørge din mor om lov?“

Mariam smilede og tænkte at ingen i denne verden ud over Jalil forstod hende bedre end hendes gamle lærer.

„Jamen, så vil jeg gøre det. Gud har i sin visdom givet alle et blødt punkt, og mit bløde punkt, blandt mange, er at jeg er ude af stand til at nægte dig noget, Mariam jo,“ sagde han og lod en gigtkroget finger glide ned over hendes kind.

Men senere, da han henvendte sig til Nana, tabte hun kniven som hun var ved at skive løg med. „Hvorfor?“

„Hvis pigen ønsker at lære noget, min kære, så giv hende lov til det. Lad hende få en uddannelse.“

„Gå i skole? Og lære hvad, mullah sahib?“ spurgte Nana vredt. „Hvad er der at lære?“ Hendes blik borede sig ind i Mariam.

Mariam kiggede ned på sine hænder.

„Hvad skulle det nytte at lade en pige som dig gå i skole? Det vil være som at skure en spyttebakke ren. Og man lærer intet af værdi i de skoler. Der er én færdighed som en kvinde som dig og mig har brug for i dette liv, og den underviser de ikke i i skolerne. Se på mig!"

„Du burde ikke tale sådan til hende, mit barn," sagde mullah Faizullah.

„Se på mig!"

Mariam så på hende.

„En eneste færdighed. Og det er denne: *tahamul*."

„Hvad er det jeg skal udholde, Nana?"

„Åh, det skal du ikke bryde dit hoved med," sagde Nana. „Det vil ikke skorte på ting."

Hun fortsatte med at fortælle hvordan Jalils koner havde kaldt hende grim, en lavtstående stenhuggers datter. Hvordan de havde forlangt at hun vaskede tøj ude i det fri selv om det var så koldt at hun blev følelsesløs i kinderne, og hendes fingre begyndte at svie.

„Sådan er vores lod i livet, Mariam. Kvinder som os. Vi må bide det i os. Det er det eneste vi kan gøre. Forstår du hvad jeg siger? Forresten vil de grine ad dig i skolen. Tro mig. De vil kalde dig harami. De vil sige forfærdelige ting om dig. Jeg vil ikke have det!"

Mariam nikkede.

„Og nu vil jeg ikke høre et ord mere om den skole. Du er den eneste jeg har. De får ikke lov til at tage dig fra mig. Slut med den snak om skolegang."

„Vær nu fornuftig. Hør nu, hvis pigen ønsker..." begyndte mullah Faizullah.

„Og De, akhund sahib, De burde, med al respekt, vide bedre end at opmuntre til den slags tåbelige drømme. Hvis De virkelig holder af hende, må De forsøge at få hende til at indse at hun hører hjemme sammen med sin mor. Der er intet til hende derude i verden. Kun afvisning og hjertesorg. Jeg ved det, akhund sahib. Jeg *ved* det."

4

Mariam elskede at have gæster i kolbaen. Landsby-arbaben og hans gaver, Bibi jo og hendes smertende hofte og endeløse sladder, og så selvfølgelig mullah Faizullah. Men der var ingen, ingen, som Mariam glædede sig mere til at se end Jalil.

Uroen begyndte allerede tirsdag nat. Mariam sov dårligt af angst for at et eller andet forretningsanliggende skulle forhindre Jalil i at komme om torsdagen, og at der ville gå en uge mere før han kom. Om onsdagen vandrede hun hvileløst frem og tilbage foran kolbaen, eller rundt og rundt om den, mens hun indimellem fraværende kastede en håndfuld kerner ind til hønsene. Hun gik lange ture, plukkede kronblade af blomster og daskede myg der slog sig ned på hendes arme. Om torsdagen satte hun sig med ryggen mod muren og øjnene klistret til åen og ventede. Hvis Jalil var forsinket, krøb angsten op i hende, langsomt, stykke for stykke. Hun blev svag i benene og var nødt til at gå hen og lægge sig et sted.

Så råbte Nana: „Og der er han så, din far, i al sin magt og vælde.“

Mariam ville springe op at stå når hun så ham hoppe fra sten til sten i åen, lutter smil og heftigt vinkende. Mariam vidste at Nana holdt øje med hende for at tage mål af hendes reaktion, og det var forfærdelig svært at blive stående i døråbningen og vente, at se ham langsomt nærme sig i stedet for at kaste sig i vildt løb hen mod ham. Hun lagde bånd på sig selv og stod tålmodigt og så hvordan han kæmpede sig igennem det høje græs med jakken slynget over den ene skulder mens brisen fik hans slips til at danse.

Når Jalil kom ind i lysningen, kastede han gerne jakken hen over tandooren og bredte armene ud. Mariam begyndte først at gå, men satte så i løb hen imod ham, og han fangede hende under armene og kastede hende højt op i luften. Mariam hvinede af fryd

Deroppe, højt oppe, så Mariam så ned på Jalils opadvendte ansigt under sig, hans brede, skæve smil, håret der voksede ned i panden i en halvmåneform, kløften i hans hage – som hun kunne bore sin lillefingerspids ind i – og hans tænder, de hvideste i en by hvor tænder som hovedregel var sorte og rådne. Hun elskede hans veltrimmede overskæg, og hun elskede at han uanset vejret altid var iført jakkesæt på sine besøg – mørkebrunt, hans yndlingsfarve, med en lille hvid trekant i brystlommen hvor lommetørklædet stak op – og manchetknapper og et slips, som oftest rødt, der hang løst når han gik igen. Mariam kunne se sig selv genspejlet i Jalils brune øjne: hendes hår der flagrede i brisen, hendes ansigt der blussede af ophidselse, himlen bag hende.

Nana sagde at han en eller anden dag ikke ville nå at gribe hende, at hun, Mariam, ville glide mellem hans arme, falde og brække et ben, men Mariam troede ikke på at Jalil ville tabe hende. Hun troede på at hendes fars velmanicurerede hænder altid ville lukke sig trygt om hende.

De sad uden for kolbaen i skyggen, og Nana serverede te for dem. Jalil og Nana hilste på hinanden med et usikkert smil og et nik. Jalil kom aldrig ind på at Nana kastede med sten og bandede ad hans sønner.

På trods af Nanas rasende beskyldninger når Jalil ikke var til stede, var hun myg og velopdragen når han besøgte dem. Hendes hår var altid nyvasket. Hun børstede sine tænder, iførte sig sin bedste *hijab* til ære for ham. Hun sad stille over for ham med hænderne foldet i skødet. Hun så ham ikke direkte i øjnene og brugte aldrig grimme ord i hans nærhed. Når hun lo, dækkede hun for munden med en hånd for at skjule den dårlige tand.

Nana spurgte hvordan det gik med forretningerne; hvordan hans hustruer havde det. Da hun fortalte ham at hun af Bibi jo havde hørt at hans yngste hustru, Nargis, ventede sit tredje barn, smilede Jalil høfligt og nikkede.

„Så er De vel lykkelig," sagde Nana. „Hvor mange børn har De nu? Ti, ikke sandt, *mashallah*. Ti?"

Jalil svarede ja, ti.

„Elleve hvis De regner Mariam med."

Senere, efter at Jalil var gået hjem, kom Mariam og Nana op at skændes over det. Mariam sagde at Nana havde fanget ham i en umulig situation.

Efter teen sammen med Nana gik Mariam og Jalil altid ned til åen for at fiske. Han viste hende hvordan hun skulle kaste og trække ørreder på land. Han lærte hende hvordan man skulle sprætte fisken op og rense den og løfte kødet fra benet i én bevægelse. Han tegnede for hende mens de ventede på den næste fangst, viste hende hvordan man kunne tegne en elefant i én ubrudt streg uden på noget tidspunkt at løfte blyanten fra papiret. Han lærte hende vers. Sammen sang de:

Lili lili sad på et fuglebad
pippede efter lidt mere mad.
Minnow sad på kanten og drak
gled, faldt i, og benet brak.

Jalil kom med udklip fra Herats avis, Ittifaq-i-Islam, og læste højt for hende. Han var Mariams forbindelsesled, hendes bevis på at der fandtes en verden derude, hinsides kolbaen, hinsides Gul Daman og også Herat, en verden med præsidenter med uudtalelige navne og tog og museer og fodbold og rumraketter der var i kredsløb om jorden og landede på månen, og hver eneste torsdag havde Jalil en lille bid af den verden med til kolbaen.

Det var ham der i sommeren 1973, da Mariam var fjorten år, fortalte at kong Zahir Shah, der havde regeret fra Kabul i fyrre år, var blevet afsat i et ublodigt kup.

„Det var hans fætter Daud Khan der gjorde det mens kongen var i Italien for at få lægebehandling. Kan du huske Daud Khan? Jeg har fortalt dig om ham. Han var premierminister i Kabul dengang du blev født. Nå, men Afghanistan er ikke længere et monarki, Mariam. Det er en republik nu, og Daud Khan er præsident. Der går rygter om at det var socialisterne i Kabul der hjalp ham til magten. Ikke at han selv er socialist, forstår du, men at de hjalp ham. Det er hvad rygtet siger."

Mariam spurgte ham hvad en socialist var, og Jalil begyndte at forklare, men Mariam havde svært ved at koncentrere sig.

„Hører du efter?"

„Ja."

Han så hende kigge på bulen i frakkelommen. „Åh. Ja, selvfølgelig. Jamen, så her da..."

Han fiskede en lille æske op af lommen og rakte hende den. Det var noget han gjorde en gang imellem: kom med små gaver. En gang en manchetknap af karneol, en anden gang et halsbånd med lapis lazuli-sten. Denne dag fandt Mariam, da hun lukkede æsken op, et halssmykke formet som et blad hvorfra der hang små mønter med måne og stjerner på.

„Tag det på, Mariam jo."

Hun adlød. „Hvad synes De?"

Jalil strålede glad. „Jeg synes du ligner en dronning."

Da han var gået, kiggede Nana nærmere på smykket om Mariams hals.

„Nomadesmykke," sagde hun. „Jeg har set dem lave den slags. De smelter mønter som folk giver dem, og laver dem om til smykker. Lad os se om han kommer med guld til dig næste gang, din kære far. Lad os se."

Når tiden var inde til at Jalil skulle gå, stod Mariam altid i døråbningen og så efter ham, nedtrykt ved tanken om den uge der lå som en enorm, urokkelig ting mellem hende og hans næste besøg. Mariam holdt altid vejret mens hun så efter ham.

Hun holdt vejret og talte sekunder oppe i hovedet. Hun fantaserede om at Gud for hvert sekund hun ikke trak vejret, ville give hende endnu en dag sammen med Jalil.

Om natten lå Mariam i sin seng og spekulerede på hvordan hans hus i Herat så ud. Hun spekulerede på hvordan det ville være at bo hos ham, være sammen med ham hver eneste dag. Hun så sig selv række ham et håndklæde når han barberede sig, og udpege det sted hvor han havde skåret sig. Hun ville lave te til ham. Hun ville sy knapper i for ham. De ville gå tur i Herat sammen, ind i den overdækkede basar hvor Jalil sagde at man kunne købe alt hvad hjertet begærede. De ville køre en tur i hans bil, og folk ville pege og sige: „Der kører Jalil Khan og hans datter." Han ville vise hende det berømte træ og digterens grav under det.

En dag meget snart ville hun fortælle Jalil om sine drømme, besluttede hun. Og når han havde hørt det, når han forstod hvor meget hun savnede ham når han var gået, ville han med sikkerhed tage hende med hjem. Han ville tage hende med til Herat, og hun skulle bo hos ham ligesom hans andre børn.

5

„Jeg ved hvad jeg ønsker mig," sagde Mariam til Jalil.

Det var foråret 1974, det år Mariam fyldte femten. De sad alle tre ude foran kolbaen på en skyggefuld plet under en grædepil på klapstole der var stillet op i en trekant.

„I fødselsdagsgave. Jeg ved hvad jeg ønsker mig."

„Gør du virkelig?" svarede Jalil og smilede opmuntrende.

To uger før havde Jalil, da Mariam spurgte, afsløret at der gik en amerikansk film i hans biograf. Det var en særlig slags film som han kaldte en tegnefilm. Filmen var en lang række tegninger, fortalte han, tusinder af dem, sådan at når man lavede dem til film og projicerede den op på lærredet, så det ud som om tegningerne bevægede sig. Jalil sagde at filmen handlede om en gammel, barnløs dukkemager som var ensom og desperat ønskede sig en søn. Så han skar en dukke, en dreng, som mirakuløst blev levende. Mariam havde bedt ham om at fortælle mere, og Jalil havde sagt at den gamle mand og hans dukke måtte igennem mange genvordigheder, at der fandtes et sted ved navn Pjækkeland hvor slemme drenge blev forvandlet til æsler. De blev oven i købet slugt af en hval til sidst, drengen og hans far. Mariam havde fortalt mullah Faizullah alt om denne film.

„Jeg ønsker at De tager mig med i biografen," sagde Mariam nu. „Jeg vil gerne se tegnefilmen. Jeg vil gerne se trædukken."

Efter at have sagt det fornemmede Mariam et skift i stemningen. Hendes forældre rykkede rundt på deres stolesæder. Mariam kunne mærke at de udvekslede blikke.

„Det er ikke nogen god idé," sagde Nana. Hendes stemme var rolig, som altid høflig når Jalil var i nærheden, men Mariam kunne mærke hendes vrede, anklagende blik.

Jalil flyttede sig i stolen. Han rømmede sig.

„Filmkvaliteten er ikke ret god," sagde han så. „Heller ikke lyden. Og fremviserapparatet har givet bøvl her på det sidste. Måske har din mor ret. Måske burde du overveje at ønske dig noget andet, Mariam jo."

„*Aneh*," sagde Nana. „Din far er enig."

Men senere, nede ved åen, sagde Mariam: „Vil De ikke nok?"

„Nu skal du høre," sagde Jalil. „Jeg sender en af sted for at hente dig. Jeg skal nok sørge for at du får en god plads og al det slik du kan spise."

„Nej. Jeg vil have at *De* går med."

„Mariam jo..."

„Og jeg vil have at De også inviterer mine brødre og søstre.

Jeg vil gerne hilse på dem. Jeg vil have at vi går i biografen sammen. Det er hvad jeg ønsker mig."

Jalil sukkede. Han så væk, over mod bjergene.

Mariam kunne huske at han havde fortalt at et menneskes ansigt oppe på lærredet var stort som et hus, at når en bil kørte galt deroppe, så var det som om man kunne mærke metallet skære ind i ens krop. Hun så sig selv sidde i en af logerne på balkonen og sutte på en is ved siden af sine søskende og Jalil. „Det er hvad jeg ønsker mig," gentog hun.

Jalil så hjælpeløst på hende.

„I morgen. Middag. Vi mødes her, ikke? I morgen?"

„Kom her," sagde han. Han satte sig på hug, trak hende ind til sig og holdt om hende i meget lang tid.

I begyndelsen gik Nana rundt og rundt i kolbaen og skiftevis knyttede og åbnede hænderne.

„Af alle de døtre jeg kunne have haft, hvorfor gav Gud mig så en utaknemmelig pige som dig? Alt har jeg udholdt på grund af dig. Hvor vover du! Hvor vover du at svigte mig på den måde, din forræderiske lille harami!"

Så hånede hun hende.

„Hvor er du dog et tåbeligt pigebarn! Du tror du betyder noget for ham, at du er velkommen i hans hjem? Du tror du er som en rigtig datter for ham? At han vil slå dørene op for dig? Men lad mig fortælle dig noget. En mands hjerte er en ussel, ussel ting, Mariam. Det er ikke som en mors skød. Det vil ikke bløde, det vil ikke strække sig for at give plads til dig. Jeg er den eneste der elsker dig. Jeg er alt hvad du har i denne verden, Mariam, og når jeg er borte, har du ingenting. Ingenting. Og *du* vil ingenting være."

Så forsøgte hun at prikke til Mariams skyldfølelse.

„Jeg dør hvis du går. Jinnen kommer, og jeg får et af mine anfald. Jeg sluger min tunge og dør, bare vent og se. Du må ikke forlade mig, Mariam. Vær sød at blive hos mig. Jeg dør hvis du forlader mig.“

Mariam svarede ikke.

„Du ved at jeg elsker dig, Mariam jo.“

Mariam sagde at hun gik en tur.

Hun var bange for at hun ville komme til at sige sårende ting hvis hun blev, ting som at hun vidste at det med jinnen var en løgn, at Jalil havde sagt at det Nana havde, var en sygdom med et navn, og at piller kunne hjælpe hende. Hun ville måske have spurgt Nana hvorfor hun nægtede at gå til Jalils læge selv om han insisterede på det, hvorfor hun ikke ville tage de piller han kom med til hende. Hvis hun kunne have formuleret det, ville hun måske have sagt til Nana at hun var træt af at være et redskab, af at blive løjet for, af at blive gjort krav på, af at blive udnyttet. At hun var led og ked af at Nana fordrejede sandheden om deres liv og gjorde hende, Mariam, til endnu et af sine anklagepunkter mod verden.

De er bange, Nana, ville hun måske have sagt. *De er bange for at jeg måske finder den lykke De aldrig fandt. Og De ønsker ikke at jeg skal være lykkelig. De ønsker ikke at jeg skal have et godt liv. Det er* Deres *hjerte der er usselt.*

Der var et udsigtspunkt i udkanten af lysningen hvor Mariam holdt af at gå hen. Hun sad der nu, på det varme, visne græs. Herfra kunne hun se Herat brede sig ud under sig som et barns brætspil: Kvindernes Have mod nord, Char-suq-basaren og Alexander den Stores borgruin mod syd. Hun kunne ane minareterne i det fjerne, som en kæmpes støvede fingre, og gaderne som hun forestillede sig myldrede med mennesker, kærrer, æsler. Hun så svaler suse rundt i luften over sit hoved. Hun var misundelig på disse fugle. De havde været i Herat. De havde fløjet hen over moskeerne og basarerne. Måske havde de hvilet sig på muren rundt om Jalils hus eller på trappen foran hans biograf.

Hun tog ti småsten op og lagde dem ned i tre lodrette rækker. Det var en leg hun en gang imellem legede når hun var alene, når Nana ikke så det. Hun lagde fire sten i første række, det var Khadijas børn, tre i næste række som var Afsoons børn, og tre i den tredje række som repræsenterede Nargis' børn. Så lagde hun en enkelt sten, den ellevte, ved siden af de tre rækker.

Næste dag havde Mariam taget en ferskenfarvet kjole på der gik ned til knæene, bomuldsbukser og en grøn hijab over håret. Hun var ked af hijaben fordi den var grøn og ikke passede til kjolen, men der var ikke noget at gøre ved det – møl havde gnavet huller i den hvide.

Hun så efter hvad klokken var. Uret, der var en gave fra mullah Faizullah, havde sorte tal på en mintgrøn skive og var så gammelt at det skulle trækkes op. Klokken var ni. Hun spekulerede på hvor Nana var henne. Hun overvejede at gå ud og lede efter hende, men var bange for konfrontationen og de anklagende blikke. Nana ville kalde hende forræder. Hun ville spotte hende for at nære falske forhåbninger.

Mariam satte sig. Hun forsøgte at få tiden til at gå med at tegne en elefant sådan som Jalil havde vist hende, med én ubrudt streg. Hun tegnede elefanten igen og igen. Hun blev øm af at sidde så længe, men ville ikke lægge sig ned af frygt for at krølle kjolen.

Da viserne på uret stod på halv tolv, puttede Mariam de elleve sten i lommen og gik udenfor. På vej ned til åen så hun Nana sidde på en stol i skyggen under grædepilen. Mariam kunne ikke afgøre om Nana så hende eller ej.

Nede ved åen stillede Mariam sig op for at vente på det sted de havde aftalt dagen før. Et par grå blomkålsformede skyer drev af sted på himlen over hendes hoved. Jalil havde fortalt hende at de grå skyer fik deres farve ved at være så tætte at det øverste af dem opsugede solens lys og kastede deres egen skygge ned mod bunden. *Det er hvad du ser, Mariam jo,* havde han sagt. *Mørket i deres mave.*

Tiden gik.

Mariam gik tilbage til kolbaen. Denne gang gik hun rundt langs vestsiden af lysningen så hun ikke var nødt til at gå forbi Nana. Hun kiggede på uret. Klokken var næsten et.

Han er forretningsmand, tænkte Mariam. *Der er et eller andet som han har skullet ordne.*

Hun gik tilbage til åen og ventede videre. Solsorte kredsede over hendes hoved og susede ned mod græsset et eller andet sted. Hun så en kålorm bugte sig hen over en ung tidsel.

Hun ventede indtil hendes ben var blevet helt stive. Denne gang gik hun ikke tilbage til kolbaen. Hun rullede buksebenene op, krydsede åen og gik for første gang i sit liv ned ad bakken mod Herat.

Nana havde heller ikke ret hvad angik Herat. Der var ingen der pegede fingre ad hende. Ingen lo. Mariam gik hen ad støjende, travle boulevarder med cypresser på begge sider, mellem en stadig strøm af fodgængere, cyklister og muldyrtrukne *gari*'er, og ingen kastede sten efter hende. Ingen kaldte hende for en harami. Der var knap nok nogen der ænsede hende. Mariam var et helt almindeligt menneske her, og det var både uventet og dejligt.

Et stykke tid stod hun foran en oval kunstig sø midt i en park med krydsende stier. Fuld af undren lod hun fingrene glide hen over de smukke marmorheste langs kanten af søen og kiggede ud over vandet med opspilede øjne. Hun fik øje på en flok drenge der var ved at søsætte papirskibe. Mariam så blomster overalt, tulipaner, petunier der vendte deres farvestrålende kronblade op mod solen. Folk spadserede af sted på stierne eller sad på bænke og drak te.

Mariam havde svært ved at fatte at hun rent faktisk var i

Herat. Hendes hjerte hamrede af ophidselse, og hun ville ønske at mullah Faizullah kunne se hende nu. Hvor ville han synes at hun var modig! Hun overgav sig til fantasien om det nye liv der ventede hende her i byen, et liv hos en far, sammen med søstre og brødre, et liv hvori hun kunne øse af sin kærlighed og få kærlighed retur, uden forbehold eller skjulte dagsordener, uden skam.

Hun gik smådansende tilbage til den brede hovedvej langs parken. Hun kom forbi gamle gadesælgere med vejrbidte ansigter som sad i skyggen under platantræer og apatisk kiggede på hende bag bjerge af kirsebær og grapefrugt stablet i pyramider. Barfodede drenge jagtede biler og busser og viftede med poser fyldt med kvæder. Mariam stod på et gadehjørne og betragtede de forbipasserende, ude af stand til at forstå hvordan de kunne være så ligeglade med alt det forunderlige omkring sig.

Noget efter tog hun mod til sig og spurgte en gammel ejer af en hestetrukket gari om han vidste hvor Jalil, biografejeren, boede. Den gamle mand havde buttede kinder og en *chapan* i alle regnbuens farver på hovedet. „Du er ikke fra Herat, vel?" sagde han venskabeligt. „Alle her ved hvor Jalil Khan bor."

„Kan De vise mig vej?"

Han pakkede en folieindpakket karamel op og spurgte: „Er du alene?"

„Ja."

„Sæt dig op. Jeg kan køre dig derhen."

„Jeg har ikke penge til at betale Dem."

Han gav hende karamellen. Han sagde at han ikke havde haft en tur i to timer, og at han alligevel havde tænkt sig at køre hjem nu. Jalils hus lå på vejen.

Mariam satte sig op i garien. De kørte uden at sige noget, side om side på bukken. På vejen så Mariam butikker med krydderier og åbne boder hvor folk kunne købe appelsiner og pærer, bøger, sjaler, ja selv falke. Børn legede med marmorkugler i riller som de havde tegnet i støvet. Uden for tehuse, på tæppebeklædte træverandaer, sad mænd og drak te mens de røg tobak på *hookah*'er.

Den gamle mand drejede ind på en bred allé med cedertræer. Han standsede hesten halvt nede ad gaden.

„Her er det. Du er heldig, ser det ud til, *dokhtar* jo. Der holder hans bil."

Mariam hoppede ned. Han smilede og trillede videre.

Mariam havde aldrig før rørt ved en bil. Hun lod fingrene glide hen over motorhjelmen på Jalils bil som var sort og skinnende med funklende rene hjulkapsler hvori Mariam kunne se en flad, bred version af sig selv. Sæderne var betrukket med hvidt læder. Bag rattet kunne Mariam se runde felter med visere bag glas.

Et øjeblik hørte Mariam Nanas stemme i sit hoved, spottende, som en spand vand over det håbefulde bål der flammede i hendes indre. Angsten bølgede op i hende da hun med rystende ben nærmede sig porten. Hun lagde hænderne mod muren. Den var så høj, så truende, muren omkring Jalils hus. Hun var nødt til at lægge hovedet tilbage for at kunne se toppen af cypresserne der voksede på den anden side. Trætoppene svajede i brisen, og hun forestillede sig at de nikkende bød hende velkommen. Mariam skød hjertet op i livet og undertrykte sin angst.

En ung kvinde uden sko på fødderne åbnede porten. Hun havde en tatovering under læben.

„Jeg er kommet for at tale med Jalil Khan. Jeg er Mariam. Hans datter."

Et forvirret udtryk gled hen over kvindens ansigt. Så et genkendelsens glimt. Der bredte sig et svagt smil over hendes ansigt, og der var noget ivrigt over hende, noget forventningsfuldt. „Vent her," sagde hun hurtigt.

Hun lukkede porten.

Der gik et par minutter. Så kom en mand ud og åbnede

porten. Han var høj og bred over skuldrene og så på hende med søvnige øjne og et roligt udtryk i ansigtet.

„Jeg er Jalil Khans chauffør," sagde han, men ikke uvenligt.

„Hans hvad?"

„Hans chauffør. Jalil Khan er ikke hjemme."

„Jeg kan se hans bil," sagde Mariam.

„Han er ude i et vigtigt ærinde."

„Hvornår kommer han tilbage?"

„Det sagde han ikke noget om."

Mariam sagde at hun ville vente.

Han lukkede porten. Mariam satte sig op ad muren og trak knæene op til brystet. Tusmørket var ved at sænke sig, og hun var sulten. Hun spiste gari-kuskens karamel. Lidt efter kom chaufføren ud til hende.

„Du bliver nødt til at gå hjem nu," sagde han. „Det vil være helt mørkt om en time."

„Jeg er ikke bange for mørket."

„Det bliver også koldt. Hvad siger du til at jeg kører dig hjem nu? Jeg skal nok sige til ham at du har været her."

Mariam kiggede bare på ham.

„Jamen, så kører jeg dig hen til et hotel hvor du kan sove i nat. I morgen må vi så se hvad vi kan stille op."

„Lad mig komme indenfor i huset."

„Jeg har fået besked på ikke at lade dig komme ind. Hør nu, ingen ved hvornår han er tilbage. Der kan gå flere dage."

Mariam lagde armene over kors.

Chaufføren sukkede og kiggede mildt bebrejdende på hende.

I løbet af de kommende år ville Mariam have rig anledning til at tænke på hvordan det hele kunne have været hvis hun havde givet chaufføren lov til at køre hende hjem til kolbaen. Men det gjorde hun ikke. Hun tilbragte natten foran Jalils hus. Hun så himlen blive mørk og skyggerne opsluge nabohusene. Den tatoverede kvinde kom ud med brød og en tallerken ris, men

Mariam sagde at hun ikke ville have det. Kvinden stillede maden ved siden af Mariam. Fra tid til anden hørte Mariam fodtrin på gaden, døre der gik op, mumlende hilsener. Der blev tændt lys inde i husene, og vinduer glødede. Hunde gøede. Da Mariam ikke længere kunne holde sulten ud, spiste hun risen og brødet. Så lyttede hun til fårekyllingerne der sang inde i haverne. Over hendes hoved gled skyer for en bleg måne.

Hun blev rusket vågen om morgenen. Mariam så at en eller anden i nattens løb havde lagt et tæppe over hende.

Det var chaufføren der ruskede hende i skulderen.

„Nu er det nok. Du har lavet en scene. *Bas.* Det er på tide du tager hjem."

Mariam satte sig op og gned sig i øjnene. Hun var øm i nakke og ryg. „Jeg venter på ham."

„Se på mig," sagde han. „Jalil Khan siger at jeg skal køre dig hjem nu. Lige nu. Forstår du hvad jeg siger? Det er Jalil Khans ordre."

Han åbnede døren til bagsædet. „*Bia*," sagde han stille.

„Jeg vil tale med ham," sagde Mariam. Hendes øjne flød over med tårer.

Chaufføren sukkede. „Kom nu, lad mig køre dig hjem. Sæt dig ind i bilen, dokhtar jo."

Mariam kom på benene og gik hen mod ham. Men så, i sidste øjeblik, skiftede hun retning og løb hen mod porten. Hun mærkede chaufføren gribe ud efter hendes skulder, men rystede ham af sig og smuttede ind gennem den åbne port.

I de få sekunder Mariam befandt sig i Jalils have, registrerede hendes øjne et skinnende drivhus med planter, vinranker der klyngede sig til et træespalier, en fiskedam med store grå sten, frugttræer og overalt buske med farvestrålende blomster. Hendes øjne opfattede alle disse ting før de fandt et ansigt, hen over plænen, i et vindue på første sal. Ansigtet var der et kort øjeblik, kun i et glimt, men længe nok. Længe nok til at Mariam så de opspilede øjne og munden der stod åben. Så forsvandt det fra vinduet. En hånd kom til syne og trak hektisk i en snor. Gardinet rullede ned.

Så borede et par hænder sig ind i hendes armhuler og løftede hende op fra jorden. Mariam sparkede. Småstenene faldt ud af hendes lomme. Mariam blev ved med at sparke fra sig og græde mens hun blev båret ud til bilen og placeret på det kolde læderbetræk på bagsædet.

Chaufføren hviskede trøstende ord til hende mens han kørte. Mariam hørte ikke efter. På hele den bumpende tur lå hun på bagsædet med tårer trillende uophørligt ned ad sine kinder. Det var bedrøvede, vrede og desillusionerede tårer, men især var det skamfulde tårer over den måde hun havde overgivet sig til Jalil på, over alle sine overvejelser om hvilken kjole hun skulle tage på, over hijaben der ikke havde passet til kjolen, over at være gået hele den lange vej hertil og have nægtet at gå igen, over at have sovet på gaden som en herreløs hund. Og hun skammede sig over kun at have haft et skuldertræk tilovers for sin mors slagne ansigt, hendes opsvulmede øjne. Nana, som havde advaret hende, havde haft ret hele tiden.

Mariam kunne ikke glemme hans ansigt deroppe i vinduet. Han havde ladet hende sove på gaden. *På gaden!* Mariam græd og græd. Hun satte sig ikke op, ønskede ikke at blive set. Hun forestillede sig at alle i Herat vidste at hun denne dag havde vanæret sig selv. Hun ville ønske at mullah Faizullah var hos hende så hun kunne lægge hovedet i hans skød og lade sig trøste.

Lidt efter blev vejen mere hullet, og bilens forende pegede opad. De var på vej op ad vejen mellem Herat og Gul Daman.

Hvad skulle hun sige til Nana? spekulerede Mariam. Hvordan skulle hun undskylde sin opførsel? Hvordan skulle hun nogensinde kunne se Nana i øjnene igen?

Bilen standsede, og chaufføren hjalp hende ud. „Jeg går med dig op," sagde han.

Hun lod sig føre over vejen og op ad hjulsporet. Der voksede kaprifolier langs sporet, og masser af mælkebøtter. Bier summede rundt mellem de farvestrålende blomster. Chaufføren tog hende i hånden og hjalp hende over åen. Så slap han hendes igen og sludrede løs om at Herats berømte et hundrede og tyve dages-vind snart ville begynde hvor det blæste fra morgen til aften, og hvor sandfluerne ville kaste sig ud i et sandt ædegilde, og pludselig stod han foran hende, forsøgte at holde hende for øjnene, skubbede hende tilbage ad den vej de var kommet, og sagde: „Gå tilbage! Nej, du må ikke se. Vend om! Gå tilbage til bilen."

Men han var ikke hurtig nok. Mariam så det. Et vindstød fik grenene på grædepilen til at dele sig, som et gardin der blev trukket fra, og Mariam fik et glimt af det der befandt sig under træet: en væltet stol. Rebet hang ned fra en gren højt oppe. Nana dinglede for enden af det.

6

De begravede Nana i et hjørne af kirkegården i Gul Daman. Mariam stod ved siden af Bibi jo og de andre kvinder mens mullah Faizullah bad en bøn ved graven, og mændene sænkede Nanas indhyllede krop ned i hullet.

Bagefter gik Jalil med Mariam op til kolbaen hvor han foran øjnene af de landsbyboere der var gået med, gjorde et stort nummer ud af at trøste Mariam. Han samlede hendes få ejendele sammen og pakkede dem ned i en kuffert. Han sad ved siden af sengen hvor hun lå, og viftede hende. Han strøg hende over panden og spurgte med et ulykkeligt udtryk i ansigtet om der var noget hun ville have, hvad som helst, hvad som helst – sådan sagde han, to gange.

„Jeg vil have at mullah Faizullah kommer," sagde Mariam.

„Selvfølgelig. Han er udenfor. Nu skal jeg hente ham."

Det var da mullah Faizullahs magre, ludende skikkelse kom til syne i kolbaens dør at Mariam græd for første gang den dag.

„Åh, Mariam jo."

Han satte sig på sengekanten og lagde hænderne om hendes ansigt. „Græd, Mariam jo, græd alt hvad du vil. Det er ingen skam. Men husk, min pige, hvad der står i Koranen: 'Velsignet er Han i hvis hænder riget er, og Han som har magt over alle ting, som skabte døden og livet for at prøve dig.' Koranen taler sandt, min pige. Der er en grund til alle de prøvelser og sorger som Gud udsætter os for."

Men Mariam kunne ikke høre trøsten i Guds ord. Ikke denne dag. Ikke dengang. Det eneste hun kunne høre, var Nana der sagde: *Du må ikke forlade mig, Mariam. Jeg dør hvis du forlader mig.* Og det eneste hun kunne, var at græde og græde og lade tårerne falde ned på mullah Faizullahs hænder og deres leverplettede, papirtynde hud.

På turen tilbage til Herat sad Jalil på bagsædet sammen med Mariam med en arm om hendes skulder.

„Du kan bo hos mig, Mariam jo," sagde han. „Jeg har beordret et værelse gjort klar til dig. Jeg tror du vil kunne lide det. Der er udsigt over haven."

For første gang kunne Mariam høre ham med Nanas ører. Hun kunne nu tydeligt høre uoprigtigheden der hele tiden havde luret underneden, de hule, falske løfter. Hun kunne ikke få sig selv til at se på ham.

Da bilen standsede foran Jalils hus, åbnede chaufføren porten for dem og bar Mariams kuffert op til døren. Jalil førte hende med en hånd om begge skuldre gennem den samme port som hun for to dage siden havde sovet ved siden af, ude på fortovet, mens hun ventede på ham. For to dage siden – dengang Mariam allerhøjest i verden ønskede sig at gå rundt i denne have sammen med Jalil – føltes som en evighed siden. Hvordan kunne det gå til at hendes liv så hurtigt var blevet vendt på hovedet? spurgte Mariam sig selv. Hun gik med blikket rettet mod jorden og sine fødder der bevægede sig hen ad de grå fliser. Hun fornemmede at der var folk i haven der mumlende trådte til side da de passerede dem. Hun fornemmede vægten af øjne der kiggede ned på hende fra førstesalsvinduerne.

Også da de var kommet ind i huset, gik Mariam med bøjet hoved. Hun gik hen over et brunt tæppe med et mønster af blå og gule ottekanter, så ud af øjenkrogen det nederste af marmorstatuer, og af gulvvaser, og af flossede ender på spraglede tæpper der hang på væggene. Trappen som hun og Jalil gik op ad, var bred og dækket af et lignende tæppe der var sømmet fast til trinnene. For enden af trappen førte Jalil hende mod venstre og ned ad endnu en lang tæppebelagt gang. Han standsede foran en dør, åbnede den og lod hende gå ind.

„Dine søstre Niloufar og Atieh leger en gang imellem i værelset her," sagde Jalil, „men vi bruger det mest som gæsteværelse. Du vil trives her, tror jeg. Her er rart, ikke?"

Der stod en seng med et grønt sengetæppe med blomster på, syet sammen af sekskantede, strikkede stykker. Gardinerne, der var trukket fra så man kunne se haven nedenunder, matchede med sengetæppet. Ved siden af sengen stod en kommode med tre skuffer og en vase ovenpå. Der var hylder på væggen, og på alle hylder stod der indrammede fotografier af folk som Mariam ikke kendte. På en af hylderne så hun en række ens dukker, den ene mindre end den anden.

Jalil fulgte hendes blik. „Babushka-dukker. Jeg køber dem i Moskva. Du må gerne lege med dem hvis du vil. Det er der ingen der vil have noget imod."

Mariam satte sig på sengen.

„Er der noget du kunne tænke dig?" spurgte Jalil.

Mariam lagde sig ned. Lukkede øjnene. Lidt efter hørte hun ham stille lukke døren.

Mariam blev oppe på sit værelse bortset fra når hun skulle på toilettet som lå længere nede ad gangen. Kvinden med tatoveringen, hende som havde åbnet porten, kom med mad på en bakke til hende: lamme-*kabob*, sabzi, *aush*-suppe. Det meste af det gik urørt retur. Jalil kom op til hende adskillige gange i løbet af dagen, satte sig på sengekanten og spurgte om hun havde det godt.

„Du må godt spise nedenunder sammen med os andre," sagde han, men uden den store overbevisning i stemmen. Han var lidt for hurtig til at vise forståelse da Mariam sagde at hun foretrak at blive på værelset.

Fra sit vindue kunne Mariam sløvt stå og undre sig over det hun det meste af sit liv havde længtes efter at se: de daglige gøremål i Jalils liv, tjenere der smuttede ud og ind ad porten, gartneren der klippede buske og vandede planter i drivhuset, biler med lange, elegante motorhjelme der kørte op foran huset, og de mennesker der steg ud af dem, mænd i jakkesæt, med chapaner og astrakanhatte på hovederne, kvinder i hijab, nyfriserede børn. Og når Mariam så Jalil trykke disse fremmede mennesker i hånden, når hun så ham lægge håndfladerne over kors på brystet og nikke til deres koner, vidste hun at Nana havde talt sandt. Hun hørte ikke til her.

Men hvor hører jeg så til? Hvad skal jeg nu gøre?

Jeg er alt hvad du har i denne verden, Mariam, og når jeg er borte, har du ingenting. Ingenting. Og du *vil ingenting være.*

Som vindstød i piletræerne rundt om kolbaen passerede bølger af uforklarligt mørke gennem Mariams krop.

På andendagen i Jalils hus kom en lille pige ind i værelset.

„Jeg skal hente noget," sagde hun.

Mariam satte sig op i sengen, samlede benene og trak tæppet op over sit skød.

Pigen skyndte sig gennem værelset og lukkede en skabsdør op. Hun tog en firkantet grå kasse ud.

„Ved du hvad det her er?“ spurgte hun. Hun lukkede kassen op. „Den hedder en grammofon. Grammo. Fon. Man kan spille plader på den. Musik, mener jeg. En grammofon.“

„Det er dig der er Niloufar. Du er otte år gammel.“

Den lille pige smilede. Hun havde Jalils smil og hans kløft i hagen. „Hvor vidste du det fra?“

Mariam trak på skuldrene. Hun fortalte ikke denne pige at hun engang havde haft en lille sten der var opkaldt efter hende.

„Vil du høre en sang?“

Mariam trak igen på skuldrene.

Niloufar satte grammofonstikket i. Hun fiskede en lille plade op af rummet i kassens låg. Hun lagde den på og førte pickuppen ned. Sangen begyndte.

Jeg vil bruge et blomsterblad som papir
og skrive dig det sødeste brev.
Du er sultan i mit hjerte
sultan i mit hjerte.

„Kender du den?“

„Nej.“

„Den er fra en iransk film. Jeg så den i min fars biograf. Har du lyst til at se noget?“

Før Mariam nåede at svare, havde Niloufar sat håndfladerne og hovedet mod gulvet. Hun satte af med fødderne, og så stod hun på hovedet.

„Kan du også gøre det?“ spurgte hun med tyk stemme.

„Nej.“

Niloufar tog benene ned og kom med blussende kinder op at

stå igen. „Jeg kunne lære dig det,“ sagde hun og trak blusen ned og strøg håret væk fra panden. „Hvor længe skal du bo her?“

„Det ved jeg ikke.“

„Min mor siger at du ikke er min rigtige søster sådan som du siger du er.“

„Det har jeg aldrig sagt,“ sagde Mariam.

„Det siger hun at du har. Jeg er ligeglad. Jeg mener, jeg er ligeglad med om du har sagt det, og jeg er også ligeglad med om du er min søster. Jeg er ligeglad.“

Mariam lagde sig ned. „Jeg er træt nu.“

„Min mor siger at en jinn fik din mor til at hænge sig.“

„Du kan stoppe den nu,“ sagde Mariam og lagde sig om på siden. „Musikken, mener jeg.“

Bibi jo kom også for at besøge hende den dag. Det var begyndt at regne da hun kom. Hun lod sin store krop dumpe ned i stolen ved siden af sengen og skar en grimasse.

„Denne regn, Mariam jo, den er tortur mod mine hofter. Den rene tortur, kan jeg godt sige dig. Jeg håber... åh, lille barn dog. Kom herhen til Bibi jo. Du må ikke græde. Så så, din lille stakkel. Sssh, din stakkels, stakkels pige.“

Den aften havde Mariam meget svært ved at falde i søvn. Hun lå i sengen og kiggede ud ad vinduet på himlen, lyttede til folk der gik rundt nedenunder, dæmpede stemmer gennem væggene, og regnen der slog mod ruden. Da hun langt om længe var døset hen, blev hun vækket af råb. Stemmer, nedenunder, høje og vrede. Mariam kunne ikke skelne ordene. En eller anden smækkede med en dør.

Næste dag kom mullah Faizullah på besøg. Da Mariam så sin ven i døren, hans hvide skæg og venlige, tandløse smil, mærkede hun tårerne svie i øjenkrogene igen. Hun svingede benene ud over sengekanten og løb hen til ham. Hun kyssede hans hånd, som sædvanlig, og han kyssede hende på panden. Hun trak en stol frem til ham.

Han viste hende Koranen som han havde taget med, og slog op i den. „Jeg tænkte at der ikke var nogen grund til at ændre vores rutiner, vel?"

„De ved at jeg ikke behøver flere timer, mullah sahib. De har lært mig hver eneste *surrah* og *ayat* i Koranen for år tilbage."

Han smilede og løftede hænderne som om han overgav sig. „Jeg tilstår. Du har afsløret mig. Men er det ikke en rigtig god undskyldning for at komme og besøge dig?"

„De har ikke brug for undskyldninger. Ikke Dem."

„Det er sødt af dig at sige det, Mariam jo."

Han rakte hende Koranen. Som han havde lært hende, kyssede hun den tre gange og løftede den op til panden mellem hvert kys før hun gav ham den tilbage.

„Hvordan har du det, min pige?"

„Jeg bliver ved med…" begyndte Mariam. Hun var nødt til at holde inde, det var som om en sten havde sat sig fast i hendes hals. „Jeg bliver ved med at tænke på det hun sagde før jeg gik. Hun…"

„Nej, nej, nej." Mullah Faizullah lagde en hånd på hendes knæ. „Din mor, må Allah tilgive hende, var en forpint og ulykkelig kvinde, Mariam jo. Det var en forfærdelig ting hun gjorde mod sig selv. Mod sig selv, mod dig og også mod Allah. Han vil tilgive hende, for Han er alttilgivende, men Han er også bedrøvet over det hun gjorde. Han billiger ikke at mennesker tager liv, uanset om det er deres eget eller en andens, for Han siger at livet er helligt. Forstår du…" Han trak sin stol nærmere og tog Mariams ene hånd i sine. „Forstår du, jeg kendte din mor før du blev født, dengang hun var en lille pige, og jeg kan fortælle dig at hun allerede dengang var ulykkelig. Jeg er bange for at kimen til det hun gjorde, spirede i hende allerede i barndommen. Hvad jeg forsøger at fortælle dig, er at det ikke var din skyld. Det var ikke din skyld, min pige."

„Jeg skulle ikke være gået. Jeg skulle ikke…"

„Nu tier du med det! Den slags tanker er ikke gode, Mariam jo. Hører du hvad jeg siger, barn? Ikke gode. De vil ødelægge dig. Det var ikke din skyld. Det var ikke din skyld. Hører du?“

Mariam snøftede og nikkede, men uanset hvor desperat hun ønskede det, kunne hun ikke få sig selv til at tro på ham.

Op ad dagen, ugen efter, bankede det på døren, og en høj kvinde kom ind i værelset. Hun var lys i huden, havde rødt hår og lange fingre.

„Jeg er Afsoon,“ sagde hun. „Niloufars mor. Hvorfor vasker du dig ikke lidt og kommer nedenunder?“

Mariam sagde at hun hellere ville blive på sit værelse.

„Nej, *na fahmidi*, du forstår ikke hvad jeg mener. Du *skal* komme ned. Vi ønsker at tale med dig. Det er vigtigt.“

7

De sad på den anden side af et langt, mørkebrunt bord, Jalil og hans koner. Mellem dem, midt på bordet, stod en krystalvase med morgenfruer og en dugget kande vand. Den rødhårede kvinde som havde præsenteret sig som Niloufars mor, Afsoon, sad til højre for Jalil. De to andre, Khadija og Nargis, sad til venstre for ham. Alle tre hustruer havde et tyndt sort tørklæde løst bundet om halsen og ikke på hovedet – som havde de taget det på ved en indskydelse. Mariam, som ikke kunne tro at de bar sorg over Nana, forestillede sig at en af dem, eller måske Jalil, havde foreslået det lige før hun blev kaldt ned.

Afsoon skænkede vand fra kanden og stillede et glas foran Mariam på en ternet dækkeserviet. „Det er stadig kun forår, men varmt allerede,“ sagde hun. Hun lavede en viftende bevægelse med hånden.

„Har du været tilfreds med at være her?" spurgte Nargis. Hendes hage var meget lille, til gengæld var hendes sorte hår meget stort og krøllet. „Vi håber du har haft det godt. Denne... prøvelse... må være hård for dig. Meget vanskelig."

De to andre nikkede. Mariam noterede sig deres plukkede øjenbryn, de smalle, overbærende smil de sendte hende. Det summede ubehageligt i hendes hoved. Brændte i halsen. Hun tog en slurk vand.

Gennem det brede vindue bag Jalil kunne hun se en række blomstrende æbletræer. Ved siden af vinduet stod et mørkt trækabinet. Inde i det stod et ur og et indrammet fotografi af Jalil og tre drenge med en fisk i hænderne. Solen reflekteredes i fiskens skæl. Jalil og drengene lo.

„Ser du," begyndte Afsoon, „jeg, jeg mener vi, har bedt dig komme fordi vi har en meget god nyhed til dig."

Mariam så op.

Hun opfangede blikket som de tre kvinder udvekslede, hen over Jalil der var sunket sammen i stolen og sad og så tomt på vandkanden på bordet. Det var Khadija, vistnok den ældste af de tre kvinder, som rettede blikket mod Mariam, og Mariam havde på fornemmelsen at denne pligt havde været til debat og var blevet aftalt før de tilkaldte hende.

„Du har en bejler," sagde Khadija.

Mariams mave knugede sig sammen. „En hvad?" sagde hun med pludseligt følelsesløse læber.

„En *khastegar*. En der vil giftes med dig. Han hedder Rashid," fortsatte Khadija. „Det er en ven af en af din fars forretningsforbindelser. Han er pashtun, oprindelig fra Kandahar, men han bor i Kabul nu, i Dihmazang-kvarteret, i et toetages hus som han ejer."

Afsoon nikkede. „Og han taler farsi ligesom os, ligesom dig. Så slipper du for at skulle lære pashto."

Det var som om en jernring lagde sig om Mariams bryst.

Værelset bølgede for hendes blik, og gulvet gyngede under hendes fødder.

„Han er skomager," sagde Khadija nu. „Men ikke en almindelig gade-*moochi*, åh nej. Han har sin egen butik, og han er en af de mest søgte skomagere i Kabul. Han laver sko for diplomater, præsidentens familie, den slags højtstående mennesker. Så du forstår nok at han ikke vil have problemer med at forsørge dig."

Mariam rettede blikket mod Jalil. Hendes hjerte slog kolbøtter i livet på hende. „Er det sandt? Er det hun siger, sandt?"

Men Jalil ville ikke se på hende. Han fortsatte bare med at tygge på underlæben og kigge på vandkanden.

„Han er en *smule* ældre end dig," indskød Afsoon med klingende stemme, „men han kan ikke være mere end... fyrre år. Højst femogfyrre. Eller hvad siger du, Nargis?"

„Ja, det skal nok stemme. Men jeg har set niårige piger blive gift med mænd der er tyve år ældre end din bejler, Mariam. Det har vi alle. Hvor gammel er det nu du er? Femten? Det er en fin giftefærdig alder for en pige." Der blev nikket begejstret. Det undgik ikke Mariams opmærksomhed at hendes halvsøstre Saideh og Nahid, der var på alder med hende, begge gik i Mehri-skolen i Herat, og begge havde planer om at gå på universitetet i Kabul, overhovedet ikke blev nævnt nu. Femten år var øjensynlig ikke en fin giftefærdig alder for dem.

„Hvad mere er," fortsatte Nargis, „så har også han lidt et stort tab. Vi har hørt at hans kone døde i barselsseng for ti år siden. Og så, for tre år siden, druknede hans søn i en sø."

„Det er meget sørgeligt, ja. Han har et par år været på udkig efter en brud, men ikke fundet nogen der egnede sig."

„Jeg vil ikke," sagde Mariam. Hun så på Jalil. „Jeg vil ikke det her. De må ikke tvinge mig." Hun hadede den bedende klang, snøftelyden, men kunne ikke beherske sig.

„Vær nu fornuftig, Mariam," sagde en af hustruerne. Mariam kunne ikke længere holde styr på hvem der sagde hvad. Hun blev ved med at se på Jalil, ventede på at han skulle sige noget, sige at intet af det kom på tale.

„Du kan ikke bo her resten af dit liv."

„Vil du ikke gerne have din egen familie?"

„Ja. Et hjem, dine egne børn?"

„Du er nødt til at komme videre."

„Det ville ganske vist være at foretrække hvis du kunne gifte dig med en lokal mand, en tadsjik, men Rashid er sund og rask og interesseret i dig. Han ejer et hus og har arbejde. Det er det vigtigste, ikke sandt? Og Kabul er en smuk og spændende by. Måske får du aldrig igen så god en chance."

Mariam rettede opmærksomheden mod hustruerne.

„Jeg kan bo hos mullah Faizullah," sagde hun. „Han vil lade mig bo hos sig. Det ved jeg han vil."

„Det duer ikke," sagde Khadija. „Han er gammel og for…" Hun ledte efter det rette ord, og Mariam vidste da at det hun i virkeligheden ville sige, var: *Han bor for tæt på os.* Hun forstod også hvad det hele gik ud på. *Måske får du aldrig igen så god en chance.* Det samme gjaldt for dem. De var blevet vanæret ved hendes fødsel, og dette var deres chance for en gang for alle at slette det sidste spor efter deres mands skandaløse fejltrin. Hun blev sendt bort fordi hun var et omvandrende bevis på deres skam.

„Han er for gammel og svag," sluttede Khadija. „Og hvad vil du stille op når han er borte? Du vil være en byrde for hans familie."

Som du er det for os nu. Mariam kunne næsten *se* de uudtalte ord forlade Khadijas mund som en hvid udånding på en kold dag.

Mariam forsøgte at se sig selv i Kabul, en stor, fremmed, travl by som lå godt seks hundrede og halvtreds kilometer øst for Herat, havde Jalil engang fortalt hende. *Seks hundrede og halvtreds kilometer.* Det længste hun nogen sinde havde været hjemmefra, var to kilometer, strækningen fra kolbaen til Jalils hjem. Hun prøvede at forestille sig at skulle bo der, i Kabul, for enden af en afstand der var næsten umulig at forestille sig, at skulle bo i en fremmed mands hjem hvor hun skulle indordne sig hans luner og adlyde hans bud. Hun ville skulle gøre rent efter denne mand, Rashid, lave hans mad, vaske hans tøj. Og der ville også være andre pligter – Nana havde fortalt hvad mænd gjorde med deres koner. Det var især tanken om dette intime som hun forestillede sig var både smertefuldt og perverst, der fik rædslen til at brede sig i hendes krop, og sveden til at hagle ned ad hende.

Hun så igen over på Jalil. „Sig det til dem. Fortæl dem at De ikke vil lade dem gøre det mod mig."

„Faktisk har din far allerede givet Rashid sit svar," sagde Afsoon. „Rashid er her, i Herat, han er kommet hele den lange vej fra Kabul. *Nikka*'et finder sted i morgen tidlig, og bussen til Kabul afgår klokken tolv."

„Fortæl dem det!" råbte Mariam.

Kvinderne blev tavse, og Mariam fornemmede at også de så på ham. Afventende. Der blev helt stille i rummet. Jalil sad og drejede på sin vielsesring med et såret, hjælpeløst udtryk i ansigtet. Uret inde i skabet tikkede højt.

„Jalil jo?" sagde en af kvinderne til sidst.

Jalil så langsomt op, mødte Mariams blik, holdt det et øjeblik og så så ned igen. Hans mund gik op, men den eneste lyd der kom ud, var et pinefuldt støn.

„Sig noget," sagde Mariam.

Og det gjorde Jalil så, med en tynd, sprød stemme: „For pokker, Mariam, du må ikke gøre det her imod mig," sagde han som om det var ham der blev gjort noget imod.

Og med de ord kunne Mariam mærke at spændingen forsvandt fra rummet.

Jalils koner tog fat på en ny – og begejstret – beroligende runde, men Mariam sad bare og kiggede ned. Hendes blik fulgte bordets elegante ben, dets runde hjørner, genskinnet fra den mørke plade. Hun lagde mærke til at pladen duggede hver gang hun åndede ud, så hun forsvandt fra sin fars bord.

Afsoon fulgte hende op til værelset. Da hun lukkede døren, hørte Mariam en nøgle blive drejet om i låsen.

8

Om morgenen fik Mariam udleveret en langærmet, mørkegrøn kjole som hun skulle tage på over et par hvide bomuldsbukser. Afsoon gav hende en grøn hijab og et par matchende sandaler.

Hun blev ført ind i stuen med det lange bord hvor en skål med brændte mandler, en Koran, et grønt slør og et spejl havde taget vandkandens plads. To mænd som Mariam aldrig før havde set – vidner, gik hun ud fra – og en mullah som hun heller ikke kendte, havde allerede taget plads ved bordet.

Jalil viste hende hvor hun skulle sidde. Han var iført et lysebrunt sæt tøj og rødt slips. Hans hår var nyvasket. Da han trak stolen ud for hende, forsøgte han at sende hende et opmuntrende smil. Khadija og Afsoon sad denne gang på Mariams side af bordet.

Mullahen gjorde en bevægelse i retning af sløret, og Nargis arrangerede det på Mariams hoved før hun satte sig. Mariam kiggede ned på sine hænder.

„Du kan kalde ham ind nu," sagde Jalil til en eller anden.

Mariam kunne lugte ham før hun så ham. Stærkt lugtende, sødlig eau de cologne, ikke svag som Jalils, blandet med cigaretrøg. Lugten oversvømmede Mariams næsebor. Ud af øjenkrogen, gennem sløret, så hun en høj mand med en tyk mave og brede skuldre stå i døråbningen. Hans størrelse fik hende næsten til at gispe, og hun var nødt til at se ned. Hendes hjerte hamrede.

Hun kunne mærke at han tøvede et øjeblik henne ved døren. Så hørtes langsomme, tunge trin gennem rummet. Slikskålen klirrede i takt med dem. Han faldt med et grynt ned i stolen ved siden af hende. Han trak vejret støjende.

Mullahen bød dem velkommen. Han sagde at dette ikke ville blive et traditionelt nikka.

„Jeg kan forstå at Rashid-*agha* har billet til bussen til Kabul som snart afgår. Eftersom tiden derfor er knap, vil vi springe visse traditioner over for at komme videre til det egentlige."

Mullahen velsignede parret og sagde et par ord om ægteskabets betydning. Han spurgte Jalil om han havde noget at indvende mod denne forening, og Jalil rystede på hovedet. Så spurgte mullahen Rashid om han ønskede at indgå ægteskab med Mariam. Rashid sagde ja. Hans ru, raspende stemme fik Mariam til at tænke på lyden af visne efterårsblade der knasede under fødderne.

„Og ønsker du, Mariam, at tage denne mand til din ægtemand?"

Mariam tav. Folk rømmede sig rundt om bordet.

„Det gør hun," lød en kvindes stemme et sted nede langs bordet.

„Faktisk skal hun selv svare," sagde mullahen. „Og hun skal vente indtil jeg har spurgt tre gange. Sagen er at det er ham der søger hende, ikke omvendt."

Han stillede spørgsmålet to gange mere. Da Mariam stadig ikke svarede, stillede han det en fjerde gang, denne gang med høj stemme. Mariam kunne mærke at Jalil, der sad ved siden af hende, flyttede sig nervøst på stolen, kunne fornemme ben der blev krydset og rettet ud igen. Mere rømmen. En lille, hvid hånd rakte ud og børstede et støvkorn fra bordpladen.

„Mariam," hviskede Jalil.

„Ja," sagde hun med rystende stemme.

Et spejl blev ført ind under sløret. I det så Mariam først sit eget ansigt, de kraftige lige øjenbryn, det flade hår, grønne glædesløse øjne der sad så tæt sammen at man kunne tro at hun var skeløjet. Hendes hud var grov, mat og en smule bumset. Hun tænkte at hendes pande var for bred, hagen for smal, læberne for tynde. Det overordnede indtryk var et langt ansigt, et trekantet ansigt, lidt som et hundefjæs. Og alligevel så Mariam, mærkeligt nok, at disse lidet mindeværdige enkeltdele tilsammen formede et ansigt der var om ikke ligefrem kønt, så på en eller anden måde heller ikke grimt.

I spejlet fik Mariam også sit første glimt af Rashid: det store, firkantede og rødmossede ansigt, den krumme næse, de rødblissede kinder som gav et indtryk af underfundig frejdighed, de vandblå, blodskudte øjne, de tætsiddende tænder hvor de to forreste lå ind over hinanden som tegl på et tag; hårkanten der gik latterlig langt ned i panden, knap nok fem centimeter over de buskede øjenbryn og over dem en moppe af kraftigt, groft, gråt hår.

Et øjeblik så de hinanden i øjnene, og så så de begge væk igen.

Sådan ser min mand ud, tænkte Mariam.

De udvekslede de tynde guldringe som Rashid fiskede op af jakkelommen. Hans negle var gulbrune, som kødet på et råddent æble, og enkelte af dem drejede opad. Mariam rystede så meget på hænderne da hun skulle give ham ringen på, at Rashid måtte hjælpe hende. Hendes egen ring var en smule for lille, men Rashid havde ingen problemer med at mase den ned over hendes kno.

„Det var det," sagde han.

„Det er en køn ring," sagde en af hustruerne. „Den er meget køn, Mariam."

„Tilbage er så at underskrive kontrakten," sagde mullahen.

Mariam skrev sit navn – *meem*, så *reh*, så *yah* og til sidst *meem* igen – mens alles øjne hvilede på hende. Næste gang Mariam skulle sætte sit navn på et stykke papir, syvogtyve år efter, ville der også være en mullah til stede.

„I er nu mand og kone," sagde mullahen. „*Tabreek*."

Rashid ventede inde i den farvestrålende bus. Mariam kunne ikke se ham fra hvor hun stod sammen med Jalil, henne ved bagenden, kun røgen der bølgede ud ad det åbne vindue. Rundt om dem blev der taget afsked og trykket hænder. Koraner blev kysset og rakt videre. Barfodede knægte smuttede rundt mellem de rejsende, næsten helt skjult bag deres bakker med tyggegummi og cigaretpakker.

Jalil havde travlt med at fortælle hende at Kabul var så smuk en by at stormogulen Babur havde ønsket at blive begravet der. Mariam vidste at han om et øjeblik ville gå videre til at fortælle om parkerne i Kabul, om butikkerne, træerne, luften, og før hun fik set sig om, ville hun sidde oppe i bussen, og han ville gå ved siden af den mens han sorgløst vinkede. Lettet.

Mariam ville ikke lade ham slippe godt fra det.

„Jeg tilbad Dem," sagde hun.

Jalil tav midt i en sætning. Han lagde armene over kors. Lod dem så igen hænge slapt ned. Et ungt indisk par, konen med en dreng i favnen og manden slæbende på en kuffert, gik ind imellem dem, og Jalil virkede glad over forstyrrelsen. De undskyldte, og han sendte dem et høfligt smil.

„Om torsdagen plejede jeg at vente i timevis på Dem. Jeg var syg af angst for at De måske ikke kom."

„Det er en lang tur. Du bør spise lidt." Han sagde at han ville gå hen og købe et brød og lidt gedeost til hende.

„Jeg tænkte på Dem hele tiden. Jeg plejede at bede til at De ville blive hundrede år gammel. Jeg forstod det ikke. Jeg forstod ikke at De skammede Dem over mig."

Jalil så ned og borede, som et forvokset barn, den ene skosnude ned i jorden.

„De skammede Dem over mig."

„Jeg skal nok komme og besøge dig," mumlede han. „Jeg kommer til Kabul og besøger dig. Vi skal nok..."

„Nej." sagde hun. „Lad være med det. Jeg ønsker ikke at se Dem igen. Aldrig, aldrig mere."

Han så såret på hende.

„Det er forbi nu, mellem Dem og mig. Gå nu."

„Vær nu sød," sagde han lavmælt.

„De havde ikke engang anstændighed nok i livet til at lade mig tage afsked med mullah Faizullah."

Hun snurrede rundt og gik fremad langs med bussen. Hun kunne høre at han fulgte efter. Da hun nåede hen til døren, var han lige bag ved hende.

„Mariam jo."

Hun gik op i bussen, og selv om hun kunne se Jalil ud af øjenkrogen da han gik parallelt med hende, så hun ikke ud ad vinduet. Hun masede sig vej ned bag i bussen hvor Rashid sad med hendes kuffert mellem knæene. Hun vendte sig ikke om for at se på Jalil da han pressede håndfladerne mod ruden, eller da han med knoerne bankede, hamrede på den. Da bussen satte i gang, vendte hun sig heller ikke om for at se ham småløbe ved siden af den. Og da bussen drejede ud på vejen, så hun ikke tilbage på ham mens han blev mindre og mindre og til sidst forsvandt i en sky af bilos og støv.

Rashid, som optog både vinduessædet og det ved siden af, lagde en fed hånd over hendes.

„Så så, min pige. Rolig nu," sagde han. Han kiggede ud ad vinduet mens han sagde det, som om han havde fået øje på noget interessant.

9

De ankom til Rashids hus tidligt om aftenen den følgende dag.

„Vi bor i et kvarter der hedder Dihmazang," sagde han. De stod foran huset, ude på fortovet. Han havde hendes kuffert i den ene hånd og låste træporten op med den anden. „I den sydvestlige del af byen. Zoologisk Have ligger lige i nærheden. Og også universitetet."

Mariam nikkede. Det var allerede gået op for hende at selv om hun forstod hvad han sagde, var hun nødt til at lytte nøje efter når han talte. Han talte farsi med kabuli-dialekt foruden en snert pashto-accent, det sprog man talte i hans fødeby, Kandahar. Han havde imidlertid tilsyneladende ingen problemer med at forstå hendes herati-farsi.

Mariam lod hurtigt blikket glide op og ned ad den smalle, uasfalterede vej. Husene lå tæt sammen med små forhaver og en fælles mur der skærmede mod nyfigne blikke. Der var fladt tag på de fleste af husene der var bygget af brændte lersten af samme farve som bjergene der omgav byen. Mudret vand flød dovent af sted i rendestene mellem fortov og gade. Mariam noterede sig at der her og der lå små affaldsbunker med skyer af spyfluer summende omkring dem. Rashids hus havde to etager. Mariam kunne se at det engang havde været malet blåt.

Da Rashid havde åbnet porten, kiggede Mariam ind på en lille gårdsplads med vissent græs der kæmpede sig op i små totter. Hun så et udhus på højre side, en brønd med pumpe og en række døende småtræer. I nærheden af brønden lå et redskabsskur, og en cykel stod lænet op ad væggen.

„Din far fortalte mig at du holder af at fiske," sagde Rashid da de gik over gården hen mod huset. Der var ingen baghave, så Mariam. „Der er dale nord for Kabul med floder der er rige på fisk. Måske kan jeg tage dig med på fisketur en dag."

Han låste hoveddøren op og viste hende ind i huset.

Rashids hus var meget mindre end Jalils, men sammenlignet med Mariam og Nanas kolba var det kæmpestort. I stueetagen var der en entre, en dagligstue og et køkken hvor han viste hende potter og pander, en trykkoger og en petroleums-*ishtop*. I dagligstuen stod der en pistaciegrøn lædersofa med en flænge i siden som var blevet rimpet sammen. Der var ingen billeder på væggene. Der stod et bord, to stole med rørflettede sæder, to klapstole og i hjørnet en sort smedejernsovn.

Mariam stod midt i stuen og kiggede sig omkring. I kolbaen havde hun kunnet nå loftet med fingerspidserne. Hun havde kunnet ligge i sin seng og vide hvad tid på dagen det var, ved at se vinklen på sollyset der strømmede ind gennem vinduet. Hun havde vidst hvor langt døren kunne gå op før den begyndte at knirke i hængslerne. Hun havde kendt hver eneste knast og sprække i de tredive gulvplanker. Nu var alt det velkendte pist væk. Nana var død, og hun var her, i en fremmed by, langt fra det liv hun havde kendt med dale og snedækkede bjergtoppe og store ørkenstrækninger. Hun stod i en fremmed mands hus med alle dets ukendte værelser og lugten af cigaretrøg, med underlige skabe fyldt med underlige ting, tunge grønne gardiner og et loft som hun vidste at hun ikke kunne nå. Det var som om hun blev kvalt. Længselsfulde følelser jog igennem hende, længsel efter Nana, efter mullah Faizullah, efter det liv hun havde ladt bag sig.

Hun begyndte at græde.

„Hvorfor græder du?" spurgte Rashid irriteret. Han stak hånden ned i bukselommen, åbnede Mariams hånd og gav hende et lommetørklæde. Han tændte en cigaret og lænede sig op ad væggen. Han så til mens Mariam tørrede øjnene.

„Færdig?"

Mariam nikkede.

„Er du sikker?"

„Ja."

Han tog hende om albuen og trak hende hen til stuevinduet.

„Dette vindue vender mod nord," sagde han og bankede på glasset med pegefingerens snoede negl. „Se, det er Asmai-bjerget derude, og til venstre ligger Ali Abad-bjerget. Universitetet ligger for foden af bjerget. Bag os, mod øst – du kan ikke se det herfra – ligger Sher Dar Waza-bjerget. De affyrer en kanon deroppefra hver dag klokken tolv middag. Hold nu op med at græde, jeg mener det."

Mariam duppede sine øjne.

„Det eneste jeg simpelthen ikke kan tage, er lyden af en kvindes gråd," sagde han vredt. „Beklager, men jeg vil ikke have det."

„Jeg vil gerne hjem," sagde Mariam.

Rashid sukkede irriteret. Et pust af røg ramte Mariam i ansigtet. „Den bemærkning ønsker jeg ikke at opfatte som vendt mod mig personligt. Denne gang."

Igen tog ham hende om albuen og førte hende nu ovenpå.

Der så hun en smal, halvmørk gang og to soveværelser. Døren til det største stod åben. Gennem den kunne Mariam se at det ligesom resten af huset var sparsomt møbleret; en seng i hjørnet, et brunt tæppe, en pude, et skab, en kommode. Bortset fra et lille spejl var væggene nøgne. Rashid lukkede døren.

„Det er mit værelse."

Han sagde at hun kunne sove i gæsteværelset. „Det har du vel ikke noget imod? Jeg er vant til at sove alene."

Mariam sagde ikke hvor lettet hun var over at høre det.

Værelset som skulle være Mariams, var meget mindre end det værelse hun havde haft i Jalils hus. Der var en seng, en gammel, gråbrun kommode og et lille klædeskab. Vinduet vendte ud mod gården og bag den gaden. Rashid bar hendes kuffert hen i et hjørne.

Mariam satte sig på sengen.

„Du lagde ikke mærke til dem," sagde han. Han stod i døren, lidt ludende for at kunne være der. „Se hen på vindueskarmen.

Ved du hvad slags det er? Jeg købte dem før jeg kørte til Herat."

Først nu fik Mariam øje på kurven på vindueskarmen. Hvide tuberoser vældede ud over kanten.

„Synes du om dem?"

„Ja."

„Du må gerne sige tak."

„Tak. Undskyld. *Tashakor*…"

„Du ryster jo. Måske gør jeg dig bange. Er du bange for mig?"

Mariam så ikke på ham, men hun kunne høre et eller andet lusket i spørgsmålet, som en nysgerrig pirken. Hun skyndte sig at ryste på hovedet i hvad hun erkendte, var den første løgn i deres ægteskab.

„Ikke det? Jamen, det er jo godt. Godt for dig. Nå, men dette er nu dit hjem. Du vil komme til at holde af det. Bare vent at se. Fortalte jeg dig at vi har elektricitet? De fleste dage og altid om natten?"

Han gjorde mine til at gå. Henne ved døren tøvede han, sugede kraftigt på cigaretten og måtte knibe øjnene sammen for ikke at få røg i dem. Mariam troede at han skulle til at sige noget. Men det gjorde han ikke. Han lukkede døren og lod hende alene med kufferten og blomsterne.

10

De første par dage forlod Mariam knap nok sit værelse. Hun blev vækket om morgenen når der blev sunget *azan* i en moské, og efter bønnen kravlede hun i seng igen. Hun var stadig ikke stået op når hun hørte Rashid vaske sig i badeværelset, eller når han kom ind til hende før han tog på arbejde. Fra sit vindue kunne hun se ham lægge sin madpakke på bagagebæreren på cyklen og derefter trække cyklen gennem gården og ud på gaden. Hun så ham svinge sig op i sadlen og køre væk, så hans brede, kraftige skikkelse forsvinde rundt om hjørnet for enden af gaden.

Mariam blev liggende det meste af dagen og følte sig fortabt og ulykkelig. En gang imellem gik hun ned i køkkenet og lod hænderne glide over det klistrede, beskidte køkkenbord og de blomstrede voksgardiner der lugtede af mad der var brændt på. Hun kiggede ned i skuffer der bandt, på de uens knive og gafler, dørslaget og paletknivene som var af træ og flækkede, disse redskaber i hendes nye tilværelse, og alt sammen mindede det hende om det kaos der havde invaderet hendes liv, og som fik hende til at føle sig rykket op med rode, fordrevet, som var hun en fremmed i en andens liv.

I kolbaen havde hendes appetit aldrig fejlet noget, men her knurrede hendes mave kun sjældent efter mad. En gang imellem tog hun en portion ris fra dagen før og en skive brød med op på sit værelse og satte sig hen til vinduet. Derfra kunne hun se tagene på de lave huse i deres gade. Hun kunne også se ind i gårdene på kvinderne der hængte vasketøj op eller gennede børnene væk, på høns der gik og pikkede i jorden, skovle og spader, køer der stod tøjret til træerne.

Hun tænkte længselsfuldt på sommernætter så varme at tøjet havde klæbet til kroppen som våde blade på en rude, hvor hun og Nana havde redt op på kolbaens tag og ligget og kigget op på den lysende måne over Gul Daman. Hun savnede vintereftermiddagene når mullah Faizullah kom op for at læse sammen med hende, og hun savnede lyden af istapper der faldt ned fra træerne og ramte taget, og kragerne der skræppede op udenfor på de snetunge grene.

Når Mariam var alene i huset, gik hun en gang imellem rastløst rundt, fra køkken til stue, op ad trappen til sit værelse og ned igen. Hun savnede sin mor og havde kvalme af hjemvé.

Det var når solen begyndte at gå ned i vest at Mariam blev ude af sig selv af angst. Hendes tænder klaprede når hun tænkte på natten og det tidspunkt hvor Rashid langt om længe ville vælge at gøre det som mænd gjorde med deres koner. Hun lå i sengen med nerverne i laser mens han spiste alene nedenunder.

Han kom altid forbi hendes værelse og stak hovedet indenfor. „Du kan da ikke allerede sove. Klokken er kun syv. Er du vågen? Svar mig."

Han blev ved og ved indtil Mariam svarede ham inde fra mørket: „Jeg er her."

Han gled ned og satte sig i døråbningen. Henne fra sin seng kunne hun se hans store krop, røgen der hvirvlede rundt om hans krumnæsede profil, gløden fra cigaretten der skiftevis blev stærkere og svagere.

Han fortalte hende om sin dag. Et par hyttesko som han havde syet til viceudenrigsministeren der – sagde Rashid – købte alle sine sko hos ham. En bestilling på sandaler fra en polsk diplomat og hans kone. Han fortalte hende om den overtro der omgærdede sko hos visse mennesker: for eksempel at man, hvis man satte dem fra sig på sengen, inviterede Døden ind i huset, eller at det udløste et skænderi hvis man tog venstre sko på før højre.

„Medmindre man ved en fejl kommer til at gøre det om fredagen," sagde han. „Og vidste du at det regnes for et dårligt varsel at binde skoene sammen i snørebåndene og hænge dem op på et søm?"

Rashid troede ikke selv på noget af det. Efter hans mening var overtro noget som især kvinder beskæftigede sig med.

Han fortalte hende om ting han havde hørt på gaden, som for eksempel at den amerikanske præsident Nixon var trådt tilbage på grund af en skandale.

Mariam, der aldrig havde hørt hverken om Nixon eller den skandale der havde tvunget ham til at gå af, svarede ikke. Hun ventede nervøst på at Rashid skulle tie stille, skodde sin cigaret og gå igen. Først når hun hørte ham gå over gangen, og døren blev åbnet og lukket igen, blev den jernnæve der strammede om hendes mave, slap igen.

Så en aften skoddede han sin cigaret og lænede sig op ad dørkarmen i stedet for at sige godnat.

„Har du aldrig tænkt dig at pakke ud?" spurgte han og gjorde et kast med hovedet i retning af hendes kuffert. Han lagde armene over kors. „Jeg tænkte at du havde brug for lidt tid, men det her er absurd. Der er gået én uge, og... Nå, men fra i morgen forventer jeg at du begynder at opføre dig som en hustru. Fahmidi?"

Mariams tænder begyndte at klapre.

„Svar mig."

„Ja, jeg har forstået."

„Fint," sagde han. „Hvad havde du regnet med? At det her var et hotel? At jeg er en slags hoteldirektør Nå, men det... Åh, åh. *La illah u ilillah.* Hvad var det jeg sagde om at græde? Mariam! Hvad sagde jeg om at græde?"

Næste morgen pakkede Mariam sit tøj ud og lagde det i kommoden efter at Rashid var gået på arbejde. Hun hentede en spand vand fra brønden og pudsede – med en las – vinduerne i sit værelse og i stuen nedenunder. Hun fejede gulve, børstede spindelvæv ned fra hjørnerne i loftet. Lukkede vinduerne op for at lufte ud.

Hun lagde tre kopper linser i blød i en skål, fandt en kniv og skivede gulerødder og et par kartofler og lagde også dem i vand. Hun ledte efter mel, fandt det i et af skabene bag en række snavsede krydderiglas, og lavede dej, æltede det sådan som Nana havde lært hende at gøre, masede med håndroden og foldede dejen sammen udefra, vendte den om, og begyndte forfra. Efter at have drysset dejen med mel pakkede hun den ind i et fugtigt klæde, tog hijab på og gik ud for at finde den fælles tandoor.

Rashid havde fortalt hende hvor den var, nede ad gaden, til venstre og straks efter til højre, men det eneste Mariam behøvede at gøre, var at følge strømmen af kvinder og børn der var på vej samme sted hen. Børnene, så Mariam, løb efter deres mødre, eller var langt foran dem, iført skjorter der var lappet igen og igen. De havde bukser på der enten var for store eller for små, og sandaler med flossede remme der daskede fra side til side. De legede trillebånd med udtjente cykeldæk.

Deres mødre gik i grupper af tre eller fire, nogle i burkaer, andre ikke. Mariam kunne høre deres højlydte sludren og latter der steg op i luften. Mens hun gik af sted med bøjet hoved, opsnappede hun brudstykker af det de snakkede om, som tilsyneladende kun drejede sig om syge børn eller dovne, utaknemmelige mænd.

Som om maden laver sig af sig selv.

Wallah u billah, *aldrig et øjebliks ro!*

Og så sagde han til mig, det er ikke løgn, jeg sværger, han sagde rent faktisk til mig...

Denne endeløse strøm af ord, beklagelser, men mærkeligt nok sagt ganske muntert, drejede rundt og rundt om hende. Ned gennem gaden, rundt om hjørnet, hen til køen foran tandooren. Mænd som spillede deres løn op. Mænd som tilbad deres mødre, men ikke ville bruge så meget som en rupi på dem, deres koner. Mariam undrede sig over at så mange kvinder kunne have haft den samme vanskæbne at gifte sig, alle sammen, med så forfærdelige mænd. Eller var det en slags 'konespil' hun intet kendte til, et dagligt ritual som at lægge ris i blød og ælte dej til brød? Forestillede de sig at hun på et eller andet tidspunkt sluttede sig til dem?

I køen foran tandooren kunne Mariam mærke de nysgerrige blikke ud af øjenkrogen på kvinderne og høre deres hvisken. Hun begyndte at svede i hænderne. Hun forestillede sig at de alle sammen vidste at hun var en harami og en kilde til vanære for sin far og hans familie. At de alle vidste hvordan hun havde forrådt sin mor og bragt skam over sig selv.

Med en flig af hijaben duppede hun sveden væk fra overlæben og forsøgte at samle sig.

Et par minutter gik alt som det skulle.

Så prikkede en eller anden hende på skulderen, og da hun vendte sig om, så hun en lyshudet, buttet kvinde iført hijab ligesom hende selv. Kvinden havde kortklippet, groft sort hår og et muntert, næsten kuglerundt ansigt. Hendes mund var mere svulmende end Mariams, underlæben hang en anelse som om den blev trukket ned af en stor, mørk skønhedsplet lige under læben. Hun havde store grønne øjne der kiggede venligt på Mariam.

„De er Rashid *jan*s nye kone, ikke?" sagde kvinden og smilede bredt. „Hende fra Herat. Hvor er De dog ung! Mariam jan, ikke sandt? Jeg hedder Fariba og bor i samme gade som Dem, fem huse til venstre for Deres, det med den grønne port. Det her er min søn, Noor."

Drengen ved siden af hende havde ligesom sin mor et rundt og glad ansigt og stridt hår. På hans venstre øreflip voksede en dusk sort hår. Der var et skælmsk, uvornt blik i hans øjne. Han løftede hånden. „*Salaam khala* jan."

„Noor er ti år. Jeg har også en dreng der er ældre, Ahmad."

„Han er tretten år," sagde Noor.

„Tretten og godt på vej mod de fyrre," sagde kvinden, Fariba, og lo. „Min mand hedder Hakim. Han underviser på en skole her i Dihmazang. Hvorfor kommer De ikke forbi en dag til en kop..."

Og pludselig, som havde de mistet deres generthed, skubbede de andre kvinder sig forbi Fariba og slog rundkreds omkring Mariam med alarmerende hast.

„Så De er Rashid jans unge brud..."

„Hvad synes De om Kabul?"

„Jeg har været i Herat engang. Jeg har en kusine der."

„Hvad vil De helst have først? En dreng eller en pige?"

„Minareterne! Åh, sådan en skønhed! En vidunderlig by."

„En dreng vil være bedst, Mariam jan, de fører familienavnet videre…"

„Bah! Drenge gifter sig og flytter hjemmefra. Piger bliver boende hjemme og passer en når man er blevet gammel."

„Vi havde hørt at De skulle komme."

„Sørg for at få tvillinger! En af hver. Så er alle glade."

Mariam bakkede væk. Hun hyperventilerede, det summede for hendes ører, pulsen galoperede af sted, og blikket jog fra ansigt til ansigt. Hun trådte endnu et skridt tilbage, men der var ingen steder at gå hen – hun stod midt i kredsen. Hun fik øje på Fariba som havde fået rynker i panden ved synet af Mariams opskræmte ansigt.

„Lad hende være!" sagde Fariba. „Gå væk med jer, I gør hende bange."

Mariam pressede dejklumpen ind mod brystet og masede sig igennem klyngen omkring hende.

„Hvor skal De hen, *hamshira?*"

Hun skubbede og masede indtil der pludselig var luft omkring hende, og hun kunne stikke i rend ned ad gaden. Det var først da hun nåede ned til et kryds at det gik op for hende at hun var løbet den forkerte vej. Hun vendte om og løb med bøjet hoved tilbage i den modsatte retning. På et tidspunkt snublede hun, faldt og skrabede sit knæ, men hun var hurtigt på benene igen og styrtede forbi kvinderne.

„Hvad er der i vejen med Dem?"

„De bløder, hamshira."

Mariam drejede om et hjørne og så endnu et. Hun fandt den rigtige gade, men kunne pludselig ikke huske hvilket hus der var Rashids. Hun løb fortvivlet frem og tilbage i gaden og tog i blinde i den ene port efter den anden. Nogle var låst, andre førte ind til haver hun ikke genkendte, gøende hunde og forskrækkede høns. Nu begyndte tårerne at løbe ned ad hendes kinder. Hun skubbede til porte, mumlede paniske bønner indtil hun åbnede en ny og til sin lettelse fik øje på udhuset, brønden med pumpen, redskabsskuret. Hun hamrede porten i bag sig og låste den. Så lå hun på alle fire, ved siden af muren, og kastede op. Da det var overstået, kravlede hun lidt længere væk og satte sig op ad muren med spredte ben. Aldrig i sit liv havde hun følt sig så alene.

Da Rashid kom hjem den aften, havde han en brun papirspose med. Mariam var skuffet over at han ikke kommenterede de rene vinduer, de fejede gulve, spindelvævene der ikke længere var der. Men han virkede faktisk ret tilfreds ved synet af tallerkenen der var stillet frem på en ren *sofrah*-dug på stuegulvet.

„Jeg har lavet *daal*," sagde Mariam.

„Dejligt. Jeg er sulten."

Hun hældte vand op fra *aftawa*'en så han kunne vaske hænder. Mens han tørrede dem i et håndklæde, stillede hun en skål dampende daal foran ham og en tallerken løse hvide ris. Det var det første måltid mad hun havde lavet til ham, og hun ville ønske at hun havde haft det bedre da hun tilberedte det, men hun havde stadig været rystet over optrinnet ved tandooren mens hun lavede mad, og hele dagen havde hun været nervøs for daalens konsistens, dens farve, bange for at han ville synes at hun havde rørt for megen ingefær i eller ikke nok gurkemeje.

Han stak skeen i den gyldne daal.

Mariam svajede lidt. Hvad hvis han blev skuffet eller vred? Hvad hvis han utilfreds skubbede tallerkenen væk?

„Forsigtig," lykkedes det hende at få frem. „Den er varm."

Rashid spidsede munden og pustede, men puttede så maden i munden.

„Den smager godt," sagde han. „Lidt for lidt salt, men udmærket. Måske ligefrem bedre end udmærket."

Mariam så lettet til mens han spiste. Stoltheden blussede kortvarigt op i hende: Hun havde gjort et godt stykke arbejde – *måske ligefrem bedre end udmærket* – og det kom bag på hende, den glæde hun følte over at være blevet rost. Dagens tidligere trakasserier trak sig en smule tilbage.

„I morgen er det fredag," sagde Rashid. „Hvad siger du til at jeg viser dig lidt rundt?"

„Rundt i Kabul?"

„Nej, Calcutta."

Mariam blinkede.

„Det var en spøg. Ja, selvfølgelig i Kabul. Hvor ellers?" Han rakte ud efter den brune papirspose. „Men først er der noget jeg vil fortælle dig."

Han fiskede en himmelblå burka op af posen. Flere meter plisseret stof flød ud over hans knæ da han løftede den op. Han foldede burkaen ud og så op på Mariam.

„Jeg har kunder, Mariam, mænd som har deres koner med i min butik. Kvinderne er ikke tildækkede, de taler til mig, ser mig skamløst i øjnene. De har makeup på og kjoler der viser deres knæ. En gang imellem sætter de tilmed deres fødder foran mig, kvinderne altså, så jeg kan tage mål af dem, og deres mænd står bare der og ser til. De tillader det. De synes ikke der er noget mærkeligt ved at en fremmed mand rører ved deres koners fødder! De opfatter sig selv som moderne mænd, intellektuelle, formentlig på grund af deres uddannelse. De forstår ikke at deres *nang* og *namoos* tager skade."

Han rystede på hovedet ved tanken om sine kunders flossede ære og manglende stolthed.

„For det meste bor de i Kabuls rigmandskvarterer. Jeg skal nok tage dig derhen engang så du kan se dem. Men de bor også her, Mariam, disse blødsødne mænd. Der bor for eksempel en lærer længere nede ad gaden. Hakim, hedder han, og jeg ser ofte hans kone Fariba gå rundt alene i gaderne uden andet på hovedet end et tørklæde. Det gør mig helt ærligt forlegen at se en mand der har mistet kontrollen over sin kone."

Han så hårdt på Mariam.

„Men sådan en mand er jeg ikke, Mariam. Der hvor jeg kommer fra, flyder der blod ved det mindste utugtige ord eller et frækt blik. Der hvor jeg kommer fra, er en kvindes ansigt alene hendes mands anliggende. Jeg vil bede dig lægge dig dette på sinde. Forstår du hvad jeg siger?"

Mariam nikkede. Da han rakte burkaen over mod hende, tog hun den.

Den tidligere glæde over hans ros af maden var forsvundet. I stedet mærkede hun en krympende fornemmelse. Denne mands vilje forekom Mariam så monumental og urokkelig som Safid-koh-bjergene der tårnede sig op over Gul Daman.

„Så ved vi hvor vi har hinanden. Og giv mig så en portion mere af den daal."

11

Mariam havde aldrig før haft en burka på. Rashid var nødt til at hjælpe hende med at få den på. Den polstrede top føltes tung og stram om hendes hoved, og det var underligt at se verden gennem et net. Hun øvede sig ved at gå rundt i sit værelse med den på og blev ved med at snuble i sømmen. Tabet af det periferiske syn gjorde hende nervøs, og hun brød sig ikke om den kvælende fornemmelse hun fik, når nettet klistrede sig fast på hendes mund.

„Du vænner dig til den," sagde Rashid. „Jeg vil vædde på at du i tidens fylde tilmed vil blive glad for den."

De tog bussen til et sted som Rashid kaldte Shahr-i Naw-parken hvor børn skubbede hinanden på gynger eller spillede volleyball over lasede net spændt op mellem træstammer. De slentrede af sted og så børnene sætte drager op, Mariam lidt efter Rashid og indimellem snublende i sømmen på burkaen. Rashid tog hende med til frokost i en lille kabob-restaurant i nærheden af en moské som han sagde hed Haji Yaqub-moskeen. Gulvet var møgbeskidt, og luften tæt af røg. Der lugtede af råt kød, og musikken, som Rashid omtalte som *logari*, spillede meget højt. Kokkene var magre unge mænd som viftede med én hånd over grillspyd mens de klaskede myg med den anden. Mariam, der aldrig før havde sat sine ben i en restaurant, syntes i begyndelsen at det var meget underligt at sidde i et fyldt lokale sammen med så mange fremmede mennesker for ikke at tale om at skulle løfte op i burkaen for at kunne få mad ind i munden. Den samme skræk som den dag foran tandooren begyndte at rumle i hendes mave, men hun var der sammen med Rashid, og det var en slags beroligelse, og hen ad vejen var det som om musikken, røgen, ja, selv de mange mennesker tonede ud af hendes bevidsthed. Og burkaen, opdagede hun til sin overraskelse, var faktisk rar at have på. Den var som et envejsspejl. Bag nettet var hun betragteren og beskyttet mod fremmede menneskers nyfigne blikke. Hun var ikke længere bange for at folk med et enkelt blik kunne se den skam hun bar på fra sit tidligere liv.

Da de var kommet udenfor igen, begyndte Rashid med autoritet i stemmen at fortælle om de forskellige bygninger. Dette var Den Amerikanske Ambassade, sagde han, og det der var Udenrigsministeriet. Han pegede på biler, fortalte hvad de hed, og hvor de var produceret: den sovjetiske Volga, den amerikanske Chevrolet, den tyske Opel.

„Hvilken synes du bedst om?“ spurgte han.

Mariam tøvede, men pegede så på en Volga, og Rashid lo.

Kabul var en langt travlere by end den smule Mariam havde

set af Herat. Der var færre træer og færre heste-garier, men flere biler, højere huse, flere trafiklys og flere flisefortove. Og alle steder hørte Mariam byens særlige dialekt: 'kære' var 'jan' og ikke 'jo', søster var blevet til 'hamshira' i stedet for 'hamshireh' og så videre.

Rashid købte en is til hende af en gadesælger. Det var første gang Mariam spiste is, og hun havde aldrig anet at der kunne laves den slags numre med ens smagsløg. Hun spiste hele bægeret, den knuste pistaciepynt, de bittesmå risnudler i bunden. Hun forundredes over den fortryllende blanding, sødmen i den.

De gik hen til et sted ved navn Kocheh Morgha. Det var en trang, menneskemyldrende basar i et kvarter som Rashid sagde var et af Kabuls mest velstående.

„Det er her udenlandske diplomater, rige forretningsmænd, medlemmer af kongefamilien, den slags mennesker bor. Ikke folk som dig og mig."

„Jeg kan ikke se nogen høns," sagde Mariam.

„Det er én ting du ikke vil finde i Chicken Street," lo Rashid.

Der lå butikker og små stande på begge sider af gaden hvor man kunne købe lammeskindshuer og spraglede chapaner. Rashid stod stille foran en butik for at se på en indgraveret sølvdolk og foran en anden for at se på en gammel riffel som butiksindehaveren forsikrede ham om stammede fra den første krig mod englænderne.

„Og jeg er Moshe Dayan," mumlede Rashid. Han smilede skævt, og det forekom Mariam som om det var hende han smilede til. Et indforstået smil mellem ægtefolk.

De slentrede forbi tæppehandlere, håndarbejdsbutikker, bagere, blomsterbutikker og forretninger hvor man kunne købe tøj, jakkesæt til mænd og kjoler til kvinder, og indenfor, bag kniplingsforhæng, så Mariam unge piger der sad og syede knapper i eller strøg skjortekraver. Fra tid til anden hilste Rashid på en butiksindehaver som han kendte, en gang imellem på farsi, andre gange på pashto. Mens de gav hinanden hånden og kindkyssede, stod Mariam lidt fra dem, og Rashid vinkede hende ikke nærmere for at præsentere hende.

Han bad hende vente uden for en broderiforretning. „Jeg kender ejeren," sagde han. „Jeg går lige ind et øjeblik for at sige salaam."

Mariam ventede udenfor på det menneskemyldrende fortov. Hun så biler snegle sig af sted på Chicken Street, sno sig rundt mellem horder af gadesælgere og fodgængere, hørte dem dytte ad børn og æsler der ikke ville flytte sig. Hun så mænd kede sig i deres små butikker hvor de sad og røg og en gang imellem sendte en spytklat over i en messingspyttebakke eller kiggede frem fra skyggerne for at henlede forbipasserendes opmærksomhed på stofruller eller *poostin*-frakker med pelskrave.

Men det var især kvinderne som Mariam studerede.

Kvinderne i denne del af Kabul tilhørte en anden race end kvinderne i de fattigere kvarterer – som for eksempel det hun og Rashid boede i – hvor så mange af dem var fuldstændig tildækkede. Disse kvinder var... hvad var det for et ord Rashid havde brugt? Moderne. Ja, moderne afghanske kvinder gift med moderne afghanske mænd der ikke havde noget imod at deres koner gik rundt mellem fremmede mennesker, sminkede og uden tørklæde på hovedet. Mariam så dem slentre afslappet ned ad gaden, en gang imellem i selskab med en mand, en gang imellem alene eller sammen med rødkindede børn med blankpudsede sko og ure med læderrem, børn som trak deres cykler med høje cykelstyr og gyldne eger – så forskellige fra børnene i Dihmazang der havde ar i ansigterne efter sandfluebid og brugte udtjente cykeldæk som trillebånd.

Disse kvinder gik af sted med svingende håndtasker og raslende skørter. På et tidspunkt fik Mariam oven i købet øje på en kvinde bag rattet på en bil. Deres negle var lange, lakerede med lyserød eller orange lak, og deres læber var røde som tulipaner. De gik med stilethæle – og rask til som om der var noget de skulle nå. De havde mørke solbriller på, og når de susede forbi Mariam, opfangede hun en duft af parfume. Hun forestillede sig at de alle havde en universitetsuddannelse, at de arbejdede på et kontor, bag skriveborde som var deres, hvor de skrev på maskine og røg cigaretter og foretog vigtige telefonopkald til betydningsfulde mennesker. Disse kvinder mystificerede Mariam. De gjorde hende opmærksom på hendes egen ensomhed, hendes jævne udseende, hendes mangel på formål med livet, hendes uvidenhed om så mange ting.

Så prikkede Rashid hende på skulderen og rakte hende noget.

„Værsgo."

Det var et mørkebrunt silkesjal med små perler i frynserne og guldbroderi i sømmen.

„Synes du om det?"

Mariam så op, og Rashid gjorde noget rørende: Han blinkede og undgik hendes blik.

Mariam tænkte på Jalil, på den energiske og glade måde han havde givet hende smykker på, den overvældende munterhed der ikke gav plads til anden reaktion end ydmyg taknemmelighed. Nana havde haft ret med hensyn til Jalils gaver. De havde været halvhjertede udtryk for anger, uoprigtige bestikkelsesgaver som betød mere for hans egen ro i sindet end hendes. Dette var, indså Mariam, en ægte gave.

„Det er smukt," sagde hun.

Den aften kom Rashid igen på besøg i hendes værelse, men i stedet for at stille sig op og ryge i døråbningen kom han helt hen til sengen og satte sig ved siden af hende. Fjedrene skreg, og sengen vippede ned i hans side.

Et øjeblik tøvede han, men så lukkede hans hånd sig om hendes hals, og de fede fingre begyndte langsomt at massere hende omkring nakkehvirvlerne. Hans tommelfinger gled ned og begyndte at kærtegne hulningen over hendes kraveben og så stykket lige under. Mariam begyndte at ryste. Hans hånd krøb stadig længere ned, længere og længere ned, indtil hans fingre strejfede kanten på hendes bluse.

„Jeg kan ikke," kvækkede hun og kiggede på hans månebelyste profil, de kraftige skuldre og det brede bryst, på de grå hårtotter der stak op fra hans åbentstående skjorte.

Hans hånd hvilede nu på hendes højre bryst, klemte hårdt om det gennem blusen, og hun kunne høre ham trække vejret dybt ind gennem næsen.

Han gled ned under tæppet til hende. Hun kunne mærke hans hånd der arbejdede med bukseremmen og derefter bandt snoren på hendes bukser op. Hendes egne hænder var hårdt knyttede om lagenet. Han rullede op på hende, vrikkede sig på plads, og Mariam begyndte at klynke. Hun lukkede øjnene og bed tænderne sammen.

Smerten kom pludseligt, og hendes øjne fløj op. Hun sugede luft ind mellem tænderne og bed sig i tommelfingerknoen. Hun slyngede den anden arm om Rashids ryg, og hendes fingre borede sig ned i hans skjorte.

Rashid begravede sit ansigt i hendes pude, og Mariam stirrede med opspilede øjne på loftet over hans skulder, skælvende, med spidset mund, mens hun mærkede varmen fra hans ånde på sin skulder. Der lugtede af cigaretrøg, løg og det grillede lam som de havde spist tidligere på aftenen. Nu og da gned hans øre mod hendes kind, og hun vidste på grund af den kradsende fornemmelse at han havde barberet det.

Da det var overstået, rullede han tungt åndende ned fra hende igen. Han lagde underarmen hen over panden. I mørket kunne hun se de blå visere på hans armbåndsur. Sådan lå de et stykke tid, på ryggen, uden at se på hinanden.

„Der er ingen skam i dette, Mariam," sagde han en smule utydeligt. „Det er hvad ægtefolk gør. Det er hvad selveste

Profeten og Hans hustruer gjorde. Der er ingen skam i det.“

Et øjeblik efter slog han tæppet til side og forlod værelset. Tilbage var kun aftrykket af hans hoved på puden og smerten som Mariam ventede på skulle forsvinde mens hun kiggede op på de ubevægelige stjerner på himlen og den sky der som et brudeslør lå hen over månen.

12

Ramadanen faldt dette år om efteråret. For første gang i sit liv så Mariam hvordan synet af en nymåne kunne forvandle en hel by og ændre rytmen og stemningen i den. Hun bemærkede hvordan den blev stille og søvnig. Bilerne kørte langsommere, der var færre af dem, og ingen dyttede arrigt. Butikkerne var tomme. Restauranter slukkede for lyset og lukkede dørene. Mariam så ingen der røg på gaden, ingen dampende kopper te på vinduesgesimser. Og ved *iftar*, da solen forsvandt i vest, og kanonen blev affyret på Sher Dar Waza-bjerget, brød byen fasten, og det samme gjorde Mariam med brød og en dadel og fornemmede for første gang i sine femten år sødmen ved at være fælles om en oplevelse.

Rashid overholdt ikke fasten bortset fra på enkelte dage. De få gange han gjorde det, kom han hjem i et olmt humør. Sult gjorde ham kort for hovedet, irritabel og utålmodig. En aften var maden et par minutter forsinket, og han begyndte at spise brød med radiser. Selv efter at Mariam havde sat risen og lammet og okra-*qurma*’en foran ham, nægtede han at røre det. Han sagde intet, fortsatte bare med at tygge brødet, men pulsen dunkede synligt i tindingerne, og årerne på panden var opsvulmede og vrede. Han tyggede og stirrede lige frem for sig, og da

Mariam talte til ham, så han på hende uden at se hende og stak et nyt stykke brød i munden.

Mariam var lettet da ramadanen var forbi.

Dengang i kolbaen var Jalil kommet på besøg hos Mariam og Nana på den første af de tre *Eid-ul-Fitr*-festdage efter ramadanen. Han havde jakke og slips på og havde Eid-gaver med. Et år forærede han Nana et armbåndsur og Mariam et uldent sjal til vinteren. De tre satte sig derefter og drak te, og bagefter undskyldte Jalil at han var nødt til at gå.

„For at fejre Eid med sin rigtige familie," sagde Nana surt da han vinkende vadede over åen.

Også mullah Faizullah kom og besøgte dem. Han havde fyldt chokolade, pakket ind i sølvpapir, en kurv med malede, kogte æg og småkager i en kagedåse med til Mariam. Når han var gået, klatrede Mariam så op i en af grædepilene med dagens gevinst. Siddende højt oppe på en gren spiste hun mullah Faizullahs chokolader og lod sølvfolien falde til jorden indtil den lå spredt ved foden af træet som små sølvblomster. Når der ikke var mere chokolade, tog hun fat på småkagerne, og med en blyant tegnede hun ansigter på de æg han havde haft med til hende. Men der havde kun været sparsom glæde ved at gøre disse ting. Mariam havde frygtet Eid, denne tid med gæstfrihed og ceremonier hvor familier tog deres bedste tøj på og aflagde besøg hos hinanden. Hun kunne forestille sig hvordan Herat knitrede af munterhed og glade mennesker med strålende øjne der overøste hinanden med kærlige ord og velvilje. Fortvivlelsen ville falde over hende som et slør og først trække sig tilbage når Eid var forbi.

I år så Mariam for første gang med egne øjne den Eid hun havde fantaseret om som barn.

Hun gik rundt i gaderne med Rashid. Mariam havde aldrig oplevet så megen munterhed. Uden at lade sig skræmme af kulden strømmede hele familier ud af deres huse for at gå på visit hos slægtninge. Ude på deres egen gade så Mariam Fariba og hendes søn Noor som var iført et jakkesæt. Fariba, der havde et hvidt tørklæde over håret, gik ved siden af en spinkel, genert udseende mand med briller. Hendes ældste søn var også med – af en eller anden grund kunne Mariam huske at Fariba havde nævnt hans navn, Ahmad, den første dag hun var gået til tandooren. Han havde dybtliggende, grublende øjne, og han så mere tænksom, mere højtidelig ud end sin lillebror; det var et ansigt der antydede tidlig modenhed i modsætning til broderen der stadig havde noget drenget over sig. Et glitrende Allah-smykke hang om Ahmads hals.

Fariba må have genkendt Mariam som iført burka gik ved siden af Rashid. Hun vinkede og råbte: „*Eid Mubarak*."

Mariam antydede et nik inde bag burkaen.

„Du kender hende åbenbart, skolelærerens kone," sagde Rashid.

Mariam svarede nej, hun kendte hende ikke.

„Det er bedst at du holder dig væk fra hende. Hun er en nyfigen sladdertaske, er hun. Og hendes mand regner sig selv for at være en eller anden slags intellektuel. Men han er en mus. Se på ham. Ligner han ikke en mus?"

De gik til Shahr-i Naw hvor børnene løb omkring i nye skjorter og farvestrålende veste med perlebroderi og sammenlignede Eid-gaver. Kvinder gik rundt med fade med konfekt. Mariam så farvede lygter hænge i butiksvinduer, hørte musik der gjaldede fra højtalere. Fremmede mennesker råbte et 'Eid Mubarak' efter hende når hun passerede dem.

Den aften gik de til Chaman, og Mariam så, stående bag Rashid, himlen blive oplyst af grønne, lyserøde og gule fyrværkeriraketter. Hun savnede at sidde sammen med mullah Faizullah uden for kolbaen og se fyrværkeriet eksplodere over Herat i det fjerne, de pludselige farveglimt reflekteret i sin lærers blide, gigtplagede øjne, men mest af alt savnede hun Nana. Mariam ville ønske at hendes mor var i live og kunne opleve dette. At se *hende* midt i alt dette. Langt om længe at forstå at tilfredshed og skønhed ikke var uopnåelige ting. Heller ikke for folk som dem.

De havde Eid-gæster i deres hjem. Det var alle sammen mænd, Rashids venner. Når det bankede på døren, vidste Mariam at hun skulle gå op på sit værelse og lukke døren. Hun blev deroppe mens mændene drak te sammen med Rashid og røg cigaretter og snakkede. Rashid havde sagt til Mariam at hun først måtte komme ned når gæsterne var gået.

Mariam var ligeglad. Faktisk følte hun sig en smule smigret. Rashid beskyttede det de havde sammen. Hendes ære var noget som han fandt værd at værne om. Hun følte sig værdsat på grund af hans beskyttertrang. Skattet og betydningsfuld.

På Eids tredje og sidste dag gik Rashid på visit hos nogle venner. Mariam, der hele natten havde haft dårlig mave, kogte lidt vand og lavede en kop grøn te drysset med stødt kardemomme. Inde i stuen tog hun et overblik over den foregående aftens gæstebud: de væltede kopper, de halvtyggede græskarkerner mellem hynderne, tallerkener med indtørrede rester fra aftensmåltidet. Hun gik i gang med at rydde op mens hun undrede sig over hvor gennemført dovne mænd kunne være.

Det havde ikke været hendes mening at gå ind på Rashids værelse, men rengøringen førte hende fra stuen op ad trappen og hen ad gangen til hans værelse, og det næste øjeblik befandt hun sig pludselig for første gang inde på hans værelse hvor hun sad på sengen og følte sig som en ubuden gæst.

Hun noterede sig de tunge, grønne gardiner, de blankpudsede sko der stod parvis henne ved væggen, skabsdøren hvor den grå maling var begyndt at skalle så man kunne se træet nedenunder. Hun fik øje på en pakke cigaretter på kommoden ved siden af hans seng. Hun satte en mellem læberne og stillede sig hen foran det lille spejl på væggen. Hun pustede luft mod spejlet og lod som om hun askede. Hun puttede cigaretten på plads igen. Hun ville aldrig lære at mestre den elegante måde Kabuls kvinder røg på. En cigaret i hendes mund fik hende til at se simpel, latterlig, ud.

Skyldbevidst trak hun den øverste kommodeskuffe ud.

Pistolen var det første hun fik øje på. Den var sort, havde træskæfte og et kort løb. Mariam indprentede sig hvilken vej den pegede, før hun tog den op. Hun vendte og drejede den i sine hænder. Den var meget tungere end hun ville have gættet. Skæftet føltes glat i hendes hånd, og løbet var koldt. Det gjorde hende urolig at Rashid ejede en ting hvis eneste formål var at slå et andet menneske ihjel. Men han måtte jo have den for hendes skyld. For at kunne beskytte hende.

Under pistolen lå en stak blade med krøllede hjørner. Mariam åbnede et af dem. Et eller andet inde i hende faldt mod gulvet. Hendes kæbe faldt næsten helt ned til brystet uden at hun mærkede det.

Der var kvinder på alle siderne, smukke kvinder, der hverken havde skjortebluser, bukser, strømper eller undertøj på. De var helt nøgne. De lå på senge med krøllet sengelinned og kiggede tilbage på Mariam med halvt åbne øjne. På de fleste af billederne var benene spredt, og Mariam havde frit udsyn til det mørke sted mellem dem. På enkelte billeder lå kvinderne på *sujda* som om de – Gud forbyde denne tanke – skulle til at bøje sig ned i bøn. De så sig tilbage over skulderen med et spottende udtryk i ansigtet.

Mariam lagde hurtigt bladene tilbage hvor hun havde fundet dem. Hun følte sig svimmel. Hvem var disse kvinder? Hvordan kunne de lade sig fotografere på den måde? Hendes mave slog kolbøtter af væmmelse. Var det hvad han lavede de nætter hvor han ikke kom ind til hende? Havde hun været en skuffelse for ham i denne sag? Og hvad med al hans snak om ære og stolthed, hans foragt for de kvindelige kunder som trods alt kun viste ham deres fødder fordi de skulle have nye sko? *En kvindes ansigt er alene hendes mands anliggende*, havde han sagt. Men kvinderne i disse blade måtte da også have mænd, nogle af dem i hvert fald. I det mindste havde de brødre. Hvorfor insisterede Rashid så på at *hun* dækkede sig til, når han selv ingen problemer havde med at se på andre mænds koners og søstres hemmelige steder?

Mariam sad på hans seng, forvirret og forlegen. Hun skjulte ansigtet i hænderne og lukkede øjnene. Hun trak vejret dybt flere gange indtil hun var faldet til ro igen.

Langsomt tonede en forklaring frem i hendes hoved. Han var trods alt en mand der havde boet alene i mange år før hun kom til. Han havde selvfølgelig andre behov end hende. For hende var de seneste måneders natlige foreninger stadig en øvelse i tålmodig og smertefuld underkastelse. Hans appetit var i modsætning til hendes stor, en gang imellem grænsende til det voldelige. Måden han holdt hende nede på og klemte om hendes bryster, eller sådan som hans hofter hamrede ned mod hende. Han var en mand. Så mange år uden en hustru. Kunne hun bebrejde ham for at være som Gud havde skabt ham?

Mariam var klar over at hun aldrig ville kunne tale med ham om disse ting. Det var unævneligt. Men var det også utilgiveligt? Hun behøvede bare at tænke tilbage på en anden mand i hendes liv. Jalil, gift med tre koner og på det tidspunkt far til ni børn, havde været sammen med Nana på en udenomsægteskabelig måde. Hvad var værst, Rashids blade eller det Jalil havde gjort? Og hvad berettigede i øvrigt hende, en landsbypige, en harami, til at dømme andre mennesker?

Mariam trak den nederste kommodeskuffe ud.

Det var der hun fandt billedet af drengen, Yunus. Det var sort-hvidt. Han så ud til at være fire, måske fem år gammel, og var iført en stribet skjorte og butterfly. Det var en køn lille dreng med en smal næse, brunt hår og mørke, lidt dybtliggende øjne. Han så åndsfraværende ud, som om et eller andet havde fanget hans opmærksomhed netop da billedet blev taget.

Under det fandt Mariam endnu et fotografi, også sort-hvidt, og en smule mere grynet. Det viste en siddende kvinde og bag ved hende en slankere, yngre Rashid med sort hår. Kvinden var meget smuk. Måske ikke lige så smuk som kvinderne i bladene, men smuk alligevel. Helt bestemt smukkere end Mariam. Hagen var fint formet, og det lange sorte hår skilt på midten. Høje kindben og en blidt skrånende pande. Mariam tænkte på sit eget ansigt, de smalle læber, den lange hage, og følte et stik af jalousi.

Hun sad længe og studerede dette billede. Der var noget lidt urovækkende ved den måde Rashid tårnede sig op over kvinden på. Hans hænder på hendes skuldre. Det besiddende drag om hans mund og hendes usmilende, tvære ansigt. Måden hendes krop bøjede en smule fremad på, som om hun forsøgte at vrikke sig fri af hans hænder.

Mariam lagde alting tilbage som hun havde fundet det.

Senere, mens hun vaskede tøj, skammede hun sig over at have lusket rundt på hans værelse. Hvorfor havde hun gjort det? Hvad havde hun lært af værdi om ham? At han havde en pistol, at han var en mand med en mands behov? At hun ikke skulle have stirret så længe på billedet af ham og hans kone. Hendes øjne havde projiceret en betydning ind i en kropsholdning der kun repræsenterede et enkelt splitsekund i et langt forløb.

Det hun følte nu mellem de fyldte tørresnore der svingede frem og tilbage foran hende, var medlidenhed med Rashid. Også han havde haft et hårdt liv, et liv præget af tab og skæbnens lunefuldhed. Hun tænkte på drengen, Yunus, som engang havde bygget snemænd i gården, hvis fødder havde dundret op og ned ad trappen i huset. Søen havde taget ham, slugt ham, ligesom hvalen der havde slugt drengens navnebror, profeten Yunus i Koranen. Mariam fik ondt i hjertet, fysisk ondt, da hun så Rashid for sig mens han panisk og hjælpeløst gik frem og tilbage foran søen og bønfaldt den om at spytte hans søn op på land igen. Og for første gang følte hun et slægtskab med sin mand.

Hun sagde til sig selv at de måske nok alligevel ville kunne lære at leve harmonisk med hinanden.

13

Der skete det mærkeligste for Mariam på busturen hjem fra lægen. Uanset hvor hun så hen, var farverne pludselig blevet meget stærke, de grå beboelsesejendomme, bliktagene på de åbne boder, det mudrede vand der løb i rendestenene. Det var som om en regnbue var smeltet ind i hendes øjne.

Rashid trommede med sine behandskede fingre og nynnede en sang. Hver gang bussen bumpede hen over et hul i gaden, og det gav et ryk i den, fløj hans hånd beskyttende hen på hendes mave.

„Hvad siger du til Zalmai?" spurgte han. „Det er et godt pashtunsk navn."

„Hvad hvis det er en pige?" sagde Mariam.

„Jeg tror det er en dreng. Ja. En dreng."

En mumlen løb gennem bussen. Nogle passagerer pegede ud på noget, og andre lænede sig frem i sæderne for bedre at kunne se.

„Se," sagde Rashid og bankede på ruden. Han smilede. „Der. Kan du se det?"

Mariam så at folk var gået i stå ude på gaden. Ved trafiklysene kom ansigter til syne i bilruderne, vendt op mod den faldende blødhed. Hvad var det ved den første sne? tænkte Mariam. Hvorfor virkede den så fortryllende? Var det chancen for at se noget som endnu var helt rent, uberørt? At indsuge den nye årstids flygtige ynde? En ny begyndelse – før den blev trampet på og snavset til?

„Hvis det er en pige," sagde Rashid, „og det er det ikke, men hvis det er en pige, må du selv bestemme hvad hun skal hedde."

Mariam vågnede næste morgen til lyden af saven og hamren. Hun slog et sjal om sig og gik ud i den snedækkede gård. Nattens voldsomme snevejr var drevet videre. Nu faldt der kun enkelte kildende fnug på hendes kinder. Blæsten havde lagt sig, og der lugtede svagt af ulmende kul. Kabul var blevet sært stille, indhyllet i hvidt, og her og der sås røgfaner dreje langsomt op i luften.

Hun fandt Rashid ude i skuret hvor han stod og hamrede søm i en planke. Da han fik øje på hende, tog han et søm ud af mundvigen.

„Det skulle have været en overraskelse. Han får brug for en seng. Det var ikke meningen at du skulle se den før den var færdig."

Mariam ville ønske at han ikke gjorde det der; satte sin lid til at det blev en dreng. Hun var lykkelig over at være gravid, men hans forventning om at det var en dreng, virkede tyngende. Forleden var Rashid gået ud og havde købt en rulamsfrakke til en dreng med rødt og gult silkebroderi på ærmerne.

Rashid løftede en lang, smal planke op på bordet. Da han begyndte at save den i to stykker, sagde han at han var bekymret over trappetrinnene. „Jeg vil være nødt til at gøre noget ved dem når han har lært at gå." Også ovnen gjorde ham urolig, sagde han. Knive og gafler skulle lægges et sted som han ikke kunne nå. „Man kan ikke være for forsigtig. Drenge kan godt være dumdristige."

Mariam trak sjalet om sig mod kulden.

Næste dag sagde Rashid at han ville invitere sine venner til middag for at fejre det. Hele formiddagen rensede Mariam linser og lagde ris i blød. Hun skar auberginer i skiver til *borani*, kogte porrer og hakkede oksekød til *aushak*. Hun fejede gulve, bankede gardiner, luftede ud overalt på trods af at sneen var begyndt at falde igen. Hun arrangerede madrasser og hynder op ad væggene i stuen og satte skåle med konfekt og ristede mandler på bordet.

Hun var oppe på sit værelse tidligt på aftenen før de første mænd ankom. Hun lå på sengen mens latter og jubelråb og høje stemmer tog til nedenunder. Hun kunne ikke forhindre sine hænder i at søge ned mod maven. Hun tænkte på det der voksede derinde, og lykkefølelsen jog igennem hendes krop som et vindstød der blæste en dør op. Hendes øjne blev blanke.

Mariam tænkte på den seks hundrede og halvtreds kilometer lange bustur med Rashid, fra Herat i vest i nærheden af grænsen til Iran til Kabul i øst. De var kommet igennem små byer og store byer og bittesmå landsbyer der var blevet ved med at afløse hinanden langs vejen. De var kørt over bjerge og havde tilbagelagt endeløse ørkenstrækninger gennem én provins til den næste. Og nu var hun her, på den anden side af bjerge og ørkener, i sit eget hjem med sin egen mand og på vej mod den sidste, vidunderlige strækning: moderskabet. Hvor var det lifligt at tænke på denne baby, *hendes* baby, *deres* baby. Hvor vidunderligt at vide at hendes kærlighed til barnet allerede fyldte mere end noget hun nogensinde før havde følt for et andet menneske. At vide at der ikke længere var nogen grund til at lege med småsten.

En eller anden var ved at stemme et harmonium nedenunder. Derefter lyden af en hammer der stemte et *tabla*. En mand rømmede sig. Og så fløjten og klappen og hurraråb og sang.

Mariam kærtegnede mavens bløde skind. *Ikke større end en fingernegl*, havde lægen sagt.

Jeg skal være mor, tænkte hun.

„Jeg skal være mor," sagde hun. Så lo hun stille og sagde det igen og igen. Elskede at høre ordene.

Når Mariam tænkte på denne baby, svulmede hendes hjerte.

Det svulmede og svulmede indtil alle tabene, al sorgen, al ensomheden og fornedrelsen i hendes liv blev skyllet væk. Det var grunden til at Gud havde ført hende hertil, hele den lange vej tværs gennem landet. Det indså hun nu. Hun kom i tanke om et vers i Koranen som mullah Faizullah havde lært hende: *Og østen og vesten tilhører Allah. Hvor I da vender jer hen – der er Allahs ansigt.* Hun bredte bedetæppet ud og gjorde namaz. Da bønnen var forbi, skjulte hun ansigtet i hænderne og bad til Gud om at denne gode skæbne ikke forsvandt ud mellem fingrene på hende.

Det var Rashids forslag at de gik til *hamam*'en. Mariam havde aldrig sat sine ben i et badehus, men han sagde at der ikke var noget bedre end at træde ud derfra og trække den kolde luft dybt ned i lungerne og mærke varmen prikke i huden.

I kvindernes hamam bevægede skikkelser sig rundt om Mariam, et glimt af en hofte der, omridset af en skulder der. Unge piger hvinede, gamle koner gryntede, og badevandet gav piblende genlyd mellem vægge mens rygge blev skrubbet og hår vasket. Mariam sad i et hjørne for sig selv mens hun skjult for andres blikke af en mur af dis bearbejdede sine hæle med en pimpsten.

Og så var der blod, og hun skreg.

Lyden af fødder nu, klaskende mod det våde stengulv. Ansigter der kom til syne i disen og kiggede på hende. Klikkende tunger.

Senere den aften, da Fariba og hendes mand var gået i seng, fortalte hun ham at hun havde hørt skriget og var løbet i retning af det. Rashids kone havde siddet sammenkrøbet i et hjørne, med armene knuget om knæene og en blodpøl for sine fødder.

„Man kunne høre den stakkels pige klapre tænder, Hakim, så voldsomt rystede hun."

Da Mariam fik øje på hende, fortalte Fariba, havde hun spurgt med høj og bedende stemme: *Det er da normalt, ikke? Er det ikke? Helt normalt?*

Endnu en bustur sammen med Rashid. Snevejr igen, men denne gang faldt sneen tæt og hobede sig op på fortove, på hustage, lagde sig i pletter på træstammer hist og her. Mariam kiggede på butiksejere der skovlede sne foran deres døre. En flok drenge jagtede en sort hund. De vinkede muntert i retning af bussen. Hun kiggede på Rashid. Han sad med lukkede øjne. Nynnede ikke denne gang. Mariam lagde hovedet tilbage og lukkede også øjnene. Hun længtes efter at kunne tage de kolde sokker af og den fugtige uldsweater der fik huden til at klø. Hun længtes efter at kunne stå af denne bus.

Da de var kommet hjem, lagde hun sig på sofaen, og Rashid lagde et tæppe over hende, men der var noget stift, ligegyldigt over denne gestus.

„Hvad slags svar var det at give os?" sagde han endnu en gang. „Det er hvad en mullah skal sige. Når man betaler en læge for en konsultation, forventer man at få et bedre svar end 'Det var Guds vilje'."

Mariam trak knæene op under tæppet og sagde at han burde hvile sig lidt.

„Guds vilje," knurrede han.

Han sad på sit værelse resten af dagen og kæderøg.

Mariam lå på sofaen med hænderne mellem sine knæ og kiggede ud på sneen der hvirvlede rundt på den anden side af vinduet. Hun tænkte på Nana der engang havde sagt at hvert eneste snefnug var en sørgende kvindes suk et eller andet sted i verden. At alle sukkene steg op mod himlen, samlede sig i skyer og derefter brød op i småbitte stykker for lydløst at falde ned på menneskene nedenunder.

Som en påmindelse om hvor meget kvinder som os må lide, havde hun sagt. *Hvordan vi i stilhed må udholde alt det der rammer os.*

14

Sorgen blev ved med at overfalde Mariam uden varsel. Alt hvad der skulle til for at udløse et anfald, var tanken om den ufærdige seng ude i skuret eller rulamsfrakken i Rashids klædeskab. Så var det som om babyen blev levende igen, og hun kunne høre den, høre dens sultne klynk, gurgle- og pludrelydene. Hun kunne mærke hvordan den snusede til hendes bryster. Og så skyllede sorgen som en bølge ind over hende, løftede hende og kastede hende fra sig igen. Mariam var lamslået over at man kunne savne et væsen man aldrig havde set, på en så invaliderende måde.

Men så var der dage hvor trøstesløsheden ikke syntes at gennemsyre alt, dage hvor bare tanken om at genoptage rutinerne i det gamle liv ikke forekom hende så forfærdeligt udmattende, hvor det ikke krævede en enorm viljestyrke bare at stå op om morgenen, bede en bøn, vaske tøj eller lave mad til Rashid.

Hun hadede det når hun var nødt til at forlade huset. Hun var jaloux, pludselig, på kvinderne i nabolaget og deres børnerigdom. Nogle af dem havde både syv og otte og forstod slet ikke hvor heldige de var, hvilken velsignelse det var at deres børn havde trivedes i deres skød, at de levede og sugede mælk af deres bryster. Børn som ikke var blevet skyllet ned i et afløb i et badehus sammen med blodigt sæbevand og snavset fra fremmede kvindekroppe. Mariam harmedes når hun hørte dem klage over ulydige sønner og dovne døtre.

En stemme oppe i hendes hoved forsøgte at berolige hende med velmente, om end misforståede trøstens ord.

De får andre, inshallah. *De er ung. Der kommer mange flere chancer.*

Men Mariams sorg var hverken generel eller ubestemmelig. Mariam sørgede over *denne* baby, lige netop dette barn der for en kort stund havde gjort hende så lykkelig.

Visse dage tænkte hun at babyen havde været en ufortjent gave, at hun nu blev straffet for det hun havde gjort mod Nana.

Var det måske ikke rigtigt at hun lige så vel selv kunne have lagt strikken om halsen på sin mor? Forræderiske døtre havde ikke gjort sig fortjent til at blive mødre, og dette var en retfærdig straf. Hun sov uroligt og drømte om Nanas jinn der sneg sig ind på hendes værelse om natten, borede sine kløer ned i hendes mave og stjal hendes baby. I disse drømme kaglede Nana af henrykkelse og hævngerrighed.

Andre dage vældede vreden op i Mariam. Det var Rashids skyld fordi han havde festet på forhånd. Fordi han så stædigt havde hævdet at hun var gravid med en dreng. Fordi han havde givet babyen et drengenavn. Fordi han havde taget Guds vilje for givet. Hans skyld, fordi han havde overtalt hende til at gå hen i badehuset. Et eller andet der, dampen, det snavsede vand, sæben, et eller andet der havde fået det til at ske. Nej. Ikke Rashid. Hun havde *selv* skylden. Hun blev rasende på sig selv for at have sovet på den forkerte side, for at have spist mad der var alt for krydret, for ikke at have spist frugt nok, for at have drukket for meget te.

Det var Guds skyld for at have spottet hende som Han havde. For ikke at ville give hende det som Han havde givet så mange andre kvinder. For at lade det dingle forjættende foran hende, det som Han vidste ville være den største lykke for hende, og så pludselig fjerne det fra hendes rækkevidde.

Men intet af det nyttede, denne placering af skyld, disse anklagende tirader der dansede rundt i hendes hoved. Det var *kofr* at tænke den slags tanker. Allah var ikke ond. Han var ikke en smålig gud. Mullah Faizullahs ord gav hviskende genlyd i hendes hoved: *Velsignet er Han i hvis hænder magten ligger, Han som skabte døden og livet for at sætte dig på prøve.*

Hærget af skyldfølelse faldt Mariam så på knæ og bad om tilgivelse for sine ugudelige tanker.

Også Rashid havde forandret sig efter den dag i badehuset. Han var blevet utålmodig og tvær over for Mariam. Når han kom hjem om aftenen, gad han sjældent tale med hende. Han spiste sin mad, røg cigaretter, gik i seng og kom en gang imellem ind til hende midt om natten til et kortvarigt og på det seneste ganske ublidt samleje. Han havde det med at surmule, at brokke sig over hendes mad eller over rodet ude i gården eller at påpege selv det ubetydeligste snavs i huset. Han kunne stadig finde på at tage Mariam med i byen om fredagen, men nu gik han hurtigt og altid et par skridt foran hende, uden at tale med hende og uden at tage sig af at hun måtte småløbe for at holde trit med ham. Det var sjældent at han bristede i latter på disse ture, og han købte ikke konfekt og smågaver til hende eller stod stille som han plejede, for at fortælle hende hvad det ene eller det andet hed. Når hun spurgte, var det som om hun irriterede ham.

En aften sad de sammen i stuen og hørte radio. Vinteren var ved at være forbi, og den stride blæst der havde pisket sneen ind i deres ansigter og fået deres øjne til at løbe i vand, havde lagt sig. Sølvskinnende snepuder var begyndt at smelte oppe på de høje elmetræers grene og ville i løbet af få uger blive udskiftet med små bleggrønne knopper. Rashid sad åndsfraværende og vippede med en fod i takt med tablaen i en af Hamahangs sange og havde knebet øjnene i for ikke at få røg i dem.

„Er du vred på mig?" spurgte Mariam.

Rashid svarede ikke. Sangen sluttede, og det blev tid til radionyhederne. En kvindestemme rapporterede at præsident Daud Khan havde sendt endnu en gruppe russiske rådgivere tilbage til Moskva, og at man forventede en harmdirrende reaktion.

„Jeg er bange for at du måske er vred på mig."

Rashid sukkede.

„Er du det?"

Han så hen på hende. „Hvorfor skulle jeg være vred?"

„Det ved jeg ikke, men lige siden det med babyen…"

„Er det hvad du regner mig for? Efter alt hvad jeg har gjort for dig."

„Nej. Selvfølgelig ikke."

„Så hold op med at hakke på mig."

„Undskyld. *Bebakhsh*, Rashid. Undskyld."

Han skoddede sin cigaret og tændte straks en ny. Han skruede op for radioen.

„Men jeg har gået og tænkt på noget," sagde Mariam og måtte hæve stemmen for at blive hørt.

Rashid sukkede igen, irriteret denne gang, og skruede atter ned for radioen. Han gned sig træt over panden. „Hvad nu?"

„Jeg har tænkt på om vi måske skulle have en begravelsesceremoni. For babyen, mener jeg. Kun dig og mig, et par bønner, ikke andet."

Mariam havde tænkt en del over det på det seneste. Hun ønskede ikke at glemme denne baby. Det forekom hende forkert ikke at markere tabet på en måde som var vedvarende.

„Hvorfor i alverden det? Det er latterligt."

„Det vil få mig til at føle mig bedre tilpas, tror jeg."

„Så gør du det," sagde han skarpt. „Jeg har allerede begravet én søn. Jeg ønsker ikke at begrave en anden. Og hvis du ikke har nogen indvendinger, vil jeg gerne høre radio nu."

Han skruede igen op for radioen, lagde hovedet tilbage og lukkede øjnene.

En solrig formiddag samme uge gravede Mariam et hul i jorden ude i gården.

„I Allah den nådige og barmhjertiges navn og i Allahs sendebuds navn, må Allah signe og bevare dig," messede hun lavmælt mens spaden borede sig ned i jorden. Hun lagde rulamsfrakken som Rashid havde købt til babyen, ned i hullet og skovlede jord på igen.

„Du lader natten gå over i dag, og Du lader dagen gå over i nat, og Du frembringer det levende af det døde, og Du lader døden fremgå af det levende. Og Du hjælper og styrker, hvem Du vil, uden beregning."

Hun klappede jorden på plads med bagsiden af spaden. Hun satte sig på hug ved siden af jordbunken og lukkede øjnene.

Hør på mig, Allah.

Jeg har brug for Din hjælp.

15

April 1978

Den 17. april 1978, det år Mariam fyldte nitten, blev en mand ved navn Mir Akbar Khyber fundet myrdet. To dage efter var der en stor demonstration i Kabul. Alle i kvarteret var på gaden, og snakken gik. Mariam så fra sit vindue naboer strømme ud af deres huse og tale ophidset med hinanden eller gå rundt med transistorradioer presset mod øret. Hun så Fariba læne sig op ad muren foran sit hjem og tale med en kvinde som var ny i Dihmazang. Fariba smilede og pressede sine hænder mod sin gravide mave. Den anden kvinde, hvis navn Mariam havde glemt, så ældre ud end Fariba, og hendes hår havde et sært, violet skær. Hun stod med en lille dreng i hånden. Mariam vidste at drengen hed Tariq, fordi hun havde hørt kvinden råbe på ham ude på gaden.

Mariam og Rashid sluttede sig ikke til deres naboer. De lyttede til radioudsendelserne mens mennesker i titusindvis strømmede ud på gaderne og marcherede gennem Kabuls regeringsdistrikt. Rashid sagde at Mir Akbar Khyber havde været en fremtrædende kommunist, og at hans tilhængere gav præsident Daud Khan og hans regering skylden for mordet. Han så ikke på hende mens han sagde det. Det gjorde han aldrig nu om dage, og Mariam kunne ikke engang sige med sikkerhed om han havde henvendt sig til hende.

„Hvad er en kommunist?“ spurgte hun.

Rashid snøftede og hævede begge øjenbryn. „Ved du ikke hvad en kommunist er? Så lille en ting. Det ved alle da. Det er almen viden. Men du… Bah. Men jeg ved egentlig ikke hvorfor det kommer bag på mig.“ Så krydsede han benene oppe på bordet og mumlede at det var en mand der troede på Karl Marxist.

„Hvem er Karl Marxist?“

Rashid sukkede.

I radioen sagde en kvindestemme at Taraki, lederen af *Khalq*-afdelingen af PDPA, det afghanske kommunistparti, var på barrikaderne for at holde opildnende taler til demonstranterne.

„Hvad jeg mente var, hvad de er ude på?“ sagde Mariam. „Disse kommunister, hvad er det de vil?“

Rashid lo og rystede på hovedet, men Mariam mente at kunne se en vis usikkerhed i måden han lagde armene over kors på, og måden han undveg hendes blik på. „Du ved ingenting, hvad? Du er som et barn. Dit hoved er helt tomt. Der er ingen viden derinde.“

„Jeg spørger fordi…“

„*Chup ko*!“

Mariam holdt kæft.

Det var ikke nemt at finde sig i at blive talt til på den måde, at skulle udholde hans spot, hans latterliggørelse, hans fornærmelser, den måde han gik forbi hende på, som var hun intet andet end en huskat. Men efter fire års ægteskab vidste Mariam præcis hvor meget en kvinde kunne finde sig i når hun var bange. Og Mariam var bange. Hun frygtede hans humørskift, hans temperament, hans insisteren på at føre selv småsnak ud i heftige konfrontationer som han en gang imellem ville sætte en brat stopper for ved hjælp af næveslag, lussinger, spark, som han nogle gange forsøgte at gøre bod for med vage undskyldninger og andre gange ikke.

I de fire år der var gået siden dengang i badehuset, havde der været yderligere seks perioder med håb der blomstrede og døde igen, hvor hvert tab, hvert sammenbrud, hver tur til lægen havde været mere knusende end den forrige. For hver skuffelse var Rashid blevet mere fjern og krænket. Nu var det umuligt at gøre ham glad. Hun gjorde rent i huset, sørgede for at han altid havde rene skjorter, lavede hans yndlingsretter til ham. En enkelt skrækkelig gang havde hun lagt makeup for at glæde ham, men da han kom hjem, havde han kastet et enkelt blik på hende og krympet sig med så stor afsky i øjnene at hun var styrtet op på badeværelset og havde vasket det af mens skammens tårer blandede sig med sæbevand, kindrødt og mascara.

Nu frygtede Mariam lyden af hans skridt når han kom hjem om aftenen. Nøglen der raslede, døren der knirkede, det var lyde der fik hendes hjerte til at hamre. Oppe fra sit værelse lyttede hun til klikkelydene fra hans hæle, til de slæbende fødder når han havde skiftet til hjemmesko. Med ørerne lavede hun lister over hans gøremål: stolen der blev trukket hen over gulvet, rørstolen der gav sig når han satte sig i den, skeen der klirrede mod tallerkenen, avisen der blev bladet igennem, vandet som han støjende slubrede i sig. Og med hamrende hjerte spekulerede hun på hvilken undskyldning han ville bruge denne dag. Der var altid et eller andet, en lillebitte ting der gjorde ham rasende, det var lige meget hvad hun gjorde for at behage ham, ligegyldigt hvor ydmygt hun fandt sig i hans vredesudbrud, det var aldrig nok. Hun kunne ikke give ham hans søn tilbage. På det allervigtigste punkt havde hun svigtet ham, syv gange havde hun svigtet, og nu var hun ikke andet end en klods om benet på ham. Hun kunne se det i hans øjne når han kiggede på hende, *hvis* han kiggede på hende. Hun var en klods om benet på ham.

„Hvad sker der så nu?" spurgte hun ham nu.

Rashid så på hende ud af øjenkrogen. Han udstødte en lyd der kunne være et suk eller et støn, tog benene ned fra bordet og slukkede for radioen. Han tog den med op på sit værelse. Han lukkede døren.

Den 27. april blev Mariams spørgsmål besvaret med knitrende lyde og pludselige høje brag. Hun løb på bare fødder ned i stuen og så at Rashid allerede var kommet ned. Han stod foran vinduet i undertrøje, med uglet hår og håndfladerne presset mod ruden. Mariam stillede sig hen ved siden af ham. Over sit hoved kunne hun se militærfly suse forbi på vej mod nord og øst. De øredøvende skrig fra motorerne gjorde ondt i hendes ører. I det fjerne hørtes høje, rungende drøn, og pludselige røgsøjler steg til vejrs.

„Hvad sker der, Rashid?" spurgte hun. „Hvad er det der foregår?"

„Det må Gud vide," mumlede han. Han tændte for radioen og fik kun statisk støj.

„Hvad gør vi?"

„Vi venter og ser," snappede Rashid utålmodigt.

Senere på dagen forsøgte Rashid igen at få liv i radioen mens Mariam kogte ris og spinatsovs ude i køkkenet. Mariam kunne huske engang hvor hun havde nydt, ja ligefrem glædet sig til at lave mad til Rashid. Nu rystede hun som et espeløv når hun gik rundt i køkkenet. Qurmaerne var altid for salte eller for lidt salte efter hans smag. Risen var enten for klistret eller for tør, brødet for klægt eller for luftigt. Rashids evindelige kritik havde gjort hende usikker på sine evner i et køkken.

Da hun kom ind med tallerkenen til ham, spillede nationalsangen i radioen.

„Jeg har lavet sabzi," sagde hun.

„Sæt den der, og ti stille."

Da musikken tonede ud, blev den afløst af en mandsstemme. Han præsenterede sig som oberst i Flyvevåbenet, Abdul Qadir. Han meddelte at den oprørske Fjerde Panserdivision havde erobret lufthavnen og nøglepositioner i byen. Kabul Radio, Kommunikations- og Indenrigsministeriet samt Udenrigsministeriet var ligeledes blevet erobret. Kabul var nu i folkets hænder, sagde han stolt. MIG-jagere havde bombet præsidentpaladset, kampvogne var trængt ind på området, og kampene var i øjeblikket heftige. Dauds loyalister var dog så godt som nedkæmpet, fortalte Abdul Qadir beroligende.

Først flere dage efter – da kommunisterne var begyndt på de summariske henrettelser af dem der havde haft tætte forbindelser til Daud Khans regime, og rygter gik som løbeild i Kabul om øjne der blev klemt ud og kønsdele der blev sat strøm til i Pul-i-Charkhi-fængslet – hørte Mariam om den massakre der havde fundet sted i præsidentpaladset. Daud Khan *var* blevet dræbt, men ikke før oprørerne havde myrdet omkring tyve af hans familiemedlemmer inklusive kvinder og børnebørn. Der gik rygter om at han havde taget sit eget liv, at han var blevet skudt ned i kampens hede, rygter om at man havde gemt ham til sidst og tvunget ham til at se på mens hans familie blev massakreret, og først bagefter var blevet skudt.

Rashid skruede mere op for radioen og stak hovedet helt op til den.

„Et revolutionsråd bestående af de væbnede styrker er blevet dannet, og vores *watan* vil blive kendt som Den Demokratiske Republik Afghanistan,“ sagde Abdul Qadir. „Aristokratiets, nepotismens og ulighedens æra er forbi, mine med-*hamwatan*'ere. Vi har revet årtiers tyranni op med rode. Magten ligger nu i massernes og frihedselskende menneskers hænder. En strålende ny æra i vort lands historie tager nu sin begyndelse. Et nyt Afghanistan har set dagens lys. Vi kan forsikre jer om at I intet har at frygte, mine med-afghanere. Det nye styre vil have den største respekt for både islamiske og demokratiske principper. Det er en tid til glæde og fest."

Rashid slukkede for radioen.

„Er det godt eller dårligt?" spurgte Mariam.

„Dårligt for de rige, så vidt jeg kan bedømme," sagde Rashid. „Måske ikke så dårligt for folk som os."

Mariams tanker gik til Jalil. Hun spekulerede på om kommunisterne ville gøre ham noget. Sætte ham i fængsel? Sætte hans sønner i fængsel? Tage hans forretning og huse fra ham?

„Er den varm?" spurgte Rashid og kiggede på risen.

„Jeg har lige øst den op fra gryden."

Han gryntede og bad om en tallerken.

Længere nede ad gaden hævede Fariba sig op på albuerne og kiggede udmattet ud på mørket der hele tiden lyste op i røde og gule glimt. Hendes hår var smattet af sved, og der lå svedperler på hendes overlæbe. Jordemoderen Wajma stod ved siden af sengen og så til mens Faribas mand og sønner kredsede om barnet og højlydt beundrede hendes lyse hår, rosenrøde kinder, den lille røde mund og de jadegrønne øjne som man kunne se bevæge sig i sprækken i de opsvulmede øjne. De smilede til hinanden da de hørte hendes stemme for første gang, et vræl der begyndte som et kattepiv og eksploderede i et sundt, fuldtonet hyl. Noor sagde at hendes øjne var som juveler. Ahmad, der var den mest religiøse i familien, sang azan ind i sin lillesøsters ører og pustede hende tre gange i ansigtet.

„Er vi så enige om Laila?" spurgte Hakim og løftede sin datter i vejret.

„Ja," sagde Fariba og smilede træt. „Natteskønhed, det passer perfekt."

Rashid formede en riskugle med sine fingre. Han puttede den ind i munden og tyggede en gang, to gange, før han skar en grimasse og spyttede den ud på sofrahen.

„Hvad er der i vejen?" spurgte Mariam og hadede den undskyldende tone i sin stemme. Hun kunne mærke pulsen stige og huden der krympede sig.

„Hvad er der i vejen?" gentog han vrængende. „Hvad der er i vejen, er at du har gjort det igen."

„Men jeg kogte dem fem minutter længere end normalt."

„Du lyver."

„Jamen, jeg sværger..."

Han rystede hidsigt risen af sine fingre og skubbede tallerkenen væk så sovs og ris sprøjtede ud over sofrahen. Mariam så til mens han stormede ud af stuen og videre ud af huset. Døren faldt i med et brag efter ham.

Mariam knælede på gulvet og forsøgte at samle risengrynene op for at lægge dem tilbage på tallerkenen, men hendes hænder rystede så voldsomt at hun var nødt til at vente indtil de var blevet rolige. Angsten lå som en jernring om hendes bryst. Hun forsøgte at trække vejret dybt ind og fik samtidig et glimt af sit eget blege ansigt i det mørke stuevindue. Hun kiggede væk.

Så hørte hun døren gå op igen, og Rashid kom ind i stuen.

„Rejs dig," sagde han. „Kom herhen. Rejs dig."

Han flåede hendes ene hånd til sig, åbnede den og lod en håndfuld småsten falde ned i den.

„Put dem i munden."

„Hvad?"

„Put. Dem. I. Munden."

„Hold nu op, Rashid, jeg beder..."

Hans stærke hænder greb fat om hendes kæber. Han stak to fingre ind i hendes mund og tvang den op og skubbede så de kolde, hårde småsten ind i den. Mariam kæmpede imod, klynkende, men han fortsatte med overlæben krøllet opad i et snerrende udtryk med at proppe sten i munden på hende.

„Tyg," sagde han.

Med munden fuld af grus og småsten lykkedes det Mariam at mumle et bønfaldende ord. Tårer begyndte at pible ud af hendes øjne.

„TYG!" brølede han. Tobaksånden ramte hende som et slag i ansigtet.

Mariam begyndte at tygge. Et eller andet bagest i munden knækkede.

„Udmærket," sagde Rashid. Hans kinder dirrede. „Nu ved du hvordan din ris smager. Nu ved du hvad jeg har fået ud af dette ægteskab. Dårlig mad og intet andet."

Så var han væk, og Mariam kunne spytte småsten, blod og splinter af to knækkede kindtænder ud af munden.

Anden del

16

Kabul, foråret 1987

Ni år gamle Laila sprang ud af sengen – som hun gjorde de fleste morgener – hungrende efter at se sin ven Tariq. Denne morgen vidste hun imidlertid at hun ikke ville få ham at se.

„Hvor længe skal du være væk?" havde hun spurgt da Tariq fortalte at hans forældre tog ham med sydpå, til byen Ghazni, hvor de skulle besøge hans fars bror.

„Tretten dage."

„*Tretten dage?*"

„Det er ikke ret lang tid. Du skærer ansigt, Laila."

„Det gør jeg i hvert fald ikke."

„Du har ikke tænkt dig at begynde at græde, vel?"

„Jeg begynder ikke at græde. Ikke på grund af dig. Det kunne jeg ikke drømme om."

Hun sparkede ham over skinnebenet, ikke det kunstige, det rigtige, og han daskede hende spøgefuldt i nakken.

Tretten dage. Næsten to uger. Og i løbet af kun fem dage havde Laila lært en fundamental sandhed om tiden: nemlig at den ligesom den trækharmonika Tariqs far en gang imellem spillede gamle pashto-sange på, kunne føles lang eller kort afhængig af Tariqs fravær eller nærvær.

Hendes forældre skændtes nedenunder. Igen. Laila kendte

rutinen: Mammy, hidsig, vild, hektisk travende frem og tilbage og højtråbende; og Babi der sad med et fåret og omtåget udtryk i ansigtet, lydigt nikkende mens han ventede på at uvejret skulle drive over. Laila lukkede døren og tog tøj på. Men hun kunne stadig høre dem. Hun kunne stadig høre *hende*. Til sidst røg en dør i med et brag. Dundrende fodtrin. Mammys seng knagede højt. Babi ville tilsyneladende også overleve dette skænderi.

„Laila!" råbte han nu. „Jeg kommer for sent på arbejde."

„To sekunder."

Laila tog sko på og børstede hurtigt sit skulderlange, krøllede hår foran spejlet. Mammy sagde altid at Laila havde fået sin hårfarve – foruden de tyrkisgrønne øjne og tykke øjenvipper, smilehullerne, de høje kindben og den fulde underlæbe som Mammy også havde – fra sin oldemor, Mammys mormor. *Hun var bedårende smuk, en* pari, sagde Mammy. *Hendes skønhed var samtaleemne i dalen. Den sprang to generationer kvinder over i vores familie, men den sprang i hvert fald ikke dig over*. Den dal Mammy refererede til, var Panjshir i den tadsjikiske provins et hundrede kilometer nordøst for Kabul hvor hovedsproget var farsi. Både Mammy og Babi, der var fætter og kusine, var født og opvokset i Panjshir. De var flyttet til Kabul i 1960 som glade nygifte og fulde af håb da Babi blev optaget på universitetet i Kabul.

Laila skramlede ned ad trappen mens hun bad til at Mammy ikke kom ud af sit værelset, parat til en ny runde. Da hun var kommet ned, så hun Babi ligge på knæ foran netdøren.

„Har du set det her, Laila?"

Flængen i nettet havde været der i flere uger. Laila satte sig på hug ved siden af ham. „Nej. Det må være sket for nylig."

„Det er også hvad jeg sagde til din mor." Han så rystet ud, indskrumpen, sådan som han altid så ud når Mammy var færdig med ham. „Hun siger at bier kan komme igennem."

Laila havde frygtelig ondt af ham. Babi var en lille mand med smalle skuldre og slanke, skrøbelige hænder, næsten som en kvindes. Om aftenen når Laila kom ind i Babis arbejdsværelse, var det første hun så, altid hans nedadvendte profil fordi han sad begravet i en bog med brillerne siddende yderst på næsen. En gang imellem opdagede han ikke at hun var der. Når han gjorde det, satte han et mærke i bogen og smilede et lille indforstået smil. Babi kendte de fleste af Rumis og Hafiz' ghaseler udenad. Han kunne tale i timevis om kampen mellem Storbritannien og Zar-Rusland om overherredømmet over Afghanistan. Han kendte forskel på en stalakit og en stalagmit og kunne fortælle at afstanden mellem jorden og solen var den samme som at køre fra Kabul til Ghazni halvanden million gange. Men hvis Laila skulle have hjælp til at få låget af en konfektdåse, var hun nødt til at gå til sin mor – hvad der føltes som forræderi. Almindeligt værktøj var et mysterium for Babi. Når han havde ansvaret, blev knirkende dørhængsler ikke smurt. Det lækkede stadig fra loftet efter at han havde tætnet det. Skimmelsvampe blomstrede trodsigt videre i køkkenskabe. Mammy sagde at Ahmad pligtopfyldende og kompetent havde taget sig af al den slags ting, men det var før han i 1980 tog af sted sammen med Noor for at slutte sig til krigen mod Sovjetunionen.

„Hvis du har en bog som skal læses i en fart, så er det Hakim man skal henvende sig til," sagde hun.

Laila havde imidlertid en mistanke om at Mammy, før Ahmad og Noor gik i krig mod russerne – før Babi havde *givet dem lov* til at gå i krig – også havde syntes at Babis boglighed var indtagende, at også hun engang havde syntes at hans glemsomhed og uformåenhed i praktiske anliggender var charmerende.

„Hvad dag er det så i dag?" spurgte han og smilede skælmsk. „Dag fem? Eller er det dag seks?"

„Jeg er ligeglad. Jeg holder ikke tal på dem," løj Laila og elskede ham for at huske det. Mammy havde ingen anelse om hvornår Tariq var taget af sted.

„Nå, men inden du ser dig om, vil hans lygte begynde at blinke igen," sagde Babi med henvisning til Laila og Tariqs signalleg om aftenen. De havde gjort det så længe at det var blevet et aftenritual, ligesom at børste tænder.

Babi lod en finger løbe langs med flængen. „Jeg skal nok ordne den når jeg får tid. Vi er nødt til at gå nu." Han hævede stemmen og råbte over sin skulder. „Vi går nu, Fariba! Jeg følger Laila til skole. Husk at hente hende."

Da de var kommet ud, og Laila havde sat sig op på bagagebæreren på Babis cykel, fik hun øje på en bil der holdt længere oppe ad gaden foran huset hvor skomageren Rashid boede sammen med sin ensomme kone. Det var en Mercedes-Benz, en usædvanlig bil at se i kvarteret, blå med en bred hvid stribe der løb over motorhjelmen på midten, hen over taget og ned ad bagsmækken. Laila kunne se to mænd der sad i bilen, den ene bag rattet, den anden på bagsædet.

„Hvem er de?" spurgte hun.

„Det kommer ikke os ved," sagde Babi. „Hold fast, vi kører nu, ellers kommer du for sent i skole."

Laila kunne huske et andet skænderi, dengang Mammy havde stået over for Babi og slynget ham sin mening lige i hovedet: *Det er det du er god til, ikke sandt, fætter? At blande dig udenom. Selv når dine sønner vil drage i krig. Hvor jeg dog tryglede dig om at gøre noget. Men nej, du begravede næsen i en af dine forbandede bøger og lod vores sønner tage af sted som om de var et par haramier.*

Babi cyklede hen ad gaden med Laila på bagagebæreren og hendes arme slynget omkring livet på ham. Da de passerede den blå Mercedes, fik Laila et glimt af manden på bagsædet: mager, hvidhåret, iført et brunt jakkesæt med snippen fra et lommetørklæde stikkende op af brystlommen. Det eneste andet hun nåede at se, var at nummerpladen var fra Herat.

De kørte resten af vejen uden at sige noget bortset fra når de drejede om et hjørne hvor Babi bremsede forsigtigt og sagde: „Hold fast, Laila. Jeg bremser nu. Okay."

Laila havde svært ved at koncentrere sig i skolen den dag, dels på grund af Tariqs fravær, dels på grund af forældrenes skænderi, så da læreren bad hende om at fortælle hvad hovedstæderne i Rumænien og Cuba hed, blev hun fanget på det forkerte ben.

Læreren hed Shanzai, men bag om ryggen på hende kaldte eleverne hende for 'tante maler', *khala Rangmaal*, på grund af den måde hun bevægede sin hånd på når hun stak dem en lussing, håndflade først, så håndryg, frem og tilbage, ligesom en maler med sin pensel. Khala Rangmaal var ung med et kantet ansigt og buskede øjenbryn. Den første skoledag havde hun stolt fortalt klassen at hun var datter af en fattig bonde fra Khost. Hun var rank som en lineal og havde håret redt stramt tilbage og sat op i en knold således at Laila kunne se de mørke små nakkehår. Khala Rangmaal gik hverken med makeup eller smykker. Hun dækkede ikke sit hår og forbød de kvindelige elever at gøre det. Hun sagde at mænd og kvinder var lige på enhver måde, og at der ikke var nogen grund til at kvinder skulle dække sig til når mænd ikke gjorde det.

Hun sagde at Sovjetunionen var den bedste nation i verden sammen med Afghanistan. Landet behandlede sine arbejdere godt, og alle mennesker var lige. Alle i Sovjetunionen var glade og lykkelige, i modsætning til i Amerika hvor kriminalitet gjorde at folk var bange for at forlade deres hjem. Og alle i Afghanistan ville også blive lykkelige, sagde hun, når disse modstandere af fremskridt, disse tilbagestående banditter, var blevet nedkæmpet.

„Det er grunden til at vores sovjetiske kammerater kom hertil i 1979. For at give deres nabo en hjælpende hånd. For at hjælpe os med at bekæmpe disse umennesker som ønsker at vores land skal være en tilbagestående, primitiv nation. Også I må give en hjælpende hånd, børn. I må fortælle det hvis I kender nogen som kender oprørerne. Det er jeres pligt. I må lytte og dernæst rapportere. Også selv om det er jeres forældre, jeres onkler og tanter. For ingen af dem elsker jer lige så højt som jeres land elsker jer. Jeres land kommer i første række, husk det! Jeg ønsker at være stolt af jer, og det samme gør jeres land."

På væggen bag katederet hang et kort over Sovjetunionen, et kort over Afghanistan og et indrammet fotografi af den seneste kommunistpræsident, Najibullah, som, ifølge Babi, engang havde været chef for det frygtede hemmelige politi i Afghanistan, KHAD. Der var også andre fotos, især af unge russiske soldater der gav hånd til bønder, plantede små æbletræer eller byggede huse, altid mens de smilede bredt.

„Jaså," sagde khala Rangmaal nu. „Jeg forstyrrer dig måske i dit dagdrømmeri, *inqilabi*-pige?"

Det var hendes øgenavn for Laila, revolutionspigen, fordi hun var blevet født natten op til aprilkuppet i 1978 – bortset fra at khala Rangmaal blev vred hvis nogen i hendes klasse brugte ordet 'kup'. Det havde været en *inqilab* hvor arbejderklassen gjorde oprør mod ulighed, insisterede hun på. 'Jihad' var endnu et tabuord. Ifølge hende var der ikke engang krig ude i provinserne, kun skærmydsler med ballademagere der var blevet opildnet af folk som hun kaldte 'udenlandske provokatører'. Og ingen, *ingen*, vovede i hendes nærvær at videregive de stadig talrigere rygter om at Sovjetunionen efter otte års krig var ved at tabe. Især nu da den amerikanske præsident Reagan var begyndt at sende Stingermissiler til Mujahedin som kunne skyde de russiske helikoptere ned, for ikke at tale om muslimer fra hele verden som sluttede op om sagen: egyptere, pakistanere, rige saudiere som lod deres millioner blive hjemme og kom til Afghanistan for at blive jihadister.

„Bukarest. Havana," lykkedes det Laila at fremstamme.

„Og er disse lande vores venner eller ej?"

„De er vores venner, *moalim sahib*."

Khala Rangmaal nikkede kort.

Mammy dukkede ikke op som hun skulle efter sidste time. Det endte med at Laila fulgtes hjem med to af sine skoleveninder, Giti og Hasina.

Giti var en anspændt, mager lille pige som havde håret sat op i to rottehaler bundet med hårelastikker. Hun havde altid et skulende udtryk i øjnene og gik med sine skolebøger presset ind mod brystet, som et skjold. Hasina var tolv år, tre år ældre end Laila og Giti, men havde måttet gå tredje klasse om en gang og fjerde to gange. Hvad Hasina manglede i opvakthed, havde hun til overflod i spilopmageri, og så havde hun en mund der, ifølge Giti, kørte af sted som en symaskine. Det var Hasina der havde fundet på øgenavnet khala Rangmaal.

I dag gav Hasina gode råd om hvordan man skræmte utiltrækkende bejlere væk. „Idiotsikker måde, virker hver gang. Jeg sværger."

„Det er for åndssvagt, det her. Jeg er for ung til at have en bejler," sagde Giti.

„Du er ikke for ung."

„Jamen, der er ingen der er kommet for at anholde om *min* hånd."

„Det er fordi du har skæg."

Gitis hånd fløj op til hendes hage, og hun så noget forskrækket på Laila som smilede medlidende – Giti havde absolut ingen humoristisk sans – og rystede beroligende på hovedet.

„Nå, men vil I høre om det eller ej, de damer?"

„Lad os høre," sagde Laila.

„Bønner. Ikke mindre end fire dåser. Om aftenen den dag det tandløse krybdyr kommer for at bede om jeres hånd. Men timing, de damer, timing er altafgørende. I er nødt til at undertrykke fyrværkeriet indtil det er tid til at servere te for ham."

„Det vil jeg huske," sagde Laila.

„Det samme vil han."

Laila kunne på det tidspunkt have sagt at hun ikke ville få

brug for det råd, for Babi havde ingen intentioner om at bortgifte hende inden for overskuelig tid. Selv om Babi arbejdede på Silo, Kabuls gigantiske brødfabrik, hvor han knoklede løs i varmen og larmen fra de brummende maskiner, fyldte brændsel i kæmpemæssige ovne og malede korn dagen lang, så var han en universitetsuddannet mand. Han havde været gymnasielærer før kommunisterne fyrede ham – det var kort efter kuppet i 1978, omkring halvandet år før russerne invaderede. Babi havde med utvetydige ord fortalt Laila lige fra hun var en lille pige, at hendes uddannelse var det der lå ham mest på sinde næst efter en tryg opvækst.

Jeg ved at du stadig er meget ung, men jeg ønsker at du forstår og indprenter dig dette nu, havde han sagt. *Ægteskab kan vente, det kan uddannelse ikke. Du er en meget, meget klog, lille pige. Det er du virkelig. Du kan blive til lige hvad du vil, Laila. Jeg ved det. Og jeg ved også at Afghanistan, når denne krig er forbi, vil få brug for dig lige så meget som for mændene i landet, måske endnu mere. Et land har ingen fremtid hvis dets kvinder ingen uddannelse har, Laila. Ingen fremtid overhovedet.*

Men Laila fortalte ikke Hasina at Babi havde sagt dette. Hun sagde heller ikke at hun var lykkelig over at have en far som ham, eller at hun var stolt over at han regnede hende for noget, eller at han var fast besluttet på at hun skulle uddanne sig ligesom han havde gjort. I de sidste to år havde Laila vundet *awal numra*-certifikatet som blev givet til den bedste elev i hver klasse. Men alt dette fortalte hun ikke Hasina hvis far var en opfarende taxachauffør som om et par år eller tre med sikkerhed ville bortgifte hende. Hasina havde i et af sine mere alvorlige øjeblikke fortalt Laila at det allerede var blevet besluttet at hun skulle giftes med en tyve år ældre fætter som ejede et bilværksted i Lahore. *Jeg har set ham to gange*, havde Hasina sagt. *Begge gange smaskede han.*

„Bønner, piger,“ sagde Hasina. „Husk det nu. Medmindre…“ og her smilede hun uartigt og stak en albue i siden på Laila, „…

det er din kønne, etbenede prins der banker på døren. I så fald..."

Laila slog albuen til side. Hun ville være blevet fornærmet hvis det havde været en hvilken som helst anden der sagde sådan om Tariq, men hun vidste at Hasina ikke mente det ondskabsfuldt. Hun spottede, det var hvad hun gjorde, og ingen gik ram forbi, mindst af alle hende selv.

„Du burde ikke tale sådan om andre mennesker!" sagde Giti.

„Hvad slags mennesker taler du om?"

„Folk der er kommet til skade på grund af krigen," sagde Giti alvorligt uden at lægge mærke til at Hasina drillede.

„Jeg tror minsandten at mullah Giti er lun på Tariq! Jeg vidste det! Ha! Men han er optaget, vidste du ikke det? Er han ikke, Laila?"

„Jeg er hverken lun på ham eller nogen anden."

De skiltes fra Laila og gik småskændende videre ned ad deres egen gade.

Laila gik alene de sidste tre husblokke. Da hun var kommet ind i sin egen gade, så hun at den blå Mercedes stadig holdt foran Rashid og Mariams hus. Den ældre mand i brunt jakkesæt stod nu henne ved motorhjelmen hvor han støttede sig til en stok mens han så op mod huset.

Pludselig lød en stemme bag ved Laila: „Gyldenhår. Se på mig."

Laila vendte sig om og kiggede lige ind i et geværløb.

17

Geværet var rødt, aftrækkeren skinnende grøn. Bag geværet tårnede Khadims grinende ansigt sig op. Khadim var elleve år gammel, lige så gammel som Tariq. Han var tyk, høj og havde kraftigt underbid. Hans far var slagter i Dihmazang, og Khadim var kendt for at kunne finde på at kaste stumper af kalvetarme efter forbipasserende. En gang imellem, når Tariq ikke var i nærheden, fulgte Khadim efter Laila i frikvartererne, smiskende og småhvinende. En gang havde han banket hende på skulderen og sagt: *Du er vel nok køn, Gyldenhår. Jeg vil giftes med dig.*

Nu gjorde han en fejende bevægelse med geværet. „Bare rolig," sagde han. „Man vil ikke kunne se det. Ikke i *dit* hår."

„Du vover at gøre det. Hører du!"

„Hvad vil du stille op?" spurgte han. „Sladre til krøblingen? 'Åh, Tariq jan, åh, vil du ikke nok komme og redde mig fra denne *badmash*?"

Laila begyndte at gå baglæns, men Khadim havde allerede trykket på aftrækkeren, og varme vandsprøjt ramte Laila i håret, det ene efter det andet, før hun nåede at få hænderne op for at dække for ansigtet.

Nu kom de andre drenge ud af deres skjul, storgrinende og gnæggende.

En fornærmelse Laila havde hørt på gaden, lå hende på læben. Hun forstod ikke betydningen – kunne ikke se det for sig – men der gemte sig en overvældende magt i ordene, og den slap hun løs nu.

„Din mor slikker pik."

„I det mindste er hun ikke idiot som din!" gav Khadim uanfægtet igen. „Og min far er ikke en tøsedreng! Åh for resten, hvorfor lugter du ikke til dine hænder?"

De andre drenge begyndte at messe: „Lugt til dine hænder! Lugt til dine hænder!"

Laila lugtede til sine hænder, men endnu før de var kommet op til næsen, vidste hun hvad han havde ment med at det ikke ville kunne ses i hendes hår. Hun udstødte et skingert skrig som fik drengene til at huje vildt.

Laila snurrede omkring og løb stortudende hjem.

Hun trak en spand vand op fra brønden, fyldte vandfadet i badeværelset og flåede tøjet af. Hun sæbede håret ind, borede hektisk fingrene ned i issen mens hun klynkede af væmmelse. Hun skyllede fadet og sæbede igen håret ind. Adskillige gange troede hun at hun skulle kaste op. Hun blev ved med at klynke og ryste mens hun skrubbede og gned sig i ansigtet og på halsen med vaskekluden indtil de var helt røde.

Det ville aldrig være sket hvis Tariq havde været sammen med hende, tænkte hun mens hun tog en ren skjorte og rene bukser på. Khadim ville ikke have turdet. Det ville selvfølgelig heller ikke være sket hvis Mammy havde hentet hende som hun burde have gjort. En gang imellem spekulerede Laila på hvorfor Mammy overhovedet havde gidet få hende. Folk, syntes hun nu, burde ikke have lov til at få nye børn hvis de havde givet al deres kærlighed til de gamle. Det var ikke retfærdigt. Raseriet jog op igennem hende, og hun gik ind på sit værelset og faldt om på sengen.

Da den værste vrede havde lagt sig, gik hun over gangen til Mammys værelse og bankede på døren. Dengang Laila var mindre, plejede hun at sidde i timevis foran denne dør. Hun ville banke forsigtigt på den og hviske Mammys navn igen og igen, som en magisk litani der skulle bryde en forbandelse: *Mammy, Mammy, Mammy, Mammy*... Men Mammy åbnede aldrig døren. Hun åbnede den heller ikke nu. Laila trykkede håndtaget ned og gik ind.

En gang imellem havde Mammy gode dage. Hun sprang ud af sengen, drillesyg og med glade øjne. De normalt nedadvendte mundvige drejede opad i et smil. Hun gik i bad. Hun tog rent tøj på og lagde makeup. Hun lod Laila børste hendes hår, noget som Laila elskede at gøre, og tog ørenringe på. De gik sammen på indkøb i Mandawi Basar. Laila fik hende til at spille brætspil, og de spiste chokoladespåner fra store blokke mørk chokolade, en af de ting de begge elskede. Lailas yndlingstid på Mammys gode dage var når Babi kom hjem, når hun og Mammy så op fra brætspillet og grinede til ham med brune tænder. Så bølgede tilfredsheden med livet igennem stuen, og Laila fik et kort glimt af den kærlighed som engang havde bundet hendes forældre til hinanden, dengang huset stadig var fyldt med mennesker og larm og glæde.

En gang imellem bagte Mammy på sine gode dage og inviterede nabokonerne over til te og kager. Laila fik lov til at slikke skålene rene mens Mammy dækkede bord i stuen med kopper og servietter og de fine tallerkener. Senere fik Laila lov til også at sætte sig ved bordet, hvor hun forsøgte at komme med i samtalen når snakken var på kogepunktet, og kvinderne drak te og højrøstet roste Mammy for hendes bagværk. Selv om Laila ikke havde meget at bidrage med til samtalen, holdt hun af at sidde og lytte, for ved disse lejligheder kunne hun fryde sig over en sjælden gave: Hun hørte Mammy tale kærligt om Babi.

„Han var en strålende lærer," sagde Mammy. „Hans elever tilbad ham. Og ikke kun fordi han aldrig slog dem med linealen som de andre lærere. De respekterede ham, forstår I, fordi han respekterede *dem*. Han var helt fantastisk."

Mammy elskede at fortælle historien om hvordan hun havde friet til ham.

„Jeg var seksten, han nitten. Vi boede ved siden af hinanden i Panjshir. Åh, kære hamshiraer, I aner ikke hvor højt jeg elskede ham. Jeg plejede at klatre op på muren mellem vores huse, og vi legede sammen i hans fars frugtplantage. Hakim var bange for at man skulle opdage os, og at min far ville straffe ham. 'Din far vil straffe mig,' sagde han altid. Selv dengang var han forsigtig, alvorlig. Og så en dag sagde jeg til ham: 'Fætter, hvad bliver det så til? Har du tænkt dig at anholde om min hånd, eller er det mig der skal gå *khastegari* til dig?' Sådan sagde jeg. I skulle have set hans ansigt!"

Og Mammy slog hænderne sammen, og de andre kvinder, og Laila, lo højt.

Når Laila lyttede til Mammys historier, vidste hun at der havde været engang hvor hun altid havde talt sådan om Babi. Engang hvor hendes forældre ikke sov i hver sit værelse. Laila ville ønske at hun havde oplevet det.

Mammys frierhistorie førte uundgåeligt til ægteskabsmageri. Når Afghanistan var blevet befriet for russerne, og drengene var kommet hjem igen, ville de få brug for brude, og derfor gik kvinderne nu, den ene efter den anden, i gang med at fortælle om piger i kvarteret som måske, måske ikke ville være passende for Ahmad og Noor. Laila følte sig altid lukket ude når talen faldt på hendes brødre. Det var, som om kvinderne diskuterede en elsket film som hun som den eneste ikke havde set. Hun var to år gammel dengang Ahmad og Noor forlod Kabul og tog til Panjshir i nord for at slutte sig til general Ahmad Shah Masuds styrker og blive jihadister. Laila kunne kun huske meget lidt om dem. Et skinnende Allah-smykke om Ahmads hals. En dusk sort hår på et af Noors ører. Ikke andet.

„Hvad med Azita?"

„Tæppevæverens datter?" sagde Mammy og gav på skrømt sig selv et klask på kinden. „Hun har et overskæg der er kraftigere end Hakims."

„Så er der Anahita. Jeg har hørt at hun er den bedste i sin klasse i Zarghuna."

„Har du set den piges tænder? Gravsten. Hun skjuler en hel kirkegård bag de læber."

„Hvad med Wahidi-søstrene?"

„De to dværge? Nej nej nej. Ikke til mine sønner. Ikke til mine sultaner. De har fortjent bedre."

Og således gik snakken, og Laila lod tankerne gå på langfart indtil de, som altid, fandt Tariq.

Mammy havde trukket de gule gardiner for, og der hvilede i det indelukkede mørke en slags lagdelt lugt af søvn, uvasket sengelinned, beskidte sokker, parfume og det Mammy havde levnet af aftenens qurma. Laila ventede indtil hendes øjne havde vænnet sig til mørket, før hun gik gennem værelset, men selv da undgik hun ikke at få viklet fødderne ind i det tøj der lå strøet tilfældigt ud over gulvet.

Hun trak gardinerne fra. Der stod en gammel klapstol af jern ved fodenden af sengen, og den satte hun sig på og kiggede på den ubevægelige tæppetildækkede forhøjning der var hendes mor.

Væggene i Mammys værelse var plastret til med fotografier af Ahmad og Noor. Uanset hvor Laila så hen, smilede to fremmede mennesker tilbage til hende. Der var Noor ved at sætte sig op på en trehjulet cykel. Der var Ahmad i bøn ved siden af det solur han og Babi havde bygget da Ahmad var tolv år gammel. Og der var de begge, hendes brødre, siddende ryg mod ryg under det gamle pæretræ i gården.

Under Mammys seng kunne Laila se det ene hjørne af Ahmads skotøjsæske stikke frem. Fra tid til anden viste Mammy hende de krøllede avissider i æsken, udklippene og pamfletterne som Ahmad havde indsamlet blandt oprørsstyrker og modstandsorganisationer med base i Pakistan. På et billede, huskede Laila, så man en mand i lang, hvid frakke der rakte en slikkepind frem mod en lille dreng uden ben. Teksten under billedet lød sådan her: *Børn er de tilsigtede ofre i den sovjetiske landminekampagne*. Det blev uddybet i artiklen som sagde at russerne også kunne finde på at gemme sprængstof i farvestrålende legetøj. Hvis et barn tog legetøjet op, eksploderede det og sprængte fingrene af barnet eller måske hele hånden. Hvis det skete, kunne faderen ikke slutte sig til jihadisterne, men måtte blive hjemme og passe sit barn. I en anden artikel i Ahmads skotøjsæske fortalte en ung mujahedin at russerne havde sendt gas ind over hans landsby der gav menneskene store brandsår og gjorde dem blinde. Han sagde at han havde set sin mor og søster løbe skrigende i retning af floden mens de hostede blod.

„Mammy."

Forhøjningen rørte på sig. Den udstødte et støn.

„Stå nu op, Mammy. Klokken er tre."

Endnu et støn. En hånd kom til syne, som et ubådsteleskop der dukkede op af vandet. Den forsvandt igen. Forhøjningen rørte lidt mere på sig. Så fulgte en hvislelyd da flere lag tæpper gned mod hinanden. Langsomt kom Mammy til syne, lidt ad gangen: først det pjuskede hår, så det hvide, fortrukne ansigt, øjnene der var knebet sammen mod lyset, en hånd der famlende rakte op mod hovedgærdet, tæpper der gled ned mens hun gryntende halede sig op i siddende stilling. Mammy gjorde et forsøg på at se op, krympede sig på grund af lyset og lod hovedet falde ned på brystet igen.

„Hvordan gik det i skolen?" mumlede hun.

Sådan begyndte det. De pligtskyldige spørgsmål, de pligtskyldige svar. Begge bevarede facaden. Modvillige partnere, de to, i denne trætte gamle dans.

„Det gik fint," svarede Laila.

„Lærte du noget nyt i dag?"

„Det sædvanlige."

„Huskede du at spise frokost?"

„Ja."

„Fint."

Mammy så igen op, denne gang hen mod vinduet. Hun klynkede lidt og missede med øjnene. Hun var rød på højre side af ansigtet, og håret klistrede til hendes hoved. „Jeg har hovedpine."

„Skal jeg hente en aspirin?"

Mammy masserede sine tindinger. „Måske om lidt. Er din far kommet hjem?"

„Klokken er kun tre."

„Åh. Ja, det har du jo sagt." Mammy gabte. „Jeg havde en drøm lige nu," sagde hun med en stemme der kun var en smule højere end lyden af hendes natkjole der gned mod tæppet. „Lige før du kom ind. Men nu kan jeg ikke huske den. Sker det også for dig?"

„Det sker for alle, Mammy."

„Hvor er det underligt."

„Jeg kan fortælle Dem at mens De lå og drømte, oversprøjtede en dreng mit hår med pis fra en vandpistol."

„Med hvad? Hvad var det du sagde. Undskyld, jeg hørte det ikke."

„Pis. Urin."

„Men det er jo… det er jo forfærdeligt. Åh gud. Det er jeg ked af at høre. Stakkels dig. Jeg skal nok sige noget til ham i morgen. Eller måske til hans mor. Ja, det er bedre, tror jeg."

„Jeg har ikke sagt hvem det var."

„Åh. Jamen, hvem var det så?"

„Det er lige meget."

„Du er vred på mig."

„Det var meningen at De skulle komme og hente mig."

„Hente dig," kvækkede Mammy, men Laila kunne ikke høre om det var et spørgsmål. Mammy begyndte at rive hår ud af hovedbunden. Det var et af tilværelsens store mysterier for Laila at Mammy ikke var helt skaldet efter at have revet så meget i sit hår. „Hvad med… Hvad er det nu han hedder, din ven. Tariq? Ja. Hvad med Tariq?"

„Han har været bortrejst i en uge."

„Åh." Mammy sukkede gennem næsen. „Har du vasket dig?"

„Ja."

„Så er du jo ren igen." Mammy vendte træt blikket mod vinduet. „Du er ren, og alt er fint."

Laila rejste sig op. „Jeg har lektier for."

„Selvfølgelig har du det. Træk gardinerne for før du går, lille skat,“ sagde Mammy svagt. Hun var allerede på vej ned under tæpperne igen.

Da Laila rakte ud efter gardinerne, så hun en bil køre forbi nede på gaden med en støvsky efter sig. Det var den blå Mercedes med Herat-nummerpladen der langt om længe kørte sin vej. Hun fulgte den med blikket indtil den var forsvundet rundt om et hjørne med et sidste glimt af solen der reflekteredes i bagruden.

„Jeg skal nok huske at hente dig i morgen,“ lød Mammys stemme bag hende. „Det lover jeg.“

„Det sagde De også i går.“

„Du forstår det ikke, Laila.“

„Forstår hvad?“ Laila snurrede rundt for at se på sin mor. „Hvad er det jeg ikke forstår?“

Mammys hånd flagrede op til hendes bryst, slog let på det og faldt så slap ned igen. „Herinde. Hvordan det er herinde. Du forstår det simpelthen ikke.“

18

Der gik en uge, og der var stadig intet livstegn fra Tariq. Endnu en uge kom og gik.

For at få tiden til at gå ordnede Laila netdøren som Babi stadig ikke havde fået taget sig sammen til at gøre noget ved. Hun tog Babis bøger ned fra hylderne, tørrede støv af og satte dem i alfabetisk orden. Hun gik til Chicken Street sammen med Hasina, Giti og Gitis mor, Nila, som var syerske og med i Mammys syklub dengang der fandtes sådan en. I løbet af den uge blev Laila overbevist om at af alle de trængsler et menneske kunne komme ud for, så var ventetid den værste.

Der gik yderligere en uge.

Laila begyndte at baske i et spind af forfærdelige tanker.

Han ville aldrig komme tilbage. Hans forældre var flyttet, ferien i Ghazni havde kun været et påskud. En plan udtænkt af voksne for at spare dem for en oprivende afsked.

Han havde igen trådt på en landmine. Ligesom i 1981 da han var fem år, sidste gang hans forældre tog ham med til Ghazni. Kort efter Lailas treårs fødselsdag. Dengang havde han været heldig, havde kun mistet et ben, heldig overhovedet at have overlevet.

Den slags tanker susede rundt og rundt i hendes hoved.

Samme aften så Laila et lillebitte glimtende lys længere nede ad gaden. En lyd, en mellemting mellem et gisp og en piben undslap hendes læber. Hun fandt hurtigt sin egen lygte frem nede under sengen, men den virkede ikke. Laila hamrede den ned i sin hånd og bandede over de døde batterier. Men det var lige meget. Han var kommet hjem. Laila sad på sengekanten, ør i hovedet af lettelse, og så det vidunderlige gule øje blinke i mørket.

På vej hen til Tariq den næste dag fik Laila øje på Khadim og hans venner på den anden side af gaden. Khadim sad på hug og tegnede et eller andet i støvet med en pind. Da han så hende, slap han pinden og vrikkede med fingrene. Han sagde et eller andet, og de andre grinede. Laila bøjede hovedet og skyndte sig forbi.

„Hvad har du *gjort*?" udbrød hun da Tariq åbnede døren. Først da kom hun i tanke om at hans onkel var frisør.

Tariq lod en hånd glide over sin glatbarberede isse og viste sine hvide, lidt skæve tænder i et stort smil.

„Synes du om det?"

„Du ligner en der har meldt sig til hæren."

„Har du lyst til at føle på det?“ Han bøjede hovedet.

De små hårstubbe kradsede hende lifligt i hånden. Tariq var ikke som andre drenge hvis hår skjulte kegleformede hovedskaller og uskønne buler. Tariqs hoved var fuldendt og bulefrit.

Da han så op, så Laila at han var meget solbrændt på kinder og pande.

„Hvorfor blev du væk så længe?“ spurgte hun.

„Min onkel var syg. Kom nu ind.“

Han gik foran ned gennem gangen til opholdsstuen. Laila elskede alt ved dette hus. Det lasede, gamle tæppe i opholdsstuen, patchwork-tæppet på sofaen, alt det almindelige tingeltangel i Tariqs liv: hans mors stofruller, synålene der var stukket ned i garntrisser, de gamle ugeblade, trækharmonikaen der stod i et hjørne og ventede på at blive taget i brug.

„Hvem kom?“

Det var hans mor der spurgte ude fra køkkenet.

„Laila,“ svarede han.

Han trak en stol ud for hende. Opholdsstuen var dejlig lys og havde dobbelte vinduer ud mod gården. Vindueskarmen var fyldt med tomme krukker som Tariqs mor syltede auberginer i eller brugte til gulerodsmarmelade.

„Du mener vores *aroos,*“ meddelte hans far og kom ind i stuen. Han var tømrer, en slank, hvidhåret mand i begyndelsen af tresserne. Han havde mellemrum mellem fortænderne og let sammenknebne øjne som hos en der havde tilbragt det meste af sit liv uden døre. Han bredte armene ud, og Laila gik ind i dem og blev mødt med den behagelige og velkendte duft af savsmuld. De kyssede hinanden tre gange på kinden.

„Hvis du bliver ved med at kalde hende svigerdatter, ender det med at hun holder op med at komme her,“ sagde Tariqs mor i forbifarten. Hun kom gående med en bakke med en stor skål, en serveringsske og fire små skåle. Hun satte bakken på bordet. „Du skal ikke tage dig af den gamle mand.“ Hun lagde begge hænder om Lailas hoved. „Det er dejligt at se dig igen, søde ven. Kom, sæt dig ned. Jeg tog en masse frugt med hjem."

Det var et stort bord og lavet af lyst, uslebent træ – det var Tariqs far der havde lavet det og de tilhørende stole. Det var dækket med en mosgrøn voksdug med små magentafarvede måner og stjerner. Det meste af væggene i stuen var dækket med billeder af Tariq i forskellige aldre. På nogle af dem, de tidlige, havde han to ben.

„Jeg hørte at Deres bror var syg," sagde Laila til Tariqs far og dyppede skeen i sin skål med henkogte rosiner, pistacienødder og abrikoser.

Han tændte en cigaret. „Ja, men han har det godt igen, *shokr e Khoda*."

„Hjerteanfald. Hans andet," sagde Tariqs mor og sendte sin mand et bebrejdende blik.

Tariqs far pustede røg ud og blinkede til Laila. Det slog hende igen at Tariqs forældre nemt kunne gå for at være hans bedsteforældre. Hans mor havde først fået ham da hun var godt op i fyrrerne.

„Hvordan har din far det, min søde pige?" spurgte Tariqs mor og kiggede på hende hen over skålens kant.

Tariqs mor havde haft paryk i al den tid Laila havde kendt hende. Med tiden var den blevet gråviolet. I dag var den trukket langt ned i hendes pande, og Laila kunne skimte de grå hår i hendes tindinger. Andre dage kunne den være skubbet for langt tilbage, men i Lailas øjne havde Tariqs mor aldrig set latterlig ud. Det Laila så, var et roligt, selvsikkert ansigt under parykken, kloge øjne og et venligt, afslappet væsen.

„Fint," sagde Laila. „Stadig på Silo, selvfølgelig. Men han har det godt."

„Og din mor?"

„Gode dage. Men også dårlige. Som før."

„Ja," sagde Tariqs mor eftertænksomt og stak skeen i skålen.

„Det må være hårdt, frygtelig hårdt, for en mor at være adskilt fra sine sønner."

„Bliver du og spiser?" spurgte Tariq.

„Det må du endelig gøre," sagde hans mor. „Jeg laver *shorwa*."

„Jeg vil nødig være til *mozahem*."

„Hvad skal det betyde? Vi er bortrejst et par uger, og du bliver pludselig kølig over for os. Du vil aldrig være til ulejlighed her."

„Så siger jeg ja tak," sagde Laila, rødmende og smilende.

„Godt."

Sandheden var at Laila elskede at spise til middag hos Tariq lige så meget som hun hadede at gøre det hjemme. Hos Tariq var der ingen der spiste alene; de satte sig sammen som en familie om bordet. Laila kunne lide de violette plastickrus de brugte, og den kvarte citron der altid flød i vandkaraflen. Hun holdt af den måde de indledte ethvert måltid mad på, med en skål frisk yoghurt, og at de pressede sur appelsinsaft over alting, også yoghurten, for slet ikke at tale om at de hele tiden smådrillede hinanden.

Samtalen gik frit over maden. Selv om Tariq og hans forældre var etniske pashtuner, talte de farsi når Laila var på besøg. Ganske vist forstod Laila mere eller mindre deres pashto, hun havde lært det i skolen, men de tog hensyn til hende alligevel. Babi sagde at der var spændinger mellem den tadsjikiske befolkning – den de selv tilhørte, og som var en minoritet – og Tariqs folk, pashtunerne, der var den største etniske gruppe i Afghanistan. *Tadsjikerne har altid følt sig ringeagtet*, sagde Babi. *Pashtunske konger har regeret i dette land i næsten to hundrede og halvtreds år, Laila, og tadsjikerne kun i ni måneder, tilbage i 1929, og så var det en oprører som man kaldte Vandbærerens Søn, en desertør fra hæren og landevejsrøver der stjal tronen og endte med at blive henrettet.*

Og De, havde Laila spurgt, *føler De Dem ringeagtet, Babi?*

Babi havde pudset sine brilleglas med en skjortesnip. *I mine ører er det alt sammen nonsens, og oven i købet meget farligt nonsens, al den snak om at jeg er tadsjik, og du er pashtun, og han er hazar, og hun er usbeker. Vi er alle afghanere, og det er det eneste der bør betyde noget. Men når én befolkningsgruppe hersker over de andre i så mange år... Det avler foragt. Rivalisering. Det er der. Det har der altid været.*

Måske. Men Laila havde aldrig følt det i Tariqs hjem hvor disse emner aldrig kom på banen. Samværet med Tariqs familie føltes naturligt for hende, gnidningsfrit, og ikke kompliceret af etnicitet eller sprog eller smålighed og nag, alt det der ødelagde stemningen i hendes eget hjem.

„Hvad med et spil kort?" sagde Tariq.

„Ja, gå I to op på værelset," sagde hans mor og viftede misbilligende røgen fra hendes mands cigaret væk fra ansigtet. „Jeg går i gang med shorwaen."

De lå på maven midt i Tariqs værelse og skiftedes til at give kort til et spil *panjpar*. Tariq lå og vippede med benet mens han fortalte hende om sin ferie. Om de små ferskentræer han havde hjulpet sin onkel med at plante. Om en slange han havde fanget i haven.

Det var her, i dette værelse, at Laila og Tariq klarede deres lektier, her at de byggede korthuse og tegnede fjollede portrætter af hinanden. Hvis det regnede, hang de op ad vindueskarmen og drak varm, sprudlende Fanta mens de kiggede på dråberne der trillede ned ad ruden. De talte biler og udvekslede gåder.

„Her er en ny," sagde Laila mens hun blandede kort. „Hvad går rundt om jorden, men forbliver i et hjørne?"

„Vent." Tariq skubbede sig op i siddende stilling og svingede det kunstige ben på plads. Han ømmede sig da han lagde sig ned på siden, støttende sig til den ene albue. „Ræk mig lige puden." Han lagde den under sit ben. „Sådan. Det hjalp."

Laila kunne huske den første gang han havde vist hende stumpen. Hun havde været seks år. Med en finger havde hun prikket på den stramme, skinnende hud lige under hans venstre knæ. Hendes fingre havde fundet små hårde knuder der, og Tariq havde fortalt hende at det var små knoglestumper som en gang imellem voksede ud efter en amputation. Hun havde spurgt om det gjorde ondt i stumpen, og han svarede at den en gang imellem var øm om aftenen når den var svulmet op og ikke længere passede i protesen som den skulle, som en finger i et fingerbøl. *Og en gang imellem gnider den mod protesen. Især når det er varmt. Så får jeg vabler og udslæt, men min mor har salver der hjælper. Det er ikke så slemt.*

Laila var bristet i gråd.

Hvorfor tuder du? Han havde spændt benet på igen. *Du bad selv om at måtte se det, din* giryanok. *Hvis jeg havde vidst at du ville være en tudesidse, ville jeg ikke have vist dig den.*

„Et frimærke," sagde han.

„Hvad?"

„Gåden. Svaret er et frimærke. Vi kunne gå i Zoo efter frokost."

„Du kendte den. Gjorde du ikke?"

„Overhovedet ikke."

„Du snyder."

„Og du er misundelig."

„På hvad?"

„Mine overlegne maskuline evner."

„Dine *maskuline* evner. Det siger du ikke. Fortæl mig så hvem det er der altid vinder i skak?"

„Jeg lader dig vinde," lo han. Men de vidste begge at det ikke var sandt.

„Og hvem dumpede i matematik? Hvem er det der hjælper dig med matematik selv om du går en klasse over mig?"

„Jeg ville være gået to klasser over dig hvis det ikke havde været fordi matematik keder mig."

„Så keder geografi dig måske også?"

„Hvor vidste du det fra? Og hold så lige mund. Går vi så i Zoo eller hvad?"

Laila smilede. „Vi går i Zoo."

„Fint."

„Jeg savnede dig."

Først svarede han ikke. Så vendte han sig om mod hende, halvt grinende, halvt grimasserende af foragt. „Hvad er der i *vejen* med dig?"

Hvor mange gange havde hun, Hasina og Giti sagt de samme tre ord til hinanden, tænkte Laila, sagt det uden at tøve, efter kun to eller tre dage hvor de ikke havde set hinanden. *Jeg savnede dig, Hasina. Åh, jeg savnede også dig.* Ved synet af Tariqs grimasse forstod Laila at drenge og piger i den slags ting var forskellige. De gjorde ikke et nummer ud af deres venskab. De følte ingen trang til, intet behov for den slags snak. Laila gik ud fra at det også havde været sådan for hendes brødre. Drenge, indså Laila, opfattede venskab på samme måde som de opfattede solen: Dens tilstedeværelse kunne ikke diskuteres, dens stråler var noget man skulle nyde, ikke se direkte op i.

„Jeg forsøgte bare at irritere dig," sagde hun.

Han kiggede på hende ud af øjenkrogen. „Det lykkedes."

Men hun syntes at grimassen blev en smule blidere. Hun bildte sig også ind at de solbrændte kinder måske var blevet en anelse rødere.

Det havde ikke været Lailas mening at sige det til ham. Faktisk havde hun besluttet at det var en meget dårlig idé at gøre det. Nogen kunne komme til skade, for Tariq ville ikke kunne sidde det overhørigt. Men da de var kommet udenfor og var på vej hen til busstoppestedet, fik hun øje på Khadim der stod og lænede sig op ad en mur. Han var omgivet af sine venner og stod med tommelfingrene hængende i sit bælte og forsøgte at se sej ud. Han grinede trodsigt til hende.

Og så var det at hun fortalte det til Tariq. Historien strømmede ud af hendes mund før hun kunne forhindre det.

„Hvad gjorde han?"

Hun gentog det.

Han pegede på Khadim. „Ham der? Mener du ham? Er du sikker?"

„Ja."

Tariq bed tænderne sammen og mumlede et eller andet på pashto som Laila ikke forstod. „Vent her," sagde han så på farsi.

„Nej, Tariq..."

Han var allerede på vej over gaden.

Khadim var den første der så ham. Grinet forsvandt, og han skubbede sig væk fra muren. Tommelfingrene fløj op fra bæltet, og han rettede ryggen og anlagde et bevidst truende udtryk. De andre fulgte hans blik med øjnene.

Laila ville ønske at hun ikke havde sagt noget. Hvad hvis de rottede sig sammen? Hvor mange var de i alt, ti, elleve, tolv? Hvad hvis Tariq kom til skade?

Så stod Tariq stille et par meter fra Khadim og hans bande. Der fulgte et øjebliks overvejelser, måske fortrød han sin overilethed, tænkte Laila, og da han bøjede sig ned, forestillede hun sig at han ville lade som om snørebåndet var gået op og så gå tilbage til hende. Men så fik hans hænder travlt, og hun forstod.

De andre forstod det også da Tariq kom op igen, stående på kun ét ben, og begyndte at hoppe hen mod Khadim, hurtigt og med det kunstige ben højt hævet som et sværd.

Drengene trådte hastigt til side. De lod ham slippe ind til Khadim.

Så var alt støv og næver og spark og skrig.

Khadim generede aldrig Laila igen.

Den aften, som de fleste andre aftener, dækkede Laila op til to. Mammy sagde at hun ikke var sulten. De aftener hun var sulten, gjorde hun et nummer ud af at tage en tallerken mad med op på sit værelse endnu inden Babi var kommet hjem. Hun var enten faldet i søvn eller lå vågen i sengen når Laila og Babi satte sig til bords.

Babi kom ud fra badeværelset – han var altid pudret hvidt i håret af mel når han kom fra arbejde – renvasket og nyfriseret.

„Hvad skal vi have at spise, Laila?"

„Resten af aush-suppen fra i går."

„Det lyder godt," sagde han og lagde håndklædet sammen som han havde brugt til at tørre sit hår. „Nå, hvad står den på i aften? Lægge brøker sammen?"

„Faktisk skal vi omregne brøker til blandede tal."

„Åh. Godt."

Hver aften efter middagen hjalp Babi Laila med hendes hjemmearbejde og gav hende desuden et par nye opgaver. Dette var kun for at give Laila et lille forspring i forhold til klassen, ikke fordi han havde noget at udsætte på de lektier skolen gav hende for – hvis man altså så bort fra propagandaen. Faktisk mente Babi at den eneste ting kommunisterne havde gjort rigtigt – eller i det mindste haft til hensigt at gøre – ironisk nok var inden for uddannelsesområdet, det arbejde de nægtede ham at udføre. Mere specifikt, uddannelsen af kvinder. Regeringen gik ind for at alle kvinder skulle lære at læse og skrive. Nu var næsten to tredjedele af de studerende ved Kabul Universitet kvinder der læste, fortalte Babi, kvinder der ville være læger og ingeniører.

Kvinder har altid haft det svært i dette land, Laila, men de har formentlig større frihed nu under kommunisterne, og har flere rettigheder end de nogensinde før har haft, sagde Babi, altid lavmælt fordi han vidste hvor vred Mammy blev over bare moderat ros til kommunisterne. *Men det er sandt*, sagde Babi, *det er en god tid at være kvinde i Afghanistan. Og det er til din fordel, Laila. Men selvfølgelig var frihed for kvinder* – og her rystede han trist på hovedet – *en af grundene til at folk derude greb til våben dengang.*

Med 'derude' mente han ikke Kabul som altid havde været ret liberal og progressiv. Her i Kabul underviste kvinder på universitetet, havde ministerposter og var skoleinspektører. Nej, Babi mente stammeområderne, især de pashtunske områder mod syd, i nærheden af Kandahar, eller mod øst, i nærheden af den pakistanske grænse, hvor man sjældent så kvinder på gaden og så kun iført burka og ledsaget af mænd. Han mente de områder hvor mænd der levede efter ældgamle stammelove, havde grebet til våben mod kommunisterne og deres forsøg på at give kvinder mere frihed, at forhindre arrangerede ægteskaber og på at hæve giftealderen til seksten for piger. Derude så mænd det som et angreb på deres ældgamle traditioner, sagde Babi, at en regering – og tilmed en ugudelig regering – skulle bestemme at deres døtre kunne flytte hjemmefra, gå i skole og arbejde på lige fod med en mand.

Gud forbyde at det skulle ske, sagde Babi sarkastisk. Så sukkede han og sagde: *Laila, min skat, den eneste fjende en afghaner ikke kan besejre, er sig selv.*

Babi satte sig ved bordet og dyppede brødet i skålen med aush.

Laila besluttede at fortælle ham hvad Tariq havde gjort ved Khadim, nu over maden, før de begyndte på brøkregningen. Men hun nåede det ikke, for i det samme bankede det på døren, og udenfor stod en fremmed mand og havde nyheder.

19

„Jeg vil gerne tale med dine forældre, dokhtar jan," sagde han da Laila åbnede. Det var en undersætsig mand med et kantet, vejrbidt ansigt. Han var iført en kartoffelbrun frakke og havde en brun, ulden *pakol* på hovedet.

„Hvem må jeg sige det er?"

Så lå Babis hænder på Lailas skulder, og han trak hende blidt væk fra døren.

„Hvad siger du til at gå op på dit værelse, Laila."

Mens Laila var på vej op ad trappen, hørte hun den besøgende sige til Babi at han kom med nyt fra Panjshir. Også Mammy var nu kommet til. Hun havde en hånd for munden, og hendes øjne fløj fra Babi til manden med pakolen og tilbage igen.

Laila kiggede ned fra det øverste af trappen. Hun så den fremmede sætte sig sammen med hendes forældre. Han lænede sig frem mod dem. Mumlede et par ord. Så blev Babis ansigt hvidt og hvidere endnu, og han kiggede ned på sine hænder mens Mammy skreg og skreg og rev sig i håret.

Næste dag, *fatiha*-dagen, slog nabokvinderne sig ned i huset og overtog forberedelserne af *khatm*-måltidet der skulle indtages efter ceremonien. Mammy sad på sofaen hele formiddagen med opsvulmet ansigt og fingre der uafladeligt rev og flåede i et lommetørklæde. To kvinder skiftedes til at sidde hos hende og klappe hende blidt på hånden, som om hun var en sjælden og meget skrøbelig dukke. Mammy så ikke ud til at bemærke dem.

Laila knælede ned foran sin mor og tog hendes hænder. „Mammy."

Mammys øjne gled ned. Hun blinkede.

„Vi skal nok passe på hende, Laila jan," sagde en af kvinderne med et vigtigt udtryk i ansigtet. Laila havde været til begravelser før hvor hun havde set kvinder som hende, kvinder der svælgede i alt hvad der havde med død at gøre, officielle grædekoner som ikke tillod nogen at anfægte deres selvudnævnte position.

„Alt er under kontrol. Gå du nu, min pige, og find på noget at lave. Lad din mor være i fred."

Således jaget bort følte Laila sig unyttig. Hun vandrede fra rum til rum. Hun drev rundt i køkkenet en tid. En usædvanlig afdæmpet Hasina og hendes mor dukkede op. Det samme gjorde Giti og hendes mor. Da Giti fik øje på Laila, skyndte hun sig hen til hende, kastede sine tynde arme omkring hende og gav hende en meget lang og overraskende voldsom omfavnelse. Da hun trak sig væk, stod hendes øjne fulde af tårer. „Det gør mig meget ondt, Laila," sagde hun. Laila takkede hende. De tre piger satte sig ud i gården og blev der indtil en af kvinderne beordrede dem til at vaske glas og sætte tallerkener på bordet.

Også Babi gik fortabt rundt i huset og ledte tilsyneladende efter noget at tage sig til.

„Hold ham væk fra mig!" Det var det eneste Mammy sagde hele den formiddag.

Til sidst slog han sig ned alene på en klapstol i entreen og sad og så lille og trøstesløs ud. En af kvinderne sagde at han var i vejen der, og han undskyldte og forsvandt ind på sit arbejdsværelse.

Om eftermiddagen gik mændene til en hal i Karta-i Seh som Babi havde lejet til fatihaen. Kvinderne samledes i huset. Laila satte sig ved siden af Mammy henne ved døren ind til stuen hvor det var kutyme at den afdødes familie var placeret. De sørgende tog skoene af henne ved hoveddøren, nikkede til bekendte da de gik gennem rummet og satte sig på klapstole der var stillet op langs væggene. Laila så Wajma, den ældre jordemoder der havde hjulpet hende til verden. Hun så også Tariqs mor der i dagens anledning havde taget et sort tørklæde over parykken. Hun nikkede til Laila og sendte hende et bedrøvet smil.

En hæs mandsstemme messede ord fra Koranen på en kassettebåndoptager. Indimellem sukkede og snøftede kvinderne. De flyttede på sig, undertrykte en hosten, mumlede, og nu og da lød der et teatralsk, sorgtynget hulk fra en eller anden.

Rashids hustru, Mariam, trådte ind i huset. Hun var iført en sort hijab. Enkelte hår var undsluppet og lå hen over hendes pande. Hun fandt en plads ved væggen over for Laila.

Mammy sad ved siden af Laila og rokkede frem og tilbage. Laila tog Mammys hånd i sin, men Mammy lagde tilsyneladende ikke mærke til det.

„Vil De have lidt vand at drikke, Mammy?" hviskede Laila ind i hendes øre. „Er De tørstig?"

Men Mammy svarede ikke. Det eneste hun gjorde, var at rokke frem og tilbage og stirre på tæppet med et fjernt, dødt blik.

Indimellem fik Laila, som hun sad der ved siden af Mammy og så de fortvivlede øjne rundtomkring i rummet, en fornemmelse af den katastrofe der havde ramt familien. De fremtidsudsigter der ikke var længere. De håb som var blevet slået til jorden.

Men følelsen var svær at fastholde. Det var umuligt at forstå, *rigtigt* at forstå det tab Mammy havde lidt. Umuligt at føle sorg, at være fortvivlet over at mennesker var døde som Laila aldrig rigtig havde tænkt på som levende. Ahmad og Noor havde altid været omgærdet af myter. Som personer i en fabel. Konger i en historiebog.

Det var Tariq der var virkelig, af kød og blod. Tariq som lærte hende at bande på pashto, som elskede skovsyre, som fik rynker i panden og kom med lyde når han tyggede, som havde et lyserødt modermærke lige under det venstre kraveben formet som en mandolin på hovedet.

Så Laila sad ved siden af Mammy og sørgede pligtopfyldende over Ahmad og Noor, men i hendes hjerte levede hendes rigtige bror i bedste velgående.

20

De sygdomme der skulle hjemsøge Mammy resten af hendes liv, brød ud. Smerter i brystet og hovedpine, ømme led og svedeture om natten, lammende smerter i ørerne, knuder som ingen andre kunne mærke. Babi gik med hende til lægen som tog blod- og urinprøver og røntgenfotograferede hende uden at finde nogen fysisk sygdom.

De fleste dage blev Mammy liggende i sin seng. Hun klædte sig i sort. Hun flåede i sit hår og gnavede på en skønhedsplet lige under læben. Når Mammy var vågen, stavrede hun rundt i huset. Hun endte altid inde på Lailas værelse – som om hun på et eller andet tidspunkt ville løbe ind i drengene hvis hun bare blev ved med at gå ind på det værelse hvor de engang havde sovet og haft pudekampe. Men det eneste hun løb ind i, var deres fravær. Og Laila. Hvilket var, mente Laila, et og det samme for Mammy.

Den eneste pligt som Mammy aldrig unddrog sig, var de fem daglige namaz-bønner. Hun afsluttede hver eneste namaz med bøjet hoved og hænderne med åbne håndflader holdt op foran sit ansigt mens hun mumlede en bøn til Gud om at give Mujahedin sejren. Laila måtte påtage sig flere og flere pligter. Hvis hun ikke var på tæerne, fandt hun tøj, sko, åbne poser med ris, dåser med bønner og snavset service liggende tilfældige steder i huset. Laila vaskede Mammys tøj og skiftede hendes sengetøj. Hun lokkede hende op af sengen når hun skulle i bad eller have mad. Det var hende der strøg Babis skjorter og lagde hans bukser sammen. Det var i stigende grad hende der lavede mad.

En gang imellem kravlede Laila ned i sengen ved siden af Mammy når hun havde klaret sine pligter. Hun lagde armene om hende, flettede fingrene ind i sin mors og begravede ansigtet i hendes hår. Mammy rørte så på sig, mumlede et eller andet. Uvægerligt begyndte hun så at fortælle en historie om drengene.

En dag da de lå sådan sammen, sagde Mammy: „Ahmad havde lederegenskaber. Karisma. Folk der var tre gange så gamle som ham, lyttede respektfuldt til ham, Laila. Det var meget interessant at se. Og Noor. Åh, min elskede Noor. Han lavede altid skitser af bygninger og broer. Han ville være arkitekt, forstår du. Han ville forvandle Kabul med alle sine tegninger. Og nu er de begge *shaheed*'er, mine drenge."

Laila lå der og lyttede og ville ønske at Mammy så at *hun*, Laila, ikke var blevet martyr, at hun var i live, lå her i sengen hos hende, at *hun* stadig havde en fremtid. Men hun vidste at hendes fremtid ikke kunne måle sig med brødrenes fortid. De havde kastet en skygge over hendes liv. Deres død havde tilintetgjort hende. Mammy var nu kustode i deres livs museum og hun, Laila, blot en besøgende. En som skulle holde myten om dem i live. Det papir som Mammy udfyldte med legender om dem.

„Den mand der kom og fortalte os det, han sagde at de havde båret drengene tilbage til lejren, og at selveste Ahmad Shah Masud deltog i begravelsen. Han bad en bøn ved graven. Det er den slags tapre unge mænd dine brødre var, Laila, at selveste general Masud, Panjshirs Løve, Gud velsigne ham, deltog i deres begravelse."

Mammy rullede om på ryggen. Laila skiftede stilling og lagde hovedet på Mammys bryst.

„En gang imellem," sagde Mammy hæst, „en gang imellem lytter jeg til uret der tikker nede i entreen. Så tænker jeg på alle tikkene, alle minutterne, alle timerne og dagene og ugerne og månederne og årene der venter forude. Alle sammen uden dem. Og så kan jeg ikke få vejret, det er som om nogen tramper rundt på mit hjerte, Laila. Jeg bliver så svag. Så svag at det eneste jeg ønsker, er at falde om et eller andet sted."

„Jeg ville ønske der var noget jeg kunne gøre," sagde Laila og mente det oprigtigt. Men det kom til at lyde forkert, pligtskyldigt, som et trøstens ord fra et vildfremmed menneske.

„Du er en god datter," sagde Mammy efter at have sukket dybt. „Og jeg har ikke været en god mor for dig."

„Det må De ikke sige."

„Men det er sandt. Jeg ved det, og jeg er ked af det, kæreste."

„Mammy?"

„Mmmm."

Laila satte sig op og kiggede ned på Mammy. Der var grå striber i hendes hår nu, og det slog pludselig Laila hvor meget Mammy, der altid havde været lidt buttet, havde tabt sig. Hendes kinder var blevet hule og gustne. Blusen hun havde på, hang om hendes skuldre og gabte mellem hals og krave. Mere end én gang havde Laila set Mammys vielsesring glide af fingeren.

„Der er noget jeg længe har villet spørge Dem om."

„Hvad?"

„De ville vel ikke…?" begyndte Laila.

Hun havde talt med Hasina om det, og sammen havde de på Hasinas råd tømt glasset med aspirin i afløbet og gemt køkkenknive og stegespid til kabob under sofaen. Hasina havde fundet et reb ude i gården. Da Babi ikke kunne finde sine barberblade, havde Laila været nødt til at fortælle ham om sin angst. Han var sunket sammen på sofaen med hænderne knuget mellem sine knæ. Laila havde ventet på at han skulle berolige hende, men det eneste hun fik, var et huløjet, fortumlet blik.

„De ville ikke… Mammy, jeg er urolig for…"

„Jeg tænkte på det den aften vi fik beskeden," sagde Mammy. „Jeg vil ikke lyve for dig, jeg har faktisk overvejet det. Men nej. Du skal ikke være urolig, Laila. Jeg ønsker at se mine sønners drøm gå i opfyldelse. Jeg ønsker at opleve den dag hvor russerne må drage hjem uden ære, den dag Mujahedin drager sejrende ind i Kabul. Jeg ønsker at være her når det sker, når Afghanistan er blevet frit, sådan at også mine drenge ser det. De skal se det gennem mine øjne."

Og et øjeblik efter var Mammy faldet i søvn, og Laila lå tilbage med modstridende følelser: tryg ved at Mammy ønskede at leve videre, men fortvivlet over at det ikke var *hende* der var grunden. *Hun* ville aldrig efterlade et aftryk i Mammys hjerte sådan som hendes brødre havde gjort, for Mammys hjerte var som en bleg strand hvor Lailas fodspor altid ville blive vasket bort af de bølger af sorg der voksede sig store, brød og skummende flød ind over sandet.

21

Taxaen trak ind til siden for at lade endnu en lang konvoj af russiske jeeps og pansrede køretøjer komme forbi. Tariq lænede sig ind over forsædet, hen over chaufføren og råbte: „*Pajalusta! Pajalusta!*"

En jeep dyttede i hornet, og Tariq piftede som svar, smilede stort og vinkede muntert. „Fantastiske jeeps! Fantastisk hær! Hvor synd at I er ved at tabe til en flok bønder bevæbnet med slangebøsser!"

Konvojen passerede. Taxaen kørte ud på vejbanen igen.

„Hvor meget længere?" spurgte Laila.

„I hvert fald en time," sagde chaufføren. „Medmindre vi møder flere konvojer og kontrolposter. I så fald mere."

De var på heldagsudflugt, Laila, Babi og Tariq. Hasina ville også gerne have været med og havde tigget sin far om lov, men han havde ikke tilladt det. Turen var Babis idé. Han ville ikke fortælle Laila hvor de skulle hen bortset fra at det var et sted som ville være et værdifuldt bidrag til hendes almene dannelse.

De var taget af sted klokken fem om morgenen. På den anden side af Lailas vindue skiftede landskabet fra snedækkede bjergtinder til ørkener til udtørrede flodsenge og solsvedne klippepartier. De kom forbi lerklinede hytter med stråtag og marker med spredte stakke af hvede. Her og der så Laila *koochi*-nomaders sorte telte rejst på støvede marker. Og ganske jævnligt udbrændte russiske kampvogne og havarerede helikoptere. Dette var Ahmads og Noors Afghanistan, tænkte hun. Det var her, ude i provinserne, at krigen rasede. Ikke i Kabul. Der var stort set ro i Kabul. Når man så bort fra maskingeværsalver i ny og næ og russiske soldater der røg cigaretter på gaden, og deres jeeps der evindeligt skramlede gennem byen, kunne krigen lige så godt have været et rygte.

Det var op ad formiddagen, og efter at de var kommet igennem yderligere to kontrolposter, at de kørte ind i dalen. Babi bad Laila se gennem hans rude og pegede på en række røde mure i det fjerne. De så meget gamle ud.

„Den hedder Shahr-e Zohak. I sin tid var det en fæstning, opført for omkring ni hundrede år siden for at forsvare dalen mod indtrængende fjender. Djengis Khans barnebarn angreb den i det trettende århundrede, men blev dræbt. Det var Djengis Khan der bagefter lagde Den Røde By i ruiner."

„Og det, mine unge venner, er historien om vores land, den ene angriber efter den anden," sagde taxachaufføren og knipsede cigaretaske ud ad vinduet. „Makedonerne, sasaniderne, araberne, mongolerne. Og nu russerne. Men vi er som de mure deroppe. Ramponerede og ikke for kønne at se på, men vi står stadig. Er det ikke sandt, *badar*?"

„Meget sandt," svarede Babi.

En halv time efter kørte chaufføren ind til siden.

„Nå, I to," sagde Babi. „Kom ud og se."

De steg ud af taxaen. Babi pegede. „Der. Se."

Tariq gispede. Det samme gjorde Laila. Og hun vidste med det samme at om hun så blev hundrede år, ville hun aldrig igen se noget så fantastisk.

De to buddhaer var enorme, meget større end hun havde

forestillet sig ud fra de fotos hun havde set. De stod i hver deres solblegede niche og kiggede ned på dem sådan som de for næsten to tusinde år siden måtte have kigget ned på karavanerne der krydsede dalen ad Silkevejen. På begge sider af dem var klippesiden arret af myriader af grotter.

„Jeg føler mig lille," sagde Tariq.

„Har I lyst til at klatre derop?" spurgte Babi.

„Op ad statuerne?" sagde Laila. „Kan man det?"

Babi smilede og rakte hånden frem. „Kom."

Klatreturen op var en barsk omgang for Tariq som var nødt til at holde i både Laila og Babi mens de sneglede sig op ad en snoet, dårligt oplyst smal trappe. Undervejs kunne de se ind i huler og tunneler der gennemhullede klippen på begge sider af trappen.

„Pas på hvor I går," sagde Babi. Hans stemme gav genlyd. „Det kan godt være lumsk her."

Visse steder var der åbent ud til buddhaens niche.

„Lad være med at se ned, børn. Se lige frem."

Mens de asede sig op, fortalte Babi dem at Bamiyan engang havde været et blomstrende buddhistcenter indtil det i det 9. århundrede var kommet under arabisk islamisk herredømme. Det var buddhistmunke der havde lavet sandstenshulerne, dels for selv at bo der, dels for at kunne give husly til trætte pilgrimme. Munkene havde malet smukke fresker på vægge og lofter i deres huler, fortalte Babi.

„På et tidspunkt boede der fem tusinde munke som eneboere i disse huler," sagde han.

Tariq var alvorligt forpustet da de nåede op til toppen. Også Babi hev efter vejret, men hans øjne skinnede af begejstring.

„Vi står oven på dens hoved," sagde han og tørrede panden med et lommetørklæde. „Der er en niche herovre hvor vi kan se ud."

De gik forsigtigt hen til det knoldede overhæng og stod ved siden af hinanden med Babi i midten og kiggede ned på dalen.

„Hvor er det simpelthen..." sagde Laila.

Babi smilede.

Bamiyan-dalen neden under dem var som et patchworktæppe af frodige marker. Babi sagde at de også dyrkede vinterhvede og lucerne og kartofter. Markerne var indrammet af poppeltræer og gennemkrydset af åer og vandingskanaler hvor bittesmå kvinder sad på hug på bredden og vaskede tøj. Babi udpegede ris- og bygmarker der lå som brede tæpper ned ad skrænterne. Det var efterår, og Laila kunne se mennesker i spraglede kjortler oppe på hustagene hvor de var i færd med at lægge høsten til tørre. Hovedvejen der gik gennem byen, var en poppelallé, og bag den, bag floden og åerne, så Laila forbjerge, nøgne og støvede, og bag dem igen – som var det bag ved alt i Afghanistan – Hindu Kushs snedækkede bjerge.

Himlen over alt dette var fuldstændig pletfri blå.

„Hvor er her stille," henåndede Laila. Hun kunne se bittesmå får og heste, men kunne ikke høre dem bræge eller vrinske.

„Det er hvad jeg altid tænker tilbage på når jeg har været heroppe," sagde Babi. „Stilheden. Den fuldstændige ro. Jeg ønskede at I også skulle opleve det. Men jeg ønskede også at I skulle se jeres lands kulturarv, at høre og fornemme hvilken storslået fortid det har haft. Forstår I, der er visse ting som jeg kan lære jer. Noget kan I læse om i en bog. Men der er andet som, tja... noget som man bare er nødt til at *se* og *føle*."

„Se der!" udbrød Tariq.

De så en høg kredse over landsbyen.

„Har De nogensinde haft Mammy med hertil?" spurgte Laila.

„Åh ja, mange gange. Før drengene blev født. Også efter. Din mor, hun plejede at være ret eventyrlysten, så... levende. Hun var simpelthen det mest levende, lykkelige menneske jeg nogensinde har mødt." Han smilede ved mindet. „Hun havde sådan en latter. Jeg sværger på at det er grunden til at jeg giftede mig med hende, Laila. Den latter. Den fejede benene væk under mig. Man var helt chanceløs over for den.“

Ømheden skyllede op i Laila. Fra nu af ville hun altid huske Babi sådan: mens han talte om Mammy og det de havde haft sammen, med albuerne på klippekanten, hagen i hænderne og håret der blev purret op af vinden mens han kneb øjnene sammen mod solen.

„Jeg går ned og ser lidt på de der huler,“ sagde Tariq.

„Pas på hvor du går,“ sagde Babi.

„Det skal jeg nok, *kaka* jan,“ lød Tariqs svar som et ekko tilbage.

Laila kiggede ned på tre mænd langt, langt nede der stod og talte sammen i nærheden af en ko der var tøjret til et hegn. Rundt om dem var træerne begyndt at blive gule, orange og stærkt røde.

„Jeg savner også drengene, må du vide,“ sagde Babi. Hans øjne var svulmet en smule op, og hagen dirrede. „Jeg er måske ikke… I din mor er både sorg og glæde ekstrem. Hun kan ikke lægge bånd på nogen af delene. Det har hun aldrig kunnet. Mig, jeg er vel anderledes. Jeg har det med at… Men der gik også noget i stykker inde i mig da drengene døde. Jeg savner dem også. Der går ikke en dag uden at jeg… Det er svært, Laila, så forfærdelig svært.“ Han trykkede om næseroden med tommel- og pegefinger. Da han igen ville sige noget, kunne han ikke få det frem. Han sugede læberne ind og ventede lidt. Han tog en dyb indånding og kiggede på hende. „Men jeg er glad for at have dig. Jeg takker Gud hver eneste dag for at jeg har dig. Hver eneste dag. En gang imellem, når din mor har en af sine allersorteste dage, så føler jeg at du er alt hvad jeg har, Laila.“

Laila stillede sig helt tæt op ad ham og lagde kinden mod hans bryst. Det var som om det kom lidt bag på ham – i modsætning til Mammy gav han kun sjældent fysisk udtryk for sine følelser.

Han plantede et hurtigt kys på hendes hoved og gengældte kejtet omfavnelsen. Sådan blev de stående lidt mens de kiggede ned over Bamiyan-dalen.

„Jeg elsker dette land, men en gang imellem overvejer jeg at rejse væk," sagde Babi.

„Hvorhen?"

„Et hvilket som helst sted hvor det er muligt at glemme. Først til Pakistan, tænker jeg. I et år, måske to. Mens vi venter på at papirarbejdet bliver ordnet."

„Og bagefter?"

„Bagefter? Tja, det *er* en stor verden. Måske USA. Et sted ved havet. Måske Californien."

Babi sagde at amerikanere var gavmilde mennesker. De ville hjælpe dem med penge og mad et stykke tid indtil de havde fundet sig til rette.

„Jeg ville skaffe mig et arbejde, og i løbet af få år, når vi havde sparet nok op, kunne vi åbne en lille afghansk restaurant. Ikke noget særligt, bare et lille beskedent sted, nogle få borde, et par tæpper. Måske et par billeder fra Kabul på væggene. Amerikanerne kunne komme og smage et par afghanske retter. Og når jeg tænker på din mors madlavningskunst, tror jeg de ville stå i kø langt ud på gaden.

Og du skulle selvfølgelig fortsætte din skolegang. Du ved hvad jeg mener om den sag. Det ville være det allervigtigste, at sørge for at du får en god uddannelse, high school og bagefter college. Men i din fritid kunne du, *hvis* du havde lyst, give en hjælpende hånd, tage imod bestillinger, fylde vandkander, den slags ting."

Babi sagde at de ville holde fødselsdagsfester i restauranten, forlovelsesceremonier, nytårskomsammen. Den skulle blive et samlingssted for andre afghanere der ligesom dem var flygtet fra krigen. Og sent om aftenen – efter at alle var gået, og der var ryddet op – ville de sætte sig over en kop te midt mellem de tomme borde, de tre sammen, trætte, men taknemmelige for deres heldige skæbne.

Da Babi havde sagt alt dette, blev han helt stille. Det gjorde de begge. De vidste at Mammy ikke ville tage nogen steder hen. Det havde været utænkeligt at forlade Afghanistan mens Ahmad og Noor var i live. Nu da de var shaheeder, ville det være en endnu større krænkelse at pakke sammen og stikke af, et forræderi, en fornægtelse af det offer hendes sønner havde bragt.

Hvordan kan du så meget som overveje det? kunne Laila høre sin mor sige. *Betyder deres død intet for dig, fætter? Den eneste trøst jeg har, er at jeg går rundt på den samme jord som deres blod blev suget ned i. Nej. Det kommer ikke på tale.*

Og Babi ville aldrig tage af sted uden Mammy, vidste Laila, selv om Mammy var lige så lidt hustru for ham som hun var mor for Laila. For Mammys skyld ville han begrave sit dagdrømmeri på samme måde som han børstede mel af sin frakke når han kom hjem fra arbejde. De ville blive i landet. De ville blive indtil krigen var forbi. Og de ville blive uanset hvad freden bragte.

Laila kunne huske at Mammy engang havde sagt til Babi at hun havde giftet sig med en mand uden tro og idealer. Mammy fattede ingenting. Hun fattede ikke at hvis hun så sig i spejlet, ville hun se det allervigtigste i Babis liv kigge tilbage på sig.

Senere, efter at de havde spist en frokost bestående af hårdkogte æg og kartofler med brød, tog Tariq sig en lur nede på bredden langs en klukkende bæk. Han sov med sin frakke foldet pænt sammen som hovedpude og hænderne foldet over brystet. Taxachaufføren gik ned til landsbyen for at købe mandler. Babi sad under et stort akacietræ og læste i en bog. Laila kendte godt bogen; engang havde han læst den sammen med hende. Det var fortællingen om en gammel fisker ved navn Santiago som fangede en enorm fisk, men da han langt om længe nåede i havn, var der intet tilbage af hans kæmpefisk; hajer havde spist rub og stub af den.

Laila sad nede ved bækken med fødderne i det kølige vand. Over hendes hoved svirrede myggene, og balsampoplerne dansede i brisen. En guldsmed susede forbi. Laila så solen glimte i dens vinger mens den summede fra græsstrå til græsstrå. Vingerne glimtede violet, så grønt, så orange. På den anden side af bækken var en flok lokale hazar-drenge i færd med at forme tørre kokasser til brændselsbriketter og stuve dem ned i lærredsposer som de havde hængende på ryggen. Et sted i nærheden skrydede et æsel. En generator gik brummende i gang.

Laila tænkte på Babis beskedne drøm. *Et sted ved havet.*

Der var noget hun ikke havde sagt til Babi deroppe på buddhaen: at hun af én bestemt grund var glad for at de ikke kunne tage af sted. Hun ville savne Giti og hendes sammenbidte alvor, ja, og også Hasina med hendes uartige latter og alle spilopperne. Men mest af alt tænkte Laila på de fire forfærdelige uger uden Tariq, dengang han var på ferie i Ghazni. Hun huskede kun alt for godt hvordan tiden havde virket endeløs uden ham, hvordan hun havde vandret omkring og følt sig helt forkert, ude af balance. Hvordan skulle hun dog kunne klare sig hvis hun aldrig mere skulle være sammen med ham?

Måske var det vanvid at ønske så betingelsesløst at være sammen med et menneske i et land hvor kugler havde flænset hendes brødre i stykker, men det eneste Laila behøvede at gøre, var at se for sig dengang Tariq gik i kødet på Khadim med sit ben, og derefter var det det eneste der gav mening i denne verden.

Seks måneder senere, i april 1988, kom Babi hjem med store nyheder.

„De har underskrevet en traktat," sagde han. „I Genève. Det er lige blevet meddelt. De trækker sig ud af landet. Om ni måneder vil der ikke være flere russiske soldater i Afghanistan."

Mammy sad op i sengen. Hun trak på skuldrene.

„Men kommunisterne vil fortsat styre landet," sagde hun. „Najibullah er Sovjetunionens marionet. Han går ingen steder. Nej, krigen vil fortsætte. Den er ikke forbi endnu."

„Najibullah holder ikke i længden," sagde Babi.

„Mammy, de tager hjem! De tager hjem, hørte De ikke hvad Babi sagde?"

„I to kan fejre det så meget I vil, men jeg får ingen ro før Mujahedin drager i sejrsparade gennem Kabul."

Og med de ord lagde hun sig ned i sengen igen og trak tæppet op over hovedet.

22

Januar 1989

En kold overskyet dag i januar 1989, tre måneder før Laila fyldte elleve år, tog hun, hendes forældre og Hasina af sted for at se de sidste russiske konvojer forlade byen. Tilskuere havde samlet sig på begge sider af gennemfartsvejen uden for militærforlægningen i nærheden af Wazir Akbar Khan. De stod i den snavsede sne og kiggede på kampvogn efter kampvogn, armerede lastbiler og jeeps mens en fin sne piskede forbi de passerende forlygter. Der lød vrede råb og spottende ord. Afghanske soldater holdt folk væk fra kørebanen. Indimellem var de nødt til at affyre varselsskud op i luften.

Mammy holdt et foto af Ahmad og Noor højt op over sit hoved. Det var det hvor de sad ryg mod ryg under pæretræet. Der var andre som hende, kvinder med billeder af deres shaheedmænd, - sønner og -brødre højt løftet over deres hoveder.

En eller anden prikkede Laila og Hasina på skuldrene. Det var Tariq.

„Hvor fik du den der fra?“ spurgte Hasina.

„Jeg tænkte at jeg ville komme passende klædt til lejligheden,“ sagde Tariq. Han havde en kæmpestor russisk pelshue på hovedet komplet med ørevarmere som han havde slået ned. „Hvordan ser jeg ud?“

„Fjollet,“ sagde Laila grinende.

„Det var også tanken.“

„Gik dine forældre med selv om du har den der på?“

„Faktisk blev de hjemme,“ sagde Tariq.

Tariqs onkel i Ghazni var død af et hjerteanfald om efteråret, og et par uger efter fik Tariqs far så også et hjerteanfald der havde gjort ham til en træt og skrøbelig mand med tendens til angsttilfælde og depressioner som kunne vare i uger ad gangen. Laila var lykkelig over at se Tariq sådan her, som sit gamle jeg igen. I ugevis efter faderens sygdom havde han været nedbøjet og umulig at gøre glad.

De tre børn listede væk mens Mammy og Babi blev stående og kiggede på russerne. Tariq købte kogte bønner med korianderchutney fra en gadesælger. De spiste dem under baldakinen foran en lukket tæppebutik, og bagefter forlod Hasina dem for at finde sin familie.

På busturen hjem sad Tariq og Laila bag hendes forældre. Mammy sad ved vinduet og kiggede ud med billedet af sine sønner presset ind mod brystet. Ved siden af hende sad Babi og lyttede sløvt til en mand der påpegede at nok trak russerne sig ud af landet, men de ville fortsætte med at sende våben til Najibullah i Kabul.

„Han er deres marionetdukke. De vil holde gang i krigen gennem ham, tro mig.“

En eller anden længere nede i bussen gav højlydt udtryk for sin enighed.

Mammy sad og mumlede for sig selv, endeløse bønner som bare blev ved og ved indtil hun ikke havde luft tilbage i lungerne, og de sidste ord kom ud som høje pibelyde.

De gik til Cinema Park senere den dag, Laila og Tariq, men måtte slå sig til tåls med en russisk film synkroniseret til farsi hvilket gav filmen et ufrivilligt komisk anstrøg. Den foregik på et handelsfartøj hvor førstestyrmanden var forelsket i kaptajnens datter som hed Alyona. Så blev det voldsomt uvejr, lyn, regn, store bølger der kastede rundt med skibet. En af de skrækslagne matroser råbte et eller andet. En absurd rolig afghansk stemme oversatte: „Min gode herre, vil De være venlig at række mig rebet?"

Her bristede Tariq i kaglende latter, og inden de fik set sig om, kunne ingen af dem holde latteranfaldene tilbage. Netop som en af dem blev mere rolig, tog den anden fat, og et øjeblik efter måtte de begge holde sig på maven af grin. En mand to rækker længere fremme vendte sig om og tyssede på dem.

Mod slutningen var der en bryllupsscene. Kaptajnen bøjede sig og gav Alyona lov til at gifte sig med førstestyrmanden. De nygifte smilede til hinanden. Alle drak vodka.

„Jeg vil aldrig giftes," hviskede Tariq.

„Heller ikke mig," sagde Laila, men først efter et øjebliks nervøs tøven. Hun var bekymret for om han ville kunne høre skuffelsen i hendes stemme over det han havde sagt. Hendes hjerte hamrede da hun med mere kraft i stemmen tilføjede: „Aldrig."

„Bryllupper er åndssvage."

„Al den ståhej."

„Alle de penge man bruger."

„På hvad?"

„På tøj som man aldrig vil gå med igen."

„Ha!"

„Hvis jeg nogensinde skal giftes," sagde Tariq, „så må de gøre plads til tre personer på podiet. Mig, bruden og den fyr der holder en pistol mod mit hoved."

Manden foran dem sendte dem igen et bebrejdende blik.

Oppe på lærredet kyssede Alyona og hendes nye mand hinanden.

Mens Laila så deres læber mødes, blev hun pludselig opmærksom på sin egen krop. Hendes hjerte hamrede så det næsten gjorde ondt, blodet dunkede i hendes ører, og hun kunne intenst fornemme Tariqs krop ved siden af sig, hvordan den blev anspændt og helt stille. Kysset trak ud. Det blev pludselig meget vigtigt for Laila ikke at røre sig eller lave den mindste støj. Hun kunne fornemme at Tariq kiggede på hende – et øje på kysset, det andet på hende – på samme måde som hun kiggede på *ham*. Lyttede han til luften der susede ind og ud ad hendes næse, spekulerede hun på, mens han ventede på en skælven, en lille uregelmæssighed som kunne afsløre hendes tanker?

Og hvordan ville det være at kysse ham, at mærke de bløde hår over hans læbe kilde hendes egne læber?

Så skiftede Tariq forlegent stilling i sædet. Med anstrengt stemme sagde han: „Vidste du at når man snyder næse i Sibirien, er snottet en grøn isklat før det rammer jorden?"

De lo begge, men kun kort, nervøst denne gang. Og da filmen var forbi, og de kom ud på gaden, var Laila lettet over at se at himlen var ved at mørkne så hun ikke skulle møde Tariqs blik i strålende dagslys.

23

April 1992

Der gik tre år, og i løbet af den tid havde Tariqs far en række slagtilfælde. Efter det sidste havde han en klodset venstre hånd og talte en smule utydeligt. Når han blev ophidset – og det blev han ofte – blev hans talebesvær mere udtalt.

Tariq voksede ud af sit ben, endnu en gang, og blev udstyret med et nyt af Røde Kors selv om han måtte vente seks måneder på det.

Som Hasina havde frygtet, tog hendes familie hende med til Lahore hvor hun blev tvunget til at gifte sig med en fætter der ejede et bilværksted. Den formiddag de skulle rejse, gik Laila og Giti hen for at sige farvel. Hasina fortalte dem at fætteren, hendes kommende mand, allerede havde taget hul på papirarbejdet der skulle ende med at de flyttede til Tyskland hvor hans brødre boede. Inden der var gået et år, ville de være i Frankfurt, var Hasinas vurdering. De græd og klyngede sig alle tre til hinanden. Giti var utrøstelig. Den sidste gang Laila så Hasina, var da hun af sin far blev hjulpet ind på et overfyldt bagsæde i en taxa.

Sovjetunionen smuldrede med forbavsende hast. Hver hver anden uge – eller sådan forekom det Laila – kom Babi hjem med nyheder om den seneste republik der havde erklæret sin selvstændighed. Litauen. Estland. Ukraine. Det sovjetiske flag blev strøget over Kreml. Republikken Rusland så dagens lys.

I Kabul ændrede Najibullah taktik og forsøgte at portrættere sig selv som en from muslim. „For lidt og alt for sent," sagde Babi. „Man kan ikke være chef for KHAD den ene dag, og den næste bede i en moské sammen med mennesker hvis slægtninge man har tortureret og myrdet." Da Najibullah mærkede strikken stramme om halsen, forsøgte han at indgå en aftale med Mujahedin, men mujahedinerne nægtede.

„Sådan skal det være," sagde Mammy fra sin seng. Hun bad bønner for Mujahedins sejr og ventede på sin parade. Ventede på at hendes sønners fjender skulle tabe krigen.

Og det gjorde de så også med tiden. I april 1992, det år Laila fyldte fjorten.

Najibullah overgav sig til sidst og søgte tilflugt i en FN-lejr i nærheden af Darulaman-paladset syd for byen.

Jihad var forbi. De forskellige kommunistiske regimer som havde haft magten lige siden den nat Laila kom til verden, var alle blevet slået. Mammys helte, Ahmad og Noors våbenfæller, havde vundet. Og nu, efter at have ofret alt i mere end ti år, efter at have forladt deres familier for at tage op i bjergene og kæmpe for Afghanistans uafhængighed, kom mujahedinerne til Kabul i kød og blod og udmattede af krigen helt ind til marven.

Mammy kendte alle deres navne:

Der var Dostum, den prangende usbekiske general, lederen af *Junbish-i-Milli*-fraktionen, som havde ry for at være en vendekåbe. Den intense, tvære Gulbuddin Hekmatyar, leder af *Hezb-e-Islami*-fraktionen, en pashtun som havde læst til ingeniør og engang havde dræbt en maostisk studerende. Rabbani, den tadsjikiske leder af *Jamiat-e Islami*-fraktionen, havde undervist i islam på Kabul Universitet i monarkiets dage. Sayyaf, en pashtun fra Paghman med arabiske forbindelser, var rabiat muslim og leder af *Ittehad-i-Islami*-fraktionen. Abdul Ali Mazari, lederen af *Hezb-e-Wahdat*-fraktionen, var kendt som Babi Mazari blandt sine med-hazarer og havde stærke shia-bånd til Iran.

Og så var der selvfølgelig Mammys helt, Rabbanis allierede, den rugende, karismatiske tadsjik-general, Ahmad Shah Masud, Panjshirs Løve. Mammy havde sømmet en plakat af ham op på sit værelse. Masuds kønne, tænksomme ansigt med de løftede øjenbryn og pakolen, hans varemærke, på skrå skulle blive allestedsnærværende i Kabul. Hans sjælfulde sorte øjne så tilbage på en fra billboards, mure, forretningsvinduer, fra små flag på taxaers bilantenner.

Det var den dag Mammy havde længtes efter. Det var belønningen for de mange års ventetid.

Nu kunne hun langt om længe ophøre med sin nattevågen, og hendes sønner kunne hvile i fred.

Den dag Najibullah opgav kampen, steg Mammy op af sengen som en genfødt kvinde. For første gang i de fem år siden Ahmad og Noor var blevet martyrer, klædte hun sig ikke i sort. Hun tog en koboltblå lærredskjole på med hvide polkaprikker. Hun pudsede vinduer, fejede gulvet, luftede ud i huset og tog et langt bad. Hendes stemme var skinger af munterhed.

„En fest er på sin plads," erklærede hun.

Hun sendte Laila af sted for at invitere naboerne. „Sig til dem at vi spiser stor frokost i morgen."

Ude i køkkenet stillede Mammy sig op med hænderne på hofterne og kiggede sig omkring. „Hvad har du gjort ved mit køkken, Laila. *Wooy*," sagde hun bebrejdende. „Ingenting er jo hvor det hører hjemme."

Hun begyndte at flytte rundt på potter og pander, teatralsk, som om hun ville hævde sin ret på ny, generobre sit territorium nu hun var tilbage. Laila holdt sig på afstand. Det var bedst. Mammy kunne være lige så skræmmende i sine euforiske anfald som i sine raseriudbrud. Med foruroligende energi gik Mammy så i gang med at lave mad: aush-suppe med snittebønner og tørret dild, *kofta*, dampende varm *mantu* med frisk yoghurt pyntet med mint.

„Du er begyndt at plukke dine øjenbryn," sagde Mammy mens hun åbnede en sæk ris henne ved køkkenbordet.

„Kun lidt."

Mammy hældte ris fra sækken ned i en stor sort gryde med vand. Hun rullede ærmerne op og begyndte at røre rundt.

„Hvordan har Tariq det?“

„Hans far har været syg,“ sagde Laila.

„Hvor gammel er han egentlig?“

„Det ved jeg ikke. Et sted i tresserne.“

„Jeg mente Tariq.“

„Åh. Seksten.“

„Han er en sød dreng. Synes du ikke også?“

Laila trak på skuldrene.

„Men ikke rigtigt en dreng mere, vel? Seksten år. Næsten en mand. Eller hvad mener du?“

„Hvor vil De hen med de spørgsmål, Mammy?“

„Ingen steder,“ sagde Mammy og smilede uskyldigt. „Ingen steder. Det er bare det at du... Åh, lige meget. Det er bedst at jeg ikke siger noget.“

„Sig det nu bare,“ sagde Laila, irriteret over den uudtalte, drillende beskyldning.

„Joh, ser du.“ Mammy lagde hænderne rundt om kanten på gryden. Der var noget unaturligt, nærmest indøvet, over måden hun sagde 'Joh, ser du' på og måden hvorpå hun lagde hænderne om gryden, syntes Laila. Hun frygtede det hun nu ville sige.

„Ét er at I to legede sammen da I var børn. Det var der ikke noget forkert ved. Det var charmerende. Men nu. Nu. Jeg har lagt mærke til at du er begyndt at gå med bh, Laila.“

Laila blev fanget på det forkerte ben.

„Og du kunne godt have fortalt mig om den bh, nu vi er ved det. Jeg anede det ikke. Jeg er skuffet over at du ikke fortalte mig det.“ Mammy fornemmede at hun havde overtaget, og fortsatte: „Nå, men det handler ikke om mig og en bh. Det handler om dig og Tariq. Han er en dreng, forstår du, og som sådan behøver han ikke at kere sig om sit rygte. Det er noget andet med dig. En piges rygte, især hvis hun er så køn som dig, er en skrøbelig ting, Laila. Som en beostær mellem dine hænder. Hvis du slækker grebet, flyver den sin vej."

„Og hvad med al Deres klatren på mure og snigen sig rundt med Babi i frugtplantagerne?" sagde Laila triumferende over at have fattet sig så hurtigt.

„Vi var fætter og kusine. Og vi giftede os. Har denne dreng anholdt om din hånd?"

„Han er en *rafiq*. Sådan noget findes ikke mellem gode venner," sagde Laila og lød forsvarsberedt og ikke særlig overbevisende. „Han er som en bror for mig," tilføjede hun ubetænksomt. Og hun vidste endnu før skyen passerede hen over Mammys ansigt, og hendes øjne formørkedes, at det havde været en fejl.

„Han er *ikke* din bror," sagde Mammy tonløst. „Du vover at sammenligne en etbenet søn af en tømrer med dine brødre. Der findes *ingen* der kan måle sig med dine brødre."

„Jeg sagde ikke at han... Det var ikke sådan ment."

Mammy prustede gennem næsen og bed tænderne sammen.

„Nå, men..." fortsatte hun, men nu uden den kokette sorgløshed fra før, „det jeg forsøger at sige til dig, er at hvis du ikke passer på, vil folk begynde at snakke."

Laila åbnede munden for at sige noget. Det var ikke fordi Mammy ikke havde ret i det hun sagde. Laila var godt klar over at den frie, uskyldige løben rundt i gaderne sammen med Tariq var forbi. I nogen tid nu havde hun fornemmet et eller andet ukendt når de færdedes sammen udenfor. En følelse af at blive kigget på, studeret, talt om, som hun aldrig havde følt før. Og heller ikke ville have lagt mærke til nu hvis det ikke havde været for en grundlæggende kendsgerning: Hun var forelsket i Tariq. Håbløst og desperat. Når han var i nærheden, kunne hun ikke forhindre en række skandaløse tanker i at invadere hendes hoved, tanker om hans magre, nøgne krop der smeltede sammen med hendes. Når hun lå i sin seng om aftenen, fantaserede hun om at han kyssede hende på maven, tænkte på blødheden i hans læber, følelsen af hans hånd om hendes nakke, på hendes bryst og også længere nede. Når hun tænkte på ham på den måde, blev hun overvældet af skam, men også af en besynderlig varm fornemmelse der bredte sig fra hendes mave og op indtil det var som om hendes ansigt glødede lyserødt.

Nej, Mammy havde en pointe. Faktisk mere end hun var klar over. Laila havde en mistanke om at nogle, hvis ikke alle naboer sladrede om hende og Tariq. Hun havde set de skjulte grin, vidste at rygtet gik i kvarteret at hun og Tariq var et par. Forleden dag var de for eksempel kommet gående hen ad gaden og på vejen passeret Rashid, skomageren, med hans burkaklædte kone, Mariam, efter sig. Da Rashid gik forbi, havde han spøgefuldt sagt: „Jamen, er det ikke Laili og Majnoon?“ Med henvisning til et dybt forelskede par i Nizamis populære romance fra 1100-tallet – en farsi-version af *Romeo og Julie*, havde Babi sagt og tilføjet at Nizami havde skrevet sin historie om de ulykkelige elskende fire århundreder før Shakespeare.

Mammy havde en pointe.

Det der irriterede Laila, var at Mammy ikke havde gjort sig fortjent til retten til at have den. Det havde været noget andet hvis Babi var kommet ind på emnet. Men Mammy? Efter alle de mange år hvor hun ikke havde været til stede i Lailas liv, hvor hun havde muret sig inde og været ligeglad med hvor Laila færdedes, eller hvem hun var sammen med, eller hvad hun tænkte... Det var ikke retfærdigt. Laila følte at hun ikke var mere end de der potter og pander, noget som man kunne negligere og så kræve brugsretten over når humøret tilfældigvis var til det.

Men det var en stor dag, en vigtig dag for dem alle. Det ville være småligt at ødelægge den. Laila besluttede derfor at lade det passere.

„Jeg forstår godt hvad De mener,“ sagde hun.

„Udmærket!“ sagde Mammy. „Så er det klaret. Nå, men hvor er Hakim? Hvor, åh hvor er min lille søde mand?“

Det var en strålende skyfri dag, perfekt til en fest. Mændene sad på vakkelvorne klapstole ude i gården. De drak te og røg og talte med høje spøgefulde stemmer om Mujahedins planer. Babi havde fortalt Laila om dem i store træk: Afghanistan var nu udråbt som Den Islamiske Stat Afghanistan. Et islamisk jihadråd, nedsat i Peshawar bestående af adskillige Mujahedin-fraktioner og under ledelse af Sibghatullah Mojadidi, skulle i to måneder føre opsyn med udviklingen. Dette skulle efterfølges af et råd af klanledere med Rabbani i spidsen som skulle have magten i fire måneder. I løbet af disse seks måneder skulle man mødes i en rådgivende forsamling bestående af generaler og ældre mænd, og dette *loya jirga* skulle danne en midlertidig regering der skulle regere i en periode på to år som skulle afsluttes med demokratiske valg.

En af mændene stod og passede lammespyd på en grill der var sat op til lejligheden. Babi og Tariqs far sad og spillede skak i skyggen under det gamle pæretræ. Deres ansigter var anspændte af koncentration. Tariq sad sammen med de to skakspillere og fulgte skiftevis med i spillet og i den politiske diskussion ved nabobordet.

Kvinderne havde samlet sig inde i stuen, entreen og ude i køkkenet. De sludrede løs mens de bar rundt på deres babyer og rutineret trådte til side, med et lillebitte ryk i hoften, når børn kom stormende efter hinanden rundt i huset. En ghasele sunget af Ustad Sarahang gjaldede fra en kassettebåndoptager.

Laila var ude i køkkenet hvor hun lavede karafler med *dogh* sammen med Giti. Giti var ikke længere så genert, så alvorlig, som tidligere. I adskillige måneder havde de evindelige rynker i hendes pande været som blæst væk. Hun lo friere nu om dage, oftere og – slog det Laila – en smule flirtende. Rottehalerne var væk, og hun havde ladet sit hår vokse og fået røde striber i. Laila fandt hen ad vejen ud af at drivkraften i denne forvandling var en ung mand på atten år som var interesseret i Giti. Hans navn var Sabir, og han var målmand på det fodboldhold som Gitis ældste bror spillede på.

„Og han har det kønneste smil, og det her tykke, tykke sorte hår!" havde Giti fortalt Laila. Ingen vidste selvfølgelig noget om at de følte sig tiltrukket af hinanden. Giti havde i al hemmelighed været sammen med ham to gange over en kop te, to møder af et kvarters varighed, i et lille tehus i den anden ende af byen, i Taimani.

„Han vil anholde om min hånd, Laila! Måske allerede til sommer! Er det ikke utroligt? Jeg tænker på ham hele tiden."

„Hvad så med skolen?" havde Laila spurgt. Giti havde lagt hovedet på skrå og sendt hende et *vi ved begge bedre*-blik.

Når vi engang er tyve, plejede Hasina at sige, *vil Giti og jeg hver især have fået fire-fem børn. Men du, Laila, vil have gjort os to dummernikker stolte. Du skal nok blive til noget stort. Jeg ved at jeg en dag vil købe en avis og se et billede af dig på forsiden.*

Nu stod Giti ved siden af Laila og skivede agurker med et drømmende, fjernt udtryk i ansigtet.

Mammy stod i nærheden i sin farvestrålende sommerkjole og pillede kogte æg sammen med Wajma, jordemoderen, og Tariqs mor.

„Jeg har tænkt mig at overrække general Masud et billede af Ahmad og Noor," sagde Mammy til Wajma, og Wajma nikkede og forsøgte at se interesseret og oprigtig ud.

„Han deltog personligt i deres begravelse. Han bad en bøn ved deres grav. Det vil være en beskeden tak for hans venlighed." Mammy tog fat på endnu et kogt æg. „Jeg hører at han er en betænksom, retskaffen mand. Jeg tror han vil sætte pris på det."

Alle vegne rundt omkring dem pilede kvinder ind og ud med

skåle med qurma, tallerkener med *mastawa* og brød i kurve og stillede det hele frem på sofrahen der var bredt ud på stuegulvet.

En gang imellem kom Tariq slentrende ud i køkkenet. Han snuppede en bid her og nippede til en ret der.

„Adgang forbudt for mænd," sagde Giti.

„Ud, ud, ud!" udbrød Wajma.

Tariq smilede ad kvindernes godmodige skænd. Det virkede som om det var en fornøjelse ikke at være velkommen her, at inficere dette feminine domæne med en halvgrinende, maskulin uærbødighed.

Laila gjorde sig umage med ikke at se på ham for ikke at give disse kvinder mere næring til den sladder der allerede blomstrede. Så hun kiggede ned og henvendte sig ikke til ham, men hun huskede tydeligt den drøm hun havde haft for nogle nætter siden, om hans ansigt og hendes, sammen i et spejl, under et blødt grønt slør. Og risengryn der faldt ned fra hans hår og ramte spejlet med et pling.

Tariq rakte ud efter en bid kalv i kartoffelfad.

„*Ho bacha*!" Giti daskede ham på hånden. Tariq snuppede kødstykket alligevel og lo.

Han var et halvt hoved højere end Laila nu. Han barberede sig. Hans ansigt var blevet smallere, mere kantet. Han var blevet bredere over skuldrene. Tariq holdt af at gå med bukser med læg i nu, sorte skinnende hyttesko og kortærmede skjorter der viste hans armmuskler – resultatet af en gammel rusten vægtstang som han trænede dagligt med i gården foran sit hjem. Der hvilede ofte et udtryk af spøgefuld stridbarhed på hans ansigt, og han var begyndt at lægge hovedet på skrå når han talte, ganske lidt til den ene side, og at hæve det ene øjenbryn når han lo. Han lod håret vokse og havde fået for vane oftere end nødvendigt at gøre et kast med hovedet så lokkerne dansede. Det banditagtige halvsmil var også nyt.

Sidste gang Tariq blev gennet ud af køkkenet, lagde hans mor mærke til at Laila kiggede stjålent efter ham. Lailas hjerte hoppede, og hun glippede skyldbevidst med øjnene. Hun skyndte sig at beskæftige sine hænder med at lægge agurkeskiverne ned i en skål med saltet, fortyndet yoghurt. Men hun kunne mærke at Tariqs mor så på hende med et lille vidende og bifaldende smil.

Mændene fyldte deres tallerkener og glas og bar deres mad ud i gården. Da de havde fået deres portion, slog kvinder og børn sig ned på gulvet rundt om sofrahen og spiste.

Det var efter at der var blevet ryddet op, tallerkenerne var blevet vasket op og stod i stabler ude i køkkenet, og den hektiske tebrygning var begyndt mens man prøvede at huske hvem der drak grøn te, og hvem der skulle have sort te, at Tariq gjorde et lille kast med hovedet og smuttede ud ad døren.

Laila ventede i fem minutter, så fulgte hun efter.

Hun fandt ham tre huse længere nede ad gaden hvor han stod lænet op ad muren ved siden af en smal passage mellem to huse. Han stod og nynnede en gammel sang på pashto af Ustad Awal Mir:

Da ze ma zib watan,
da ze ma dada watan.

Dette er vores smukke land. Dette er vores elskede land.

Og han røg på en cigaret, endnu en ny vane som han havde samlet op hos de fyre som Laila på det seneste ofte havde set ham i selskab med. Laila kunne ikke fordrage dem, Tariqs nye venner. De klædte sig alle sammen ens, bukser med læg, stramme skjorter der fremhævede deres armmuskler og brystkasse. De brugte alle sammen eau de cologne, og de røg cigaretter. De spankulerede omkring i grupper, spøgende og højt grinende, og en gang imellem råbte de efter piger med det samme stupide, selvglade smil på ansigterne. En af Tariqs venner insisterede på at blive kaldt Rambo fordi han flygtigt kunne minde om Sylvester Stallone.

„Din mor ville slå dig ihjel hvis hun vidste at du var begyndt at ryge," sagde Laila og så sig til begge sider før hun smuttede ind i passagen.

„Men det gør hun ikke," sagde han. Han rykkede lidt til side for at gøre plads.

„Men det kunne ændre sig."

„Hvem ville sladre? Du?"

Laila stampede med foden. „Fortæl vinden din hemmelighed, men bebrejd den det ikke hvis den fortæller den til træerne."

Tariq smilede med et hævet øjenbryn. „Hvem sagde det?"

„Kahlil Gibran."

„Du blærer dig."

„Giv mig en cigaret."

Han rystede på hovedet og lagde armene over kors, endnu en ny positur i hans repertoire: op ad muren, armene over kors, en cigaret der dinglede i den ene mundvig, det gode ben skødesløst bøjet.

„Hvorfor ikke?"

„Det er usundt for dig," sagde han.

„Men ikke for dig?"

„Jeg gør det på grund af pigerne."

„Hvilke piger?"

Han smilede smørret. „De synes det er sexet."

„Det er det ikke."

„Synes du ikke?"

„På ingen måde."

„Ikke sexet?"

„Du ligner en *khila*. Synes du det er smart at gå rundt og ligne en halvidiot?"

„Det var tarveligt," sagde han.

„Fortæl mig hvilke piger du taler om."

„Du er skinsyg."

„Jeg er uanfægtet nysgerrig."

„Du kan ikke være begge dele på samme tid." Han tog et nyt sug af cigaretten og kneb øjnene sammen mod røgen. „Jeg vil vædde på at de taler om os nu."

Mammys stemme rungede i Lailas hoved. *Som en beostær mellem dine hænder. Hvis du slækker grebet, flyver den sin vej.* Skyldfølelsen jog op igennem hende. Så lukkede Laila af for Mammys stemme. I stedet for frydede hun sig over at Tariq havde sagt 'os'. Hvor vidunderligt, så konspiratorisk det lød når det kom fra ham. Og hvor beroligende at høre ham sige det på den måde, så henkastet, så naturligt. *Os.* Det bekræftede forbindelsen mellem dem, krystalliserede den.

„Hvad tror du de siger?"

„At vi er på kanotur ned ad Syndens Flod," sagde han. „At vi spiser et stykke af Ugudelighedens Kage."

„Kører en tur i Slethedens Richshaw?" istemte Laila.

„Tilbereder Helligbrøde Qurma."

De bristede begge i latter. Så bemærkede Tariq at hendes hår var blevet længere. „Det er pænt," sagde han.

Laila håbede ikke at hun var blevet rød i kinderne. „Du skiftede emne."

„Fra hvad?"

„Fra de tomhjernede gæs som synes du er sexet."

„Du ved det godt."

„Ved hvad?"

„At du er den eneste jeg har øje for."

Laila dånede indvendigt. Hun forsøgte at tolke hans ansigtsudtryk, men så kun noget som var umuligt at forstå: et muntert, fjollet grin som stod i modsætning til et næsten desperat udtryk i hans halvt lukkede øjne. Et klogt udtryk som var beregnet på at falde præcis midt imellem spot og oprigtighed.

Tariq skoddede sin cigaret med hælen på den gode fod. „Så hvad siger du til det hele?“

„Festen?“

„Hvem er det der nu er en halvidiot? Jeg mente mujahedinerne, Laila. Om at de kommer til Kabul.“

„Åh.“

Hun begyndte at fortælle ham noget Babi havde sagt om det vanskelige ægteskab mellem kanoner og ego, da hun hørte larm fra huset. Høje stemmer. Skrig.

Laila satte i løb. Tariq kom humpende efter hende.

Der var udbrudt håndgemæng i gården. Midt på gårdspladsen rullede to snerrende mænd rundt på jorden, den ene med en kniv i hånden. Laila genkendte en af dem fra bordet hvor man tidligere på dagen havde diskuteret politik. Den anden var ham der havde passet grillspydene. Adskillige mænd forsøgte at skille dem ad. Babi var ikke en af dem. Han havde trukket sig tilbage til muren, i sikker afstand fra slåskampen, sammen med Tariqs far som stod og græd.

Fra den ophidsede snak kunne Laila stykke sammen hvad der var sket: Manden ved politik-bordet, en pashtun, havde kaldt Ahmad Shah Masud for en forræder fordi han havde indgået en 'handel' med russerne i 1980'erne. Kabob-manden, en tadsjik, var blevet fornærmet og havde krævet en undskyldning. Pashtunen havde nægtet. Tadsjiken havde sagt at havde det ikke været for Masud, ville hans søster, altså den anden mands søster, stadig have travlt med 'at give den' til de russiske soldater. Det havde udviklet sig til håndgemæng. En af dem havde trukket en kniv; der var uenighed om hvem.

Fuld af rædsel så Laila Tariq kaste sig ind i slagsmålet. Hun så også at nogle af fredsmæglerne nu selv var begyndt at dele slag ud til højre og venstre. Hun mente at have set endnu en kniv blive trukket.

Senere samme aften tænkte Laila på hvordan slagsmålet var

endt i en bunke med mænd oven på hinanden, med skrig og råb og hvirvlende slag, og på hvordan Tariq midt i det hele havde forsøgt at kravle ud med håret i uorden og benet revet af.

Det var svimlende så hurtigt det hele gik i opløsning.

Klanrådet blev nedsat for hurtigt. Det valgte Rabbani til præsident. De andre fraktioner skreg op om nepotisme. Masud manede til ro og tålmodighed.

Hekmatyar, som var blevet sat ud på et sidespor, var rasende. Hazarerne, der kunne se tilbage på århundreders undertrykkelse og tilsidesættelse, sydede.

Fornærmelser blev slynget gennem luften. Der blev peget med stive fingre. Anklagerne føg. Møder blev hidsigt aflyst, og døre blev smækket. Byen holdt vejret. Oppe i bjergene blev fyldte magasiner smækket på plads i Kalashnikover.

Mujahedin havde, bevæbnet til tænderne og i mangel af en fælles fjende, fundet ham i egne rækker.

Regnskabets time var langt om længe kommet til Kabul.

Og da raketter begyndte at regne ned over byen, løb folk i dækning. Det samme gjorde Mammy, i bogstavelig forstand. Hun dækkede sig med sort fra top til tå, forsvandt ind på sit værelse, trak gardinerne for og trak tæppet over sit hoved.

24

„Det er fløjtelyden," sagde Laila til Tariq. „Det er den pokkers fløjtelyd jeg hader mest af alt."

Tariq nikkede indforstået.

Det var nu ikke så meget selve fløjtelyden, tænkte Laila bagefter, men sekunderne indimellem, fra det øjeblik hun hørte lyden, til det øjeblik raketten slog ned. Den korte og endeløse tid hvor alt holdt vejret. Det ikke at vide noget. Ventetiden. Som en anklaget der skal til at høre sin dom.

Det skete ofte under aftensmåltidet når hun og Babi sad ved bordet. Når det begyndte, røg deres hoveder op. De lyttede til fløjtelyden med gafler hængende i luften og halvtygget mad i munden. Laila så genspejlingen af deres svagt oplyste ansigter i det begsorte vindue og deres ubevægelige skygger på væggen. Fløjtelyden. Og så eksplosionen, gudskelov et andet sted, fulgt af lyden af luft der forlod lunger, og visheden om at de var blevet sparet, denne gang, hvorimod mennesker et andet sted, mellem skrig og kvælende røgskyer, kravlede rundt, gravede med de bare næver og fortvivlet trak rester ud af ruinerne af det der havde været en søster, en bror, et barnebarn.

Ulempen ved at være blevet sparet var pinen ved at tænke på dem der ikke var. Efter hvert eneste raketnedslag stormede Laila ud på gaden, stammende en bøn og overbevist om, fuldstændig overbevist om at det denne gang helt sikkert ville være Tariq som de fandt begravet under et brændende og sammenstyrtet hus.

Om natten lå Laila i sin seng og kiggede ud på de pludselige hvide lyn der blev genspejlet i hendes soveværelsesvindue. Hun lyttede til den knitrende artilleriild og talte de raketter der hvinede af sted over himlen mens huset rystede, og loftsmalingen dryssede ned i flager. Nogle nætter – når lyset fra raketilden var så skarpt at man kunne læse en bog ved det – var det umuligt at falde i søvn. Og selv om det alligevel skulle lykkes, var Lailas drømme fyldt med billeder af afrevne lemmer og ild og skrig fra tilskadekomne.

Der var ingen lindring at hente om morgenen. Muezzinen kaldte til bøn, og mujahedinerne lagde våbnene fra sig, vendte sig mod vest og bad. Så foldede de bedetæpperne sammen, ladede deres våben, og bjergene skød på Kabul, og Kabul svarede igen mens Laila og resten af byen så hjælpeløst til, lige så hjælpeløst som gamle Santiago der så hajerne tage lunser af hans præmiefisk.

Uanset hvor Laila gik hen, så hun Masuds mænd. Hun så dem strejfe om i gaderne og standse biler med nogle hundrede meters interval for at kontrollere bilisterne. De sad og røg oven på kampvogne iklædt arbejdsuniform og deres evindelige pakoler. De holdt øje med forbipasserende bag mure af sandsække ved alle kryds.

Laila forlod sjældent huset nu, og når hun gjorde, var hun altid ledsaget af Tariq som så ud til at være ret tilfreds med denne ridderlige pligt.

„Jeg har købt en pistol," sagde han en dag. De sad udenfor, på jorden under pæretræet i Lailas gård. Han viste hende den. Han sagde at den var halvautomatisk, en Beretta. I Lailas øjne var den bare sort og dødbringende.

„Jeg kan ikke lide den," sagde hun. „Våben gør mig bange."

Tariq vendte og drejede magasinet i sin hånd.

„De fandt tre lig i et hus i Karta-i Seh i sidste uge," sagde han. „Har du hørt det? Søstre. Alle tre var blevet voldtaget. Havde fået halsen skåret over. En eller anden havde bidt ringene af deres fingre. Det var helt tydeligt på grund af tandmærker..."

„Jeg vil ikke høre om det."

„Det var ikke min mening at gøre dig bange," sagde Tariq. „Men jeg føler mig... Jeg føler mig mere tryg ved at have den her på mig."

Han var blevet hendes livline til verden udenfor. Han hørte hvad man snakkede om, og lod det gå videre til hende. Det var for eksempel Tariq der fortalte hende at militsen oppe i bjergene øvede sig i præcisionsskydning – og indgik væddemål om nævnte præcisionsskydning – ved at skyde på civile længere nede, mænd, kvinder, børn, tilfældigt udvalgte. Han fortalte hende at de affyrede raketter mod biler, men at de af en eller anden grund lod taxaer være – og så forstod Laila pludselig grunden til at så mange mennesker havde malet deres biler gule.

Tariq forklarede om de forræderiske, evindeligt skiftende grænser inden for Kabul. For eksempel hørte Laila fra ham at den og den gade, efter det andet akacietræ på venstre hånd, tilhørte en krigsherre; at de næste fire blokke hen til bageren ved siden af det nu lukkede apotek var en anden krigsherres sektor, og at hun, hvis hun gik over gaden og videre en kilometer mod vest, ville befinde sig i en helt tredje krigsherres territorium og derfor var et lovligt mål for snigskytter. Og det var hvad Mammys helte nu blev kaldt. Krigsherrer. Laila havde også hørt dem blive kaldt *tofangdar* fordi de var bevæbnet med rifler. Der var stadig dem der kaldte dem mujahediner, men når de gjorde det, var det med et snerrende udtryk i ansigtet, og ordet var gennemsyret af inderlig foragt og uvilje. Som en fornærmelse.

Tariq smækkede magasinet på plads i pistolen.

„Har du det i dig?" spurgte Laila.

„Hvad?"

„Vil du kunne bruge den der ting? Dræbe nogen med den?"

Tariq stak pistolen ned i cowboybuksernes linning. Så sagde han noget både vidunderligt og frygteligt. „For at beskytte dig," sagde han. „Jeg ville gøre det for at beskytte dig, Laila."

Han gled nærmere, og deres hænder strejfede hinanden, en gang og så igen. Da Tariqs fingre tøvende begyndte at flette sig ind i hendes, lod hun dem gøre det. Og da han pludselig lænede sig frem og trykkede sine læber mod hendes, lod hun ham også gøre det.

I det øjeblik forekom Mammys snak om beostære og pigers rygte uvedkommende for Laila. Ja, faktisk absurd. Midt i alt myrderiet og alle plyndringerne, al denne hæslighed, var det en harmløs ting at sidde under et træ og kysse Tariq. En ganske lille ting. En tilgivelig glæde. Så Laila lod ham gøre det, og da han trak sig tilbage, bøjede hun sig frem og kyssede *ham*, og hjertet hamrede i hendes bryst, det prikkede i hendes ansigt, og der brændte et bål i hendes mave.

I juni måned samme år, 1992, udbrød der heftige kampe i det vestlige Kabul mellem krigsherren Sayyafs pashtunske styrker og hazarerne fra Wahdat-fraktionen. Bomberne ødelagde elnettet og pulveriserede hele blokke med butikker og beboelsesejendomme. Laila hørte at den pashtunske milits gik til angreb på hazarers hjem, brød ind og skød hele familier, nærmest henrettede dem; og at hazarerne gjorde gengæld ved at bortføre pashtunske civile, voldtage pashtunske piger, sende bomber ind over pashtunske kvarterer og dræbe alt hvad der rørte sig. Hver eneste dag fandt man døde mennesker der var blevet bundet til et træ og brændt til ukendelighed. Ofte var de også blevet skudt i hovedet, øjnene var blevet gravet ud, og tungerne skåret af.

Babi forsøgte igen at overtale Mammy til at forlade Kabul.

„De finder ud af det," sagde Mammy. „Denne krig går hurtigt over igen. De sætter sig sammen og finder ud af noget."

„Fariba, det eneste disse mennesker kender til, er krig," sagde Babi. „De lærte at gå med en flaske mælk i den ene hånd og en pistol i den anden."

„Hvordan kan *du* tillade dig at sige sådan?" råbte Mammy tilbage. „Kæmpede du jihad? Forlod du alt hvad du holdt af, og satte livet på spil? Uden Mujahedin ville vi stadig være russernes kulier, husk det. Og nu siger du at vi skal forråde dem!"

„Det er ikke os der forråder nogen, Fariba."

„Så tag du af sted. Tag din datter, og stik halen mellem benene. Send mig et postkort. Men freden skal nok komme, og jeg vil for mit vedkommende være her til at byde den velkommen."

Babi stormede ud af værelset.

Det blev så farligt at bevæge sig udenfor at Babi gjorde det utænkelige: Tog Laila ud af skolen.

Han overtog selv undervisningen. Laila gik ind på hans arbejdsværelse hver eneste dag efter solnedgang, og mens Hekmatyar skød med raketter mod Masud fra byens sydlige udkant, diskuterede hun og Babi Hafiz' ghaseler og den højtelskede afghanske digter Khalilullah Khalili. Babi lærte hende om andengradsligninger, at faktorisere et polynomium og at tegne parametriske kurver. Når Babi underviste, var han som forvandlet. I sit rette element, mellem alle sine bøger, virkede han pludselig højere på Laila. Hans stemme lød som om den kom fra et roligere, dybere sted, og han plirrede ikke så meget med øjnene. Laila kunne pludselig se ham for sig som han engang havde været, rolig, stående foran tavlen som han viskede ren med lange elegante bevægelser, eller faderlig og opmærksom når han kiggede en elev over skulderen.

Det var ikke nemt at holde Lailas opmærksomhed fanget. Hun havde nemt ved at blive distræt.

„Hvad er rumfanget af en pyramide?" kunne Babi spørge hende om, og det eneste Laila kunne tænke på, var Tariqs bløde læber, heden fra hans ånde mod hendes mund, genspejlingen af hende selv i hans nøddebrune øjne. Hun havde kysset ham to gange mere siden dengang under pæretræet, længere, mere lidenskabeligt og, tænkte hun, ikke helt så klodset. Begge gange var de mødtes i hemmelighed i den svagtoplyste passage hvor han havde stået og røget den dag Mammy holdt frokostselskab. Den anden gang havde hun ladet ham røre ved sine bryster.

„Laila?"

„Ja, Babi."

„Pyramide. Rumfang. Hvor er du henne i verden?"

„Undskyld, Babi. Jeg var, øh... Lad mig se. Pyramide. Pyramide. En tredjedel af grundarealet gange højden."

Babi nikkede usikkert mens han kiggede længe på hende, og Laila tænkte på Tariqs hænder der klemte om hendes bryster og gled ned ad hendes ryg mens de kyssede og kyssede og kyssede.

Senere på måneden fulgtes Giti hjem fra skole med to klassekammerater. Kun tre gader fra Gitis hjem blev pigerne ramt af en vildfaren raket. Senere den forfærdelige dag hørte Laila at Gitis mor hysterisk skrigende var løbet frem og tilbage i gaden og havde samlet sin datters lemmer op i sit forklæde. Gitis stærkt forrådnede højre fod, stadig i nylonstrømpe og violet løbesko, blev fundet på et hustag to uger senere.

Til Gitis fatiha, dagen efter drabene, sad Laila lammet i et værelse fyldt med grædende kvinder. Det var første gang en som Laila havde kendt, som hun havde været knyttet til, var død. Hun kunne simpelthen ikke få sit hoved til at begribe at Giti ikke var i live længere. Giti som Laila havde udvekslet hemmelige breve med i klassen, hvis negle hun havde lakeret, hvis hår på hagen hun havde plukket med en pincet. Giti som skulle have været gift med målmanden Sabir. Giti var død. *Død.* Sprængt i småstykker.

Og langt om længe begyndte Laila at græde over sin veninde. Alle de tårer hun ikke havde kunnet græde til sine brødres begravelse, strømmede nu ned ad hendes kinder.

25

Laila havde svært ved at bevæge sig, det var som om cement var ved at størkne i alle hendes led. Der var en samtale i gang, og Laila vidste at hun var med i den, men hun følte sig isoleret fra den, som om hun kun smuglyttede. Mens Tariq talte, så Laila sit liv for sig som et mørnet reb der gik i stykker, trævlede op, alle fibrene der slap hinanden og faldt væk.

Det var en varm, fugtig augusteftermiddag i 1992, og de sad i stuen i Lailas hjem. Mammy havde haft ondt i maven hele dagen, og få minutter før var Babi, på trods af de raketter Hekmatyar affyrede fra syd, gået med hende til læge. Og her sad så Tariq, ved siden af Laila på sofaen, og kiggede ned på gulvet med hænderne gemt mellem knæene.

Og sagde at han skulle rejse.

Ikke fra kvarteret. Ikke fra Kabul. Nej, fra Afghanistan.

Rejse langt væk.

Det sortnede for Laila.

„Hvorhen? Hvor rejser du hen?"

„Først til Pakistan. Peshawar. Bagefter ved jeg ikke. Måske Hindustan. Iran."

„Hvor længe?"

„Det ved jeg ikke."

„Jeg mener, hvor længe har du vidst det?"

„Et par dage. Jeg ville have fortalt dig det, Laila, det sværger jeg på, men jeg kunne ikke få mig selv til det. Jeg vidste hvor fortvivlet du ville blive."

„Hvornår?"

„I morgen."

„I morgen?"

„Laila, se på mig."

„I morgen."

„Det er på grund af min far. Hans hjerte kan ikke klare det mere, al den krig og myrderierne."

Laila begravede sit ansigt i hænderne, og rædslen lagde sig som en jernring om hendes bryst.

Hun burde have set det komme, tænkte hun. Næsten alle hun kendte, havde pakket sammen og var rejst væk. Kvarteret var så godt som tømt for kendte ansigter, og nu, kun fire måneder efter at kampene var brudt ud mellem fraktionerne i Mujahedin, var der længe mellem at Laila genkendte nogen på gaden. Hasinas familie var rejst til Teheran i maj. Wajma og hendes familie var samme måned rejst til Islamabad. Gitis forældre og hendes søskende tog af sted i juni, kort tid efter at Giti var blevet dræbt. Laila vidste ikke hvor de var taget hen – hun havde hørt at de var på vej til Mashad i Iran. Når beboerne havde forladt deres huse, stod de tomme i nogle dage, men så flyttede militssoldater eller fremmede ind.

Alle rejste. Og nu også Tariq.

„Og min mor er ikke ung længere," sagde han. „De er så bange hele tiden. Laila, se på mig."

„Du burde have fortalt mig det."

„Vær sød at se på mig."

Et støn undslap Laila. Så et skrig. Og så græd hun, og da han ville tørre tårer af hendes kind med tommelfingeren, slog hun hans hånd til side. Det var egoistisk og irrationelt, men hun var rasende på ham fordi han forlod hende. Tariq der var som en forlængelse af hende selv, hvis skygge dansede ved siden af hendes i hvert eneste af hendes minder. Hvordan kunne han forlade hende? Hun slog ham. Så slog hun ham igen og rev ham i håret, og han var nødt til at tage fat om hendes håndled, og han sagde noget som hun hverken kunne få hoved eller hale på, han sagde det lavmælt, indtrængende, og på en eller anden måde endte det med at de sad pande mod pande, næse mod næse, og hun kunne igen mærke varmen i hans ånde mod sine læber.

Og så, da han pludselig rykkede mod hende, gjorde hun det samme.

I de følgende dage og uger måtte Laila kæmpe hårdt for at gemme det alt sammen i sin hukommelse. Alt det der skete. Som en kunstelsker der løb ud af et brændende museum, greb hun alt hvad hun kunne få fingre i – et blik, en stønnen, et hvisket ord – for at redde det fra undergangen, bevare det i sit hoved. Men tiden er det ubarmhjertigste af alle bål, og hun kunne ikke – da det kom til stykket – redde det hele. Dette var imidlertid hvad hun huskede: Det første voldsomme jag af smerte dernede. En stribe sollys hen over tæppet. Hendes hæl der strejfede det hårde ben der lå ved siden af dem efter hurtigt at være blevet spændt af. Hendes hænder om hans albuer. Det omvendte mandolinformede modermærke under kravebenet der glødede rødt. Hans ansigt der svævede over hendes. Hans sorte lokker der dinglede ned og kildede hende på læberne, på hagen. Frygten for at de blev opdaget. Vantro over deres dristighed, modet. Den fremmedartede og ubeskrivelige nydelse iblandet smerte. Og udtrykket, de *mange* udtryk i Tariqs ansigt: ængstelse, anger, ømhed, forlegenhed, men mest af alt begær.

Bagefter fik de travlt. Skjorter blev hastigt knappet, håret redt med fingre, bælter spændt. De satte sig så ved siden af hinanden, lugtende af hinanden, med blussende kinder, begge to helt lammede, begge to helt overvældet af det enorme der netop var sket. Af det de havde gjort.

Laila så tre bloddråber på tæppet, *hendes* blod, og så for sit indre blik sine forældre sidde på denne sofa om lidt uden at vide noget om den synd hun havde begået. Og så kom skammen, og skyldfølelsen, og ovenpå tikkede uret videre, umuligt højt i Lailas ører. Som en dommers hammer der igen og igen knaldede ned i bordet og dømte hende.

Så sagde Tariq: „Tag med mig."

Et øjeblik troede Laila næsten at det kunne lade sig gøre. Hun, Tariq og hans forældre, der tog af sted sammen. Pakkede deres kufferter, satte sig op i en bus, lod volden bag sig, rejste af sted for at finde fred eller mere uro, men uanset hvad, så noget de samme ville kunne stå overfor. Den trøstesløse fremtid, den dræbende ensomhed, sådan behøvede det ikke at være.

Hun kunne tage med. De kunne tage af sted sammen.

De ville kunne have flere eftermiddage som denne.

„Jeg vil giftes med dig, Laila."

For første gang siden de havde rejst sig fra gulvet, så hun op og mødte hans blik. Hun kiggede undersøgende på ham. Der var ingen spøgefuldhed at spore i hans ansigt. Han så på hende med overbevisning, trofasthed og jernhård alvor i blikket.

„Tariq..."

„Sig ja til at gifte dig med mig, Laila. Vi kunne blive gift allerede i dag."

Han begyndte at tale hurtigt, nævnte at de kunne gå til moskeen, finde en mullah, et par vidner, et hurtigt nikka...

Men Laila tænkte på Mammy, så stædig og kompromisløs som nogen mujahedin, på luften der omgav hende, mættet med bitterhed og desperation, og hun tænkte på Babi som for længst havde opgivet kampen, som var en så bedrøvelig, patetisk modspiller for Mammy.

En gang imellem... føler jeg at du er alt hvad jeg har, Laila.

Dette var betingelserne i hendes liv, den frygtelige sandhed som hun ikke kunne flygte fra.

„Jeg vil anholde kaka Hakim om din hånd. Han vil give os sin velsignelse, Laila, det ved jeg."

Han havde ret. Babi ville sige ja. Men det ville knuse ham.

Tariq talte videre, først dæmpet, men så højere, så tryglende, overtalende, med håbet lysende i ansigtet og til sidst slagen.

„Jeg kan ikke," sagde Laila.

„Det må du ikke sige. Jeg elsker dig."

„Jeg er ked af det..."

„Jeg elsker dig."

Hvor længe havde hun ventet på at høre de ord fra hans mund? Hvor mange gange havde hun drømt om at høre dem? Her var de så, langt om længe, og ironien i det var ved at knuse hende.

„Det er min far jeg ikke kan rejse fra," sagde Laila. „Jeg er alt hvad han har tilbage. Hans hjerte ville heller ikke kunne holde til det."

Og Tariq vidste det jo godt. Han vidste at hun lige så lidt som han ville kunne feje forpligtelserne til side, men det blev ved længe endnu, hans tryglen og hendes nej, hans frieri og hendes undskyldninger, hans tårer og hendes.

Til sidst bad Laila ham om at gå.

Henne ved døren fik hun ham til at love at rejse uden at sige farvel. Hun lukkede døren for næsen af ham. Stillede sig op ad den, rystende mod hans hamrende næver, med en hånd knuget ind mod maven og den anden hen over munden, mens han talte gennem døren og igen og igen lovede at komme tilbage og hente hende. Hun stod der indtil han gav op, indtil der var stille igen når man så bort fra skudsalverne oppe i bakkerne og hendes eget hjerte der dundrede i hendes bryst, hendes øjne, hendes knogler.

26

Det var årets varmeste dag. Bjergene fangede dagens knoglesvitsende hede som i en gryde, og varmen lå som en kvælende dyne over byen. De havde ikke haft strøm i flere dage nu. Overalt i Kabul stod de elektriske vifter næsten spottende stille.

Laila lå på sofaen i stuen og svedte gennem blusen. Hvert eneste åndedrag brændte på næsetippen. Hun kunne høre sine forældre tale sammen inde på Mammys værelse. For to aftener siden, og igen i aftes, var hun vågnet og havde ment at kunne høre deres stemmer nedenunder. De talte sammen hver eneste dag nu, lige siden kuglen, lige siden det nye hul i porten.

Udenfor hørtes fjerne brag fra artilleriet efterfulgt af en lang skudsalve noget tættere på.

Også indvendigt i Laila rasede der en krig: skyldfølelse på den ene side med skamfølelsen som makker og på den anden side overbevisningen om at det hun og Tariq havde gjort, ikke var syndigt, at det havde været naturligt, rigtigt, smukt, ja ligefrem uundgåeligt med tanke på at de måske aldrig skulle se hinanden igen.

Laila lagde sig om på siden og forsøgte at huske noget: På et tidspunkt, mens de lå på gulvet, havde Tariq hvilet sin pande mod hendes. Derefter havde han gispet et eller andet, enten *Gør det ondt?* eller *Det gør ondt!*

Laila kunne ikke huske hvad han havde sagt.

Gør det ondt?

Det gør ondt!

Der var kun gået to uger siden han rejste, og det var allerede begyndt at ske. Tiden sleb alle skarpe kanter af ethvert minde. Laila gravede i sin hukommelse. Hvad havde han sagt? Pludselig var det afgørende vigtigt at hun vidste det.

Laila lukkede øjnene. Koncentrerede sig.

Med tiden ville hun langsomt køre træt i denne øvelse. Hun ville finde det stedse mere udmattende at genkalde sig det hele, at støve minder af, at genoplive det der længe havde været dødt og borte. Faktisk ville der komme en dag, mange år efter, hvor Laila ikke længere ville begræde tabet af ham. Eller i hvert fald ikke så vildt, ikke nær så vildt. Der ville komme en dag hvor detaljerne i hans ansigt begyndte at forsvinde ud af hendes hukommelse, hvor det ikke længere sendte hende ned i mørket at høre en mor kalde efter et barn ved navn Tariq. Hun ville ikke savne ham som hun savnede ham nu, hvor smerten over hans fravær var en uophørlig ledsager – som fantomsmerter efter en amputation.

Bortset fra at et eller andet stadig efter mange år, da Laila var blevet voksen og stod og strøg skjorter eller legede med sine børn eller noget andet trivielt, ville få mindet om den eftermiddag op til overfladen igen. Det kunne være varmen i et tæppe under hendes fødder en hed dag eller formen på en fremmed mands pande, og pludselig kunne det hele komme farende tilbage. Spontaniteten. Uforsigtigheden. Kejtetheden. Smerten i begyndelsen, så nydelsen, så sorgen. Varmen der strålede ud fra deres svedige kroppe.

Det ville skylle ind over hende, gøre hende helt åndeløs.

Men det ville gå over. Øjeblikket ville passere, men efterlade hende med en tom følelse indeni og en smule rastløs.

Hun besluttede at han havde sagt *Gør det ondt?* Ja. Det var det han havde sagt. Laila var glad over at være kommet i tanke om det.

Så hørte hun pludselig Babi oppe på gangen hvor han stod og kaldte på hende for enden af trappen.

„Hun er gået med til det!" sagde han med en stemme der skælvede af undertrykt ophidselse. „Vi tager herfra, Laila. Os alle tre. Vi rejser fra Kabul."

De sad alle tre på sengen inde i Mammys værelse. Udenfor hvinede raketter hen over himlen mens Hekmatyars fraktion og Masuds styrker kæmpede og kæmpede. Laila vidste at en eller anden et eller andet sted i byen netop var blevet dræbt, og at sort røg som et tæppe lå over en eller anden bygning der var faldet sammen i en støvsky. Der ville være døde mennesker at træde udenom næste morgen. Nogle af dem ville blive hentet. Andre ikke. Derefter ville Kabuls hunde – der havde fået smag for menneskekød – flokkes omkring et festmåltid.

Alligevel havde Laila lyst til at danse i gaderne. Hun kunne kun med nød og næppe undertrykke sin glæde. Det krævede store anstrengelser at sidde stille og ikke skrige af lykke. Babi sagde at de først ville tage til Pakistan og der ansøge om visum. Pakistan, der hvor Tariq var! Tariq havde kun været væk i sytten dage, regnede Laila ud. Hvis blot Mammy havde bestemt sig for sytten dage siden, ville de kunne være taget af sted sammen. Hun ville have været sammen med Tariq lige nu! Men lige meget. De skulle til Peshawar, hun, Mammy og Babi, og der ville de finde Tariq og hans forældre. Selvfølgelig ville de det. De ville få ordnet papirarbejdet sammen. Og så, tja? Europa? USA? Måske som Babi plejede at sige: et sted ved havet...

Mammy halvt lå, halvt sad op ad hovedgærdet. Hendes øjne var opsvulmede. Hun rev sig i håret.

For tre dage siden var Laila gået udenfor for at få lidt frisk luft. Hun havde stået henne foran porten, lænet op ad den, da hun hørte et højt smæld, og et eller andet var suset lige forbi hendes højre øre og havde sendt træsplinter i en byge forbi hendes øjne. Efter Gitis død og de tusindvis af skudsalver og myriader af raketter der var faldet over Kabul, havde det været synet af et enkelt rundt hul i porten, få centimeter fra det sted hvor Lailas hoved havde befundet sig, der havde rystet Mammy ud af hendes døs. Fået hende til at indse at en krig allerede havde kostet hende to børn, og at den der rasede nu, kunne komme til at koste hendes eneste tilbageværende barn livet.

Ahmad og Noor smilede ned til dem fra væggene i værelset. Laila så Mammys øjne næsten skyldbevidst springe fra det ene foto til det andet. Som om hun bad om deres tilladelse. Deres velsignelse. Som om hun bad dem om tilgivelse.

„Der er intet der holder os tilbage her," sagde Babi. „Vores sønner er borte, men vi har stadig Laila. Vi har stadig hinanden, Fariba. Vi kan skabe os et nyt liv."

Babi rakte ind over sengen. Da han bøjede sig ned for at tage Mammys hænder, lod hun ham gøre det. På hendes ansigt et bekræftende udtryk. Et resigneret udtryk. De holdt hinanden i hånden, ganske let, og de svajede stille frem og tilbage i en omfavnelse. Mammy gemte sit ansigt ved hans skulder. Hun knugede om hans skjorte.

Ophidselsen holdt Laila vågen i timevis den nat. Hun lå i sengen og så himlen lyse op i grelle orange og gule farver. På et tidspunkt faldt hun dog i søvn på trods af ophidselsen indeni og skudsalverne udenfor.

Og hun drømte.

De sidder på en smal strand, på et tæppe. Det er køligt, overskyet, men det er varmt ved siden af Tariq, under tæppet som ligger hen over deres skuldre. Under en række vindomsuste palmer holder biler parkeret bag et lavt gærde hvor den hvide maling er skallet af i flager. Blæsten får hendes øjne til at løbe i vand, begraver deres sko i sand og sender vissen marehalm fra den ene runde klit til den næste. De ser sejlbåde hoppe på vandet langt borte. Oppe på himlen suser skrigende havmåger rundt i den kolde blæst. Vinden pisker en ny sandbyge op ad de lave skråninger. Så er der en lyd, en slags messen, og hun fortæller ham noget som Babi fortalte hende for år tilbage, om det syngende sand.

Han lader en finger glide hen over hendes øjenbryn for at tørre sandet væk. Hun får et glimt af ringen på hans finger. Den er mage til hendes, af guld med et labyrintisk mønster hele vejen rundt.

Det er sandt, siger hun til ham. *Det er friktionen, sandkorn mod sandkorn. Lyt.* Han lytter. Han rynker brynene. De venter. De hører det igen. En stønnende lyd når blæsten ikke er så stærk, og når den er det, et miavende højt kor.

Babi sagde at de kun skulle tage det allermest nødvendige med og sælge resten.

„Det skulle være nok til at vi kan klare os i Peshawar indtil jeg har fundet et arbejde."

I de næste to dage samlede de de ting sammen der skulle sælges. De lagde dem i store bunker.

Laila sad i sit værelse ved siden af gamle bluser, gamle sko, legetøj. Da hun kiggede under sengen, fandt hun den lille gule glassko som Hasina havde givet hende i et frikvarter i femte klasse. En mini-fodbold i en nøglering der var en gave fra Giti. En lille træzebra på hjul. En keramikastronaut som hun og Tariq havde fundet i rendestenen en dag. Hun havde været seks år og han otte. De havde haft et mindre skænderi om hvem af dem der havde set den først, huskede Laila.

Også Mammy samlede ting sammen. Hendes bevægelser var tøvende, og der var et sløvt, fjernt udtryk i hendes øjne. Hun sorterede de fine tallerkener fra og alle servietter, alle hendes smykker – undtagen vielsesringen – og det meste af hendes gamle tøj.

„De vil vel ikke sælge den her?" sagde Laila og løftede Mammys brudekjole op fra sengen. Den faldt i kaskader hen over hendes skød. Hun lod hånden glide hen over kniplingerne og båndet i halsudskæringen og videre ned til sandperlerne på ærmerne som var blevet syet på i hånden.

Mammy trak på skuldrene og tog kjolen. Hun kastede den brysk hen på en stak tøj. Som at rive et plaster af med ét hurtigt ryk, tænkte Laila.

Men det var Babi der havde den sværeste opgave.

Laila stødte på ham inde på hans arbejdsværelse hvor han med et trist udtryk stod og tog et overblik over reolerne. Han var iført en slidt T-shirt med et billede af San Franciscos røde bro på brystet. Tæt tåge rejste sig fra de skumtoppede bølger og indhyllede bropillerne.

„Kender du verdens vanskeligste spørgsmål?" sagde han. „Du er på en øde ø. Du må have fem bøger med. Hvilke fem vælger du? Jeg havde aldrig troet at jeg skulle gøre det."

„Vi begynder bare på en ny bogsamling, Babi."

„Mmm." Han smilede bedrøvet. „Jeg har svært ved at fatte at jeg skal til at rejse fra Kabul. Jeg gik på universitetet her, fik mit første job her, blev far i denne by. Det er underligt at tænke sig at jeg snart skal sove under en anden bys himmel."

„Jeg synes også det er mærkeligt."

„Der er et digt om Kabul der har rumlet rundt i mit hoved hele dagen. Det er Saib-e Tabrizi der har skrevet det. Engang i det syttende århundrede, tror jeg. Der var engang hvor jeg kunne hele digtet udenad, men nu kan jeg kun huske to linjer:

Fjern er den måne der flimrer koldt på Kabuls tage,
mens tusind strålende sole skjuler sig bag mure."

Laila så op og opdagede at han græd. Hun lagde armen om livet på ham. „Åh Babi, vi kommer tilbage. Når krigen er forbi. Vi kommer tilbage til Kabul, inshallah. Bare vent og se."

På tredjedagen begyndte Laila at bære ting ud i gården og lægge dem ved porten. De ville tilkalde en taxa og køre det hele til en pantelåner.

Hun gik i fast rutefart mellem huset og gården, frem og tilbage, med bundter af tøj, stakkevis af service og kasse efter kasse fyldt med Babis bøger. Hun burde have været udmattet ved middagstid da bunkerne med ting henne ved porten nåede hende til livet, men for hver tur vidste hun at hun nu var tættere på det tidspunkt hvor hun ville få Tariq at se igen, og for hver tur blev hendes gang mere livlig, og armene mindre trætte.

„Vi får brug for en stor taxa."

Laila så op. Det var Mammy der råbte ned til hende fra soveværelset ovenpå. Hun lænede sig ud ad vinduet med albuerne på karmen. Solen strålede fra en skyfri himmel og fik hendes grånende hår til at skinne og oplyste hendes fortrukne, indsunkne ansigt. Mammy havde den samme koboltblå kjole på som den dag for få måneder siden da hun havde inviteret til frokost, en ungdommelig kjole beregnet til en ung kvinde, men Mammy så i dette øjeblik gammel ud i Lailas øjne. En gammel kone med senede arme, indsunkne tindinger og mørke, udmattede rande under et par sløve øjne. Faktisk så fjernt fra den buttede kvinde med det runde ansigt der med strålende øjne kiggede ud fra de grynede bryllupsbilleder.

„To store taxaer," sagde Laila.

Hun kunne også se Babi der var ved at stable bogkasser oven på hinanden inde i stuen.

„Kom ind når du er færdig med det der," sagde Mammy. „Det er snart frokosttid. Hårdkogte æg og bønner fra i går."

„Herligt," sagde Laila.

Hun kom pludselig til at tænke på sin drøm. Hun og Tariq på et tæppe. Ude ved havet. Vinden. Sandet.

Hvordan var det nu det lød når sandet sang? tænkte hun.

Laila stod stille. Hun så et gråt firben kravle op af en sprække i jorden. Dets hoved gik fra side til side. Det blinkede. Og forsvandt så ind under en sten.

Laila så igen stranden for sig. Bortset fra at den syngende lyd nu var overalt omkring hende. Den voksede i styrke. Blev højere og højere, højere og højere. Oversvømmede hendes ører. Udelukkede alle andre lyde. Mågerne var nu kun fjerede dyr der stumt åbnede og lukkede næbene, og bølgerne brød med skum og sprøjt, men uden lyd. Sandet sang videre. Skreg nu. En... ringelyd?

Nej, ikke en ringelyd. En høj fløjtelyd.

Laila tabte bøgerne på jorden. Hun kiggede op i himlen. Skyggede for øjnene med den ene hånd.

Så et gigantisk brøl.

Bag hende et skærende hvidt lys.

Jorden under hendes fødder krængede.

Et eller andet hedt og hårdt hamrede ind i hende bagfra. Det slog hende ud af hendes sandaler. Løftede hende op. Og nu fløj hun roterende gennem luften, så himlen, så jorden, så himlen, så jorden. Et stort brændende stykke træ hvirvlede forbi. Det samme gjorde tusindvis af glasskår, og det forekom Laila at hun kunne se hvert enkelt skår der fløj om ørerne på hende og i slowmotion drejede rundt i luften. Hun så solen glimte i dem alle. De små smukke regnbuer der skinnede i dem.

Så ramte Laila muren. Faldt ned på jorden med et brag. Det regnede med jord og snavs og glas og småsten ned over hendes ansigt og arme. Det sidste hun så, var et eller andet der hamrede ned på jorden lige i nærheden. Et blodigt et eller andet. På det det øverste af en rød bro der stak op gennem tæt tåge.

Silhuetter bevæger sig rundt. Et lysstofrør skinner fra loftet. En kvindes ansigt kommer til syne, svæver over hendes.

Laila forsvinder ned i mørket igen.

Et nyt ansigt. Denne gang en mand. Ansigtstrækkene virker brede og slappe. Hans læber bevæger sig, men siger ingenting. Det eneste Laila kan høre, er en kimen.

Manden vifter med en hånd foran hendes øjne. Rynker brynene. Hans læber bevæger sig igen.

Det gør ondt. Det gør ondt at trække vejret. Det gør ondt alle vegne.

Et glas vand. En lyserød pille.

Tilbage til mørket.

Kvinden igen. Langt ansigt, tætsiddende øjne. Hun siger noget. Laila kan ikke høre andet end kimelyden. Men hun kan se ordene, som tyk, sort sirup glider de ud af kvindens mund.

Hun har smerter i brystet. Arme og ben svier.

Hele vejen rundt om hende bevæger skygger sig omkring.

Hvor er Tariq?

Hvorfor er han her ikke?

Mørke. En masse stjerner.

Babi og hun sidder sammen højt oppe et sted. Han peger ned på en hvedemark. Der kommer liv i en generator.

Kvinden med det lange ansigt står bøjet over hende og ser ned.

Det gør ondt at trække vejret.

Et eller andet sted spiller en harmonika.

Barmhjertigt, den lyserøde pille igen. Så dyb stilhed. En dyb stilhed der lægger sig over alting.

Tredje del

27

Mariam

„Ved du hvem jeg er?"

Pigens øjne så opskræmt på Mariam.

„Forstår du hvad der er sket?"

Pigens mund skælvede. Hun lukkede øjnene. Sank besværligt. Den ene hånd strejfede den venstre kind. Hun formede nogle ord med læberne.

Mariam bøjede sig længere ned.

„Det øre her," hviskede pigen. „Jeg kan ikke høre på det."

Den første uge gjorde pigen ikke meget andet end at sove, hjulpet af de lyserøde piller som Rashid havde købt på hospitalet. Hun talte i søvne. En gang imellem volapyk, råbte højt, kaldte på folk hvis navne Mariam ikke kendte. Hun græd i søvne, blev ophidset, sparkede tæpperne af sig, og så var Mariam nødt til at holde hende nede. En gang imellem kastede hun voldsomt op. Først den mad Mariam havde givet hende, og derefter kun galde.

Når pigen ikke var urolig, var hun et par tvære øjne der stirrede op fra kanten af tæppet, og en mund der besvarede Mariam og Rashids spørgsmål med et minimum af ord. En gang imellem opførte hun sig som et barn og kastede hovedet fra side til side når først Mariam og derefter Rashid forsøgte at give hende lidt mad. Hun blev helt stiv i kroppen når Mariam nærmede sig med en ske. Men hun blev hurtigt træt og endte med at underkaste sig deres evindelige plagen. Efter overgivelsen fulgte lange grådanfald.

Rashid og Mariam smurte sårsalve på skrammerne i pigens ansigt og på hendes hals, og på sårene på skulderen og ned ad arme og ben som man havde måttet sy. Mariam lagde forbindinger på som hun vaskede og genbrugte. Hun holdt pigens hår væk fra hendes ansigt når hun skulle kaste op.

„Hvor længe skal hun blive her?" spurgte hun Rashid.

„Indtil hun har det bedre. Så se dog på hende! Hun vil ikke kunne klare sig alene. Stakkels tøs."

Det var Rashid der fandt pigen, ham der gravede hende ud af ruinerne.

„Det var heldigt jeg var hjemme," sagde han til pigen. Han sad på en klapstol ved siden af Mariams seng som pigen lå i. „Heldigt for dig, mener jeg. Jeg gravede dig ud med de bare næver. Der var et stykke metal så stort..." Her skilte han tommel- og pegefinger for at vise hende det – mindst det dobbelte af hvor stort det egentlig havde været, var Mariams vurdering. „Det stak ud af din ene skulder. Havde boret sig godt og grundigt ned i den. Jeg troede at jeg ville blive nødt til at tage det med en tang. Men du skal nok komme på benene igen. Bare vent, inden du ser dig om, vil du være fuldstændig *nau socha* igen."

Det var Rashid der havde bjærget en håndfuld af Hakims bøger.

„De fleste var brændt til aske. Og resten blev desværre snuppet af andre."

Den første uge hjalp han Mariam med at våge over pigen. En dag kom han hjem fra arbejde med et nyt tæppe og en pude. En anden dag med et glas piller.

„Vitaminer," sagde han.

Det var Rashid der fortalte Laila at der var flyttet nye folk ind i hendes ven Tariqs hjem.

„En gave," sagde han. „Fra en af Sayyafs generaler til tre af hans mænd. En gave! Ha!"

De tre *mænd* var egentlig drenge med solbrændte, ungdommelige ansigter. Mariam så dem når hun gik forbi huset hvor de ofte sad – altid iført arbejdsuniform og med deres Kalashnikover ved siden af sig op ad muren – og spillede kort og røg cigaretter. Den kraftigste af dem, ham med det hovne, selvtilfredse udtryk, var anføreren. Den yngste var også den mest stilfærdige, den som tilsyneladende kun tøvende delte sine kammeraters tro på at alt var tilladt. Han var begyndt at smile og nikke et salaam når Mariam gik forbi. Når han gjorde det, faldt noget af selvtilfredsheden væk fra hans ansigt, og Mariam fik et glimt af noget i hans karakter der endnu ikke var fordærvet.

Så en morgen blev huset ramt af raketter. Et senere rygte sagde at det var hazarer fra Wahdat der havde affyret dem. Et stykke tid derefter blev naboerne ved med at finde småstumper af drengene.

„De fik som fortjent," sagde Rashid.

Pigen havde været usædvanlig heldig at slippe fra eksplosionen med forholdsvis små skader, tænkte Mariam. Især i betragtning af at raketten havde forvandlet hendes hjem til en rygende ruinhob. Og langsomt fik hun det så bedre. Hun begyndte at spise lidt mere, at rede sit eget hår. Hun tog bad alene. Hun begyndte at indtage måltiderne nedenunder sammen med Mariam og Rashid.

Men så pludselig kunne et minde stige op til overfladen, ubudt, og der fulgte forstenet tavshed eller uforskammede svar. Sammenbrud eller indesluttethed. Gusten teint. Mareridt og pludselige grådanfald. Opkastninger.

Og en gang imellem fortrydelse.

„Jeg burde slet ikke være i live," sagde hun en dag.

Mariam var ved at skifte sengetøj. Pigen så til nede fra gulvet hvor hun sad med knæene trukket helt op til brystet.

„Min far havde sagt at han ville bære kasserne ud. Dem med bøger. Han sagde at de var for tunge for mig. Men jeg ville ikke lade ham gøre det. Jeg var så ivrig. Jeg burde have været den der var inde i huset da det skete."

Mariam slog et rent lagen ud og lod det dale ned på sengen. Hun kiggede hen på pigen, på hendes lyse krøller, hendes slanke hals og grønne øjne, hendes høje kindben og fyldige mund. Mariam kunne huske at have set hende ude på gaden da hun var lille, en dag var hun stavret efter sin mor til tandooren, en anden gang havde hun siddet på skuldrene af en af sine brødre, den yngste af dem, ham med en tot hår på øreflippen. Hun havde set hende lege med marmorkugler sammen med tømrerens søn.

Pigen kiggede tilbage som om hun ventede på at Mariam skulle komme med et visdomsord, sige noget opmuntrende. Men hvad kunne Mariam sige af kloge eller opmuntrende ord? Hun kunne huske den dag de havde begravet Nana, og hvor ringe en trøst det havde været at høre mullah Faizullah citere Koranen for hende. *Velsignet er Han i hvis hænder riget ligger, Han som skabte døden og livet for at sætte dig på prøve.* Eller det han havde sagt om hendes skyldfølelse. *Den slags tanker er ikke gode, Mariam jo. De vil ødelægge dig. Det var ikke din skyld.*

Hvad kunne hun sige til denne pige, som ville løfte byrden væk fra hendes skuldre?

Det viste sig at Mariam ikke behøvede at sige noget som helst, for pigens ansigt blev fordrejet, og pludselig befandt hun sig på hænder og fødder igen og sagde at hun skulle kaste op.

„Vent! Forsøg at holde det indenbords. Jeg henter et fad. Ikke på gulvet, jeg har lige vasket det... Åh, åh, *khodaya*."

Så en dag, en måneds tid efter raketnedslaget der havde dræbt pigens forældre, bankede en mand på døren. Mariam åbnede den, og han fortalte om sit ærinde.

„Der en mand der vil tale med dig," sagde Mariam.

Pigen løftede hovedet fra puden.

„Han siger at han hedder Abdul Sharif."

„Jeg kender ingen Abdul Sharif."

„Nå, men han spørger efter dig. Du er nødt til at komme ned og tale med ham."

28

Laila sad over for Abdul Sharif som var en tynd mand med et lille hoved og en opsvulmet næse der var arret med de samme kratere der var spredt ud over hans kinder. Hans hår var kortklippet og brunt og stod lige op fra issen som nåle i en nålepude.

„Tilgiv mig, hamshira," sagde han og rettede på den åbne skjortekrave og duppede sig på panden med et lommetørklæde. „Jeg er bange for at jeg endnu ikke helt er kommet til hægterne. Fem dage mere med de her, hvad er det de hedder... sulfapiller."

Laila satte sig på stolen sådan at hendes højre øre, det gode øre, var nærmest ham. „Kendte De mine forældre?"

„Nej, nej," skyndte Abdul Sharif sig at sige. „Tilgiv mig." Han tog et glas vand med strittende lillefinger og drak længe.

„Det er nok bedst at begynde med begyndelsen," sagde han og duppede læberne og så panden igen. „Jeg er forretningsmand. Jeg ejer en tøjbutik, primært med herrebeklædning. Chapaner, hatte, *tumban*'er, jakkesæt, slips, den slags. To butikker her i Kabul, en i Taimani og en i Shahr-i Naw, men dem har jeg nu netop solgt. Og to i Pakistan, i Peshawar. Det er også der jeg har mit lager. Så jeg rejser meget, frem og tilbage. Hvilket nu om dage..." Han rystede på hovedet og lo træt, „lad os bare sig at det er voveligt.

Jeg var i Peshawar for ikke så længe siden, i forretningsøjemed, for at optage ordrer, lave status, den slags ting. Og for at besøge min familie. Vi har tre døtre, *alhamdulellah*. Jeg flyttede dem og min hustru til Peshawar da mujahedinerne gik i struben på hinanden. Jeg vil ikke have deres navne føjet på shaheed-listen. Heller ikke mit eget, hvis jeg skal være ærlig. Om kort tid vil jeg kunne være hos dem hele tiden, inshallah.

Nå, men det var meningen at jeg skulle være tilbage i Kabul onsdag i sidste uge. Uheldigvis blev jeg syg. Jeg vil ikke besvære Dem med detaljerne, hamshira, blot sige at når jeg skulle det som alle mennesker skal, det nemmeste af de to ting, føltes det som blev jeg gennemboret af glasskår. Jeg ville ikke ønske det for min værste fjende, ikke engang Hekmatyar. Min hustru, Nadia jan, Allah velsigne hende, hun tryglede mig om at gå til læge. Men jeg tænkte at jeg kunne klare det med aspirin og masser af vand. Nadia jan insisterede, og jeg sagde nej, frem og tilbage gik snakken. De kender måske udtrykket om at et stædigt æsel har brug for en stædig kusk. Denne gang er jeg bange for at æslet vandt. Det var mig der var æslet."

Han tømte glasset og rakte det over mod Mariam. „Hvis det ikke er for megen *zahmat*."

Mariam tog glasset og gik ud for at fylde det.

„Det siger sig selv at jeg burde have lyttet til hende. Hun har altid været fornuftigere end mig, må Gud give hende et langt liv. Da jeg langt om længe blev indlagt, brændte jeg af feber og rystede som et *beid*-træ i vinden. Jeg kunne knap nok stå på benene. Lægen sagde at jeg havde blodforgiftning. Hun sagde at to eller tre dage mere, og jeg ville have gjort min hustru til enke.

De indlagde mig på en afdeling som vistnok var reserveret

til meget syge mennesker. Åh, *tashakor*." Han tog imod glasset som Mariam rakte ham, og fiskede en stor hvid pille op af lommen. „De er altså meget store, de her tingester."

Laila så ham sluge pillen. Hun var klar over at hun var begyndt at trække vejret hurtigt og overfladisk. Hendes ben føltes tunge, som om de blev holdt nede af blylod. Hun sagde til sig selv at han ikke var færdig, at han ikke havde fortalt hende noget af betydning endnu. Men om et øjeblik ville han fortsætte, og hun måtte tvinge sig til ikke at rejse sig og gå, gå før han fortalte hende de ting hun ikke ønskede at høre.

Abdul Sharif satte glasset på bordet.

„Der var der jeg mødte Deres ven, Mohammad Tariq Walizai."

Lailas hjerte buldrede af sted. Tariq på hospitalet. På en særlig afdeling. *For meget syge mennesker.*

Hun sank tørt spyt. Flyttede sig i stolen. Hun var nødt til at stålsætte sig. Hvis hun ikke tog sig sammen, risikerede hun at bryde sammen. Hun drejede tankerne væk fra hospitaler og særlige afdelinger og tænkte i stedet på at hun ikke havde hørt Tariq kaldt ved hans fulde navn siden engang for år tilbage da de begge havde fulgt et kursus i farsi. Der havde været navneopråb når klokken ringede, og læreren havde sagt hans navn på samme måde. Mohammad Tariq Walizai. Det havde forekommet hende komisk højtideligt dengang at høre hans fulde navn blive råbt op.

„Det var en sygeplejerske der fortalte mig hvad der var hændt ham," fortsatte Abdul Sharif og bankede sig på brystet for at lette pillens vej ned gennem spiserøret. „På grund af al den tid jeg har tilbragt i Peshawar, er jeg blevet ret god til urdu. Nå, men jeg kunne forstå at Deres ven havde befundet sig i en lastbil sammen med mange andre flygtninge, i alt treogtyve, på vej til Peshawar. Tæt på grænsen blev de fanget i krydsild. En raket ramte lastbilen. Formentlig en vildfaren raket, men man ved aldrig med den slags mennesker, man ved aldrig. Kun seks af de treogtyve overlevede, og de blev alle indlagt på den samme afdeling. Tre af dem døde inden for fireogtyve timer. To overlevede, søstre så vidt jeg kunne forstå, og var blevet udskrevet. Deres ven, Mohammad Tariq Walizai, var den sjette overlevende. Han havde ligget der i næsten tre uger på det tidspunkt da jeg blev indlagt."

Han var altså i live. Men hvor slemt var han kommet til skade, tænkte Laila hektisk. Hvor slemt? Øjensynlig slemt nok til at han lå på en særlig afdeling. Laila kunne mærke at hun var begyndt at svede, at hun brændte i ansigtet. Hun forsøgte at tænke på noget andet, noget rart, som for eksempel udflugten til Bamiyan for at se buddhaerne sammen med Tariq og Babi. Men i stedet for så hun billedet af Tariqs forældre for sit indre blik: Tariqs mor fanget inde i lastbilen, den væltede lastbil, mens hun skreg på Tariq gennem røgen, og der var gået ild i hendes arme og overkrop, parykken var begyndt at smelte ned i hendes isse...

Laila måtte trække vejret hurtigt flere gange efter hinanden.

„Han lå i sengen ved siden af min. Der var ingen væg imellem os, kun et forhæng. Så jeg havde for det meste frit udsyn til ham."

Abdul Sharif fandt det pludselig nødvendigt at sidde og dreje på sin vielsesring. Han begyndte at tale langsommere nu.

„Deres ven, han var kommet meget slemt til skade, forstår De. Der stak slanger ud af ham overalt på kroppen. I begyndelsen..." Han rømmede sig. „I begyndelsen troede jeg at han havde mistet begge ben i angrebet, men sygeplejersken sagde nej, kun det venstre, det højre var en gammel skade. Der var også indre kvæstelser. De havde allerede opereret tre gange. Taget et stykke af tarmen, det andet husker jeg ikke. Og han var blevet forbrændt. Ret slemt. Mere vil jeg ikke sige om den ting. Jeg er overbevist om at De har tilstrækkeligt med mareridt, hamshira. Der er ingen grund til at give Dem flere."

Tariq havde altså ingen ben længere. Han var en torso med to stumper. *Ingen ben.* Lailas hjerte snørede sig sammen af medlidenhed. Hun tænkte at lige om et øjeblik besvimede hun. Med velovervejet, desperat viljekraft sendte hun tråde fra sin bevidsthed ud af dette rum, ud gennem vinduet, væk fra denne mand, over gaden udenfor, over byen nu og dens huse med de flade tage og basarerne og de labyrintiske, snævre gader med huse der nu var blevet forvandlet til sandslotte.

„Det meste af tiden befandt han sig i en medicindøs. På grund af smerterne, forstår De. Men der var øjeblikke hvor pillerne var ved at miste deres virkning, og han var klar i hovedet. Med mange smerter, men klar i hovedet. Jeg talte til ham henne fra min seng. Jeg fortalte ham hvem jeg var, hvor jeg kom fra. Jeg tror han var glad over at høre at der lå en hamwatan ved siden af ham.

Det var mest mig der snakkede. Han havde svært ved det. Hans stemme var hæs, og jeg tror det gjorde ondt når han bevægede læberne. Så jeg fortalte ham om mine døtre og om vores hus i Peshawar og om verandaen som min svoger og jeg var i færd med at bygge på bagsiden af huset. Jeg fortalte ham at jeg havde solgt mine butikker i Kabul, og at jeg kun lige skulle tilbage en enkelt gang for at klare det sidste papirarbejde. Det var ikke meget, men det holdt hans tanker beskæftiget. Det tror jeg i det mindste at det gjorde.

En gang imellem talte han også. Halvdelen af tiden kunne jeg ikke forstå hvad han sagde, men noget af det opfattede jeg dog. Han fortalte hvor han havde boet. Han talte om sin onkel i Ghazni. Om sin mors mad og sin fars tømmerarbejde, om at han havde spillet harmonika.

Men det meste af tiden talte han om Dem, hamshira. Han sagde at De var… Hvordan var det nu han udtrykte det? … hans tidligste minde? Ja, det var hvad han sagde. Jeg kunne mærke at han holdt meget af Dem. *Balay*, det var helt tydeligt at se. Men han sagde at han var glad for at De ikke var hos ham. Han sagde at han ikke ønskede at De skulle se ham som han var nu."

Lailas fødder forekom igen tunge, som om de var forankret til gulvet, som om alt blodet i hendes krop havde samlet sig dernede. Men hendes tanker var langt væk, fløj frit og hurtigt, susede som et missil langt forbi Kabul, over ujævne, brune bakker og ørkener med spredte salviebuske, forbi kløfter med forrevne røde klipper og over snetoppede bjerge...

„Da jeg fortalte ham at jeg skulle tilbage til Kabul, bad han mig om at opsøge Dem. For at fortælle Dem at han tænkte på Dem. At han savnede Dem. Jeg lovede at gøre det. Jeg kunne godt lide ham, forstår De. Han var et anstændigt menneske, kunne jeg mærke."

Abdul Sharif tørrede sig igen over panden med lommetørklædet.

„Jeg vågnede midt om natten," fortsatte han med fornyet interesse for vielsesringen. „Jeg tror i det mindste at det var nat, det kan være svært at afgøre på den slags steder. Der er ingen vinduer. Solopgang, solnedgang, man aner det simpelthen ikke. Men jeg vågnede, og jeg kunne høre at der var et postyr rundt om sengen ved siden af min. De må forstå at jeg også selv fik masser af medicin, jeg var skiftevis omtåget og klar i hovedet, en gang imellem var det svært at vide hvad der var virkeligt, og hvad jeg havde drømt. Det eneste jeg kan huske, er at lægerne stod rundt om sengen og bad om det ene og det andet, alarmer bippede, der lå kanyler på gulvet.

Om morgenen var sengen tom. Jeg spurgte en sygeplejerske. Hun sagde at han havde kæmpet som en løve."

Laila kunne svagt mærke at hun nikkede. Hun havde godt vidst det. Selvfølgelig havde hun vidst det. Hun havde vidst det i samme øjeblik hun satte sig over for denne mand, vidst hvorfor han var kommet, vidst hvilket budskab han kom med.

„I begyndelsen, forstår De, i begyndelsen troede jeg ikke en gang på at De fandtes," sagde han nu. „Jeg troede at det var morfinen der havde talt. Måske *håbede* jeg ligefrem på at De ikke fandtes. Jeg har altid frygtet at overbringe dårligt nyt. Men jeg havde jo lovet ham det. Og som sagt kunne jeg godt lide ham. Så da jeg kom tilbage for et par dage siden, spurgte jeg rundtomkring og talte med naboerne. De pegede på huset her. De fortalte mig også det om Deres forældre. Da jeg hørte det, tja, så drejede jeg om på hælen og gik igen. Jeg ville ikke fortælle Dem det her. Jeg besluttede at det ville være for meget for Dem. For hvem som helst."

Abdul Sharif rakte over bordet og lagde en hånd på hendes knæ. „Men jeg vendte om igen. For til sidst kom jeg frem til at han ville have ønsket at De vidste besked. Det tror jeg på. Jeg er meget ked af det. Jeg ville ønske..."

Laila var holdt op med at høre efter. Hun tænkte på den dag manden fra Panjshir var kommet for at fortælle om Ahmad og Noor. Hun tænkte på Babi der hvid i ansigtet var sunket sammen på sofaen, og på Mammy og hånden der var fløjet op til munden da hun hørte at de var døde. Laila havde set Mammy gå i stykker den dag, og det havde skræmt hende, men hun havde ikke selv følt nogen sorg. Hun havde ikke forstået det forfærdelige i moderens tab. Nu havde endnu en fremmed mand bragt bud om død. Nu var det *hende* der sad på stolen. Var det da en bod, hendes straf for at have været så ufølende over for sin mors sorg?

Laila kunne huske hvordan Mammy var faldet om på gulvet, hvordan hun havde skreget og revet hår ud af hovedet. Men Laila selv kunne ikke gøre den slags. Hun kunne knap nok bevæge sig. Det var som om hun var blevet lam.

I stedet for sad hun på stolen med hænderne slapt i skødet og øjne der stirrede ud på ingenting, og lod tankerne flyve. Hun lod dem flyve indtil de fandt et sted, et rart og trygt sted hvor bygmarkerne var grønne, hvor vandet rislede i bække og tusindvis af frø fra balsampoplerne dansede i luften; hvor Babi sad og læste en bog under et akacietræ, og Tariq tog sig en lur med hænderne foldet på brystet, og hvor hun kunne dyppe tæerne i bækken og drømme rare drømme mens gamle solblegede stenguder vågede over hende.

29

Mariam

„Det gør mig ondt," sagde Rashid til pigen og tog tallerkenen med mastawa og kødboller fra Mariam uden at kigge på hende. „Jeg ved at I var nære... *venner*... I to. Altid sammen, lige siden I begge var børn. Det er forfærdeligt, det der sker. Alt for mange unge afghanske mænd der dør."

Han slog utålmodigt ud med en hånd – uden at tage blikket fra pigen – og Mariam rakte ham en serviet.

I årevis havde Mariam set til mens han spiste, kværnende muskler i tindingen, en hånd der rullede ris sammen til en kugle, bagsiden af en anden der tørrede fedtstof og vildfarne risengryn ud af mundvigene. I årevis havde han spist uden at se op, uden at sige noget, fordømmende tavshed, som om der blev afsagt en dom, nu og da et anklagende grynt, et misbilligende klik med tungen, en enstavelsesordre på mere brød, mere vand.

Nu spiste han med ske. Brugte serviet. Sagde *lotfan* når han bad om vand. Og talte. Uophørligt og livligt.

„Hvis du spørger mig, var Hekmatyar den forkerte mand at bevæbne. Alt det isenkram som CIA overøste ham med i firserne så han kunne kæmpe mod russerne. Russerne er væk nu, men han har stadig isenkrammet, og nu bruger han det mod uskyldige mennesker som dine forældre. Og han kalder det for jihad. Hvilken farce! Hvad har jihad med mordet på kvinder og børn at gøre? Det havde været bedre hvis amerikanerne havde bevæbnet general Masud."

Mariams øjenbryn røg op i panden uden at hun havde villet det. *General* Masud? Oppe i sit hoved kunne hun høre Rashids rasende udfald mod Masud, om at han var en forræder og en kommunist. Men selvfølgelig, Masud var tadsjik. Ligesom Laila.

„Se *det* er en fornuftig mand. En retskaffen afghaner. En mand der virkelig arbejder for en fredelig løsning."

Rashid trak på skuldrene og sukkede.

„Men det giver de pokker i, amerikanerne. Hvad bryder de sig om at pashtuner og hazarer og tadsjiker og usbekere slår hinanden ihjel? Hvor mange amerikanere kan overhovedet kende forskel på dem? Vi skal ikke regne med hjælp fra dem, det er min mening. Nu hvor Sovjetunionen er brudt sammen, har de ikke længere brug for os. Vi har udtjent vores rolle. I deres øjne er Afghanistan et lorte-*kenarab*. Ja, undskyld, men det er altså sandt. Eller hvad mener du, Laila jan?"

Pigen mumlede et eller andet uforståeligt og skubbede en kødbolle rundt på tallerkenen.

Rashid nikkede eftertænksomt som om det hun havde sagt, var det klogeste han nogensinde havde hørt. Mariam var nødt til at kigge væk.

„Vidste du at din far, må Gud give ham fred, at din far og jeg plejede at diskutere disse ting? Det var selvfølgelig før du blev født. Vi kunne tale om politik i det uendelige. Og om bøger. Er det ikke rigtigt, Mariam. Husker du det?"

Mariam fik travlt med at drikke lidt vand.

„Nå, men jeg håber ikke jeg keder dig med al min snak om politik."

Senere, da Mariam stod ude i køkkenet og skyllede tallerkener, knugede hendes mave sig sammen til en hård bold.

Det var ikke så meget *det* han sagde, de vulgære løgne, den falske medfølelse, ja ikke engang den kendsgerning at han ikke havde slået hende, Mariam, en eneste gang efter at han havde gravet pigen ud af ruinen.

Det var den *iscenesatte* tale. Som en teaterforestilling. Et både ynkeligt og snedigt forsøg på at gøre indtryk. På at charmere.

Og pludselig indså Mariam at hendes mistanke var rigtig nok. Hun forstod med en rædsel der var som et bedøvende slag på siden af hovedet, at det hun var vidne til, var intet mindre end kurmageri.

Da Mariam langt om længe havde samlet mod til sig, gik hun ind på hans værelse.

Rashid tændte en cigaret og sagde: „Ja, hvorfor ikke?"

Mariam vidste i det øjeblik at slaget var tabt på forhånd. Hun havde halvt ventet, halvt håbet at han ville benægte alt, foregive forbløffelse, måske ligefrem krænkelse over det hun antydede. Måske ville hun så stadig have haft en chance. Måske ville det være lykkedes at gøre ham skamfuld. Men den rolige bekræftelse, den tørre konstatering, var som et stød i maven.

„Sæt dig ned," sagde han. Han lå på sengen med ryggen til væggen og spredte tykke ben. „Sæt dig ned før du besvimer og slår hul i hovedet."

Mariam faldt viljeløst ned på klapstolen ved siden af hans seng.

„Ræk mig askebægeret," sagde han.

Hun rakte ham det lydigt.

Rashid måtte være tres eller mere nu skønt Mariam ikke – og faktisk heller ikke Rashid selv – vidste præcis hvor gammel han var. Hans hår var blevet hvidt, men det var stadig kraftigt. Han havde poser under øjnene, og huden på hans hals var blevet slap, rynket og læderagtig. Kinderne hang lidt mere end de gjorde for få år siden. Om morgenen var han en smule ludende. Men han havde stadig de brede skuldre, den kraftige brystkasse, de stærke hænder, den store mave der trådte ind i et rum før resten af hans krop.

I det store og hele havde han modstået tidens tand bedre end hende, tænkte Mariam.

„Vi er nødt til at legitimere situationen," sagde han nu efter at have placeret askebægeret på maven. Hans læber truttede spøgefuldt. „Folk begynder at snakke. Det er vanærende at have en ung ugift kvinde boende hos os. Det er dårligt for mit rygte. Og hendes. Og dit, skulle jeg måske tilføje."

„Atten år," sagde Mariam, „og jeg har aldrig bedt dig om noget. Ikke en eneste ting. Jeg beder dig nu."

Han sugede røg ned i lungerne og pustede den langsomt ud. „Hun kan ikke bare blive *boende* her, hvis det er det du mener. Jeg kan ikke blive ved med at give hende mad og tøj og et sted at sove. Jeg er ikke Røde Kors, Mariam."

„Men det der?"

„Hvad er der i vejen med det? Hvad præcis? Synes du hun er for ung? Hun er fjorten. Ikke længere et barn. Du var femten, husker du måske? Min mor var fjorten da hun fik mig. Tretten da hun blev gift."

„Jeg… jeg vil ikke have det," sagde Mariam, følelsesløs af foragt og hjælpeløshed.

„Det er ikke noget du kan beslutte. Det kan kun hun og jeg."

„Jeg er for gammel."

„Hun er for ung, du er for gammel. Det er noget vrøvl."

„Jeg *er* for gammel. For gammel til at du kan gøre dette mod mig," sagde Mariam og knugede hele håndfulde af sin kjole så hårdt i hænderne at de rystede. „For gammel til at du, efter så mange år, kan gøre mig til *ambagh*."

„Hold op med at være så melodramatisk. Det er helt almindeligt, og det ved du godt. Jeg har venner der har to, tre, fire koner. Din egen far havde tre. I øvrigt ville de fleste mænd jeg kender, for længst have gjort det jeg gør nu. Det ved du godt."

„Jeg vil ikke tillade det."

Rashids reaktion var et sørgmodigt smil.

„Der *er* en anden mulighed," sagde han og kradsede sig under den ene fod med den ru hæl på den anden. „Hun kan rejse væk. Jeg vil ikke forhindre hende i det. Men jeg tvivler på at hun når langt. Ingen mad, ingen vand, ikke en *rupia* på lommen, kugler og raketter der flyver om ørerne på hende. Hvor mange dage tror du der går, før hun bliver kidnappet, voldtaget eller smidt i en eller anden grøft med halsen skåret over? Eller alle tre ting?"

Han hostede og rettede på puden under sit hoved.

„Vejene derude er ubarmhjertige, Mariam, tro mig. Blodhunde og banditter lurer omkring alle hjørner. Jeg ville personligt ikke give hende en chance, ikke en eneste. Men lad os sige at hun ved et mirakel faktisk når frem til Peshawar. Hvad så der? Har du nogen anelse om hvordan lejrene er der?"

Han så på hende gennem en tyk røgsky.

„Folk bor under papstykker. Tuberkulose, dysenteri, sult, kriminalitet. Og det er før det er blevet vinter. Så er der årstiden for forfrysninger. Lungebetændelse. Folk der fryser til is. De lejre er de rene iskirkegårde om vinteren.

Men selvfølgelig," sagde han og lavede en spøgefuld, hvirvlende bevægelse med hånden, „så kan hun holde varmen i et af Peshawars bordeller. Jeg hører at det er en blomstrende forretning der. En skønhed som hende ville kunne indbringe en mindre formue, tror du ikke også det?"

Han stillede askebægeret på bordet og svingede benene ud over sengekanten.

„Hør her," sagde han og lød lige præcis så forsonende som en sejrherre kunne tillade sig at være, „jeg vidste godt at du ikke ville tage godt imod det, og jeg bebrejder dig det ikke. Men det er den bedste løsning på en umulig situation. Prøv at se på det fra en anden vinkel, Mariam. Jeg giver *dig* en der kan hjælpe til i huset og *hende* et fristed. Et hjem og en mand. Nu om dage –

sådan som situationen er i landet – har en kvinde brug for en mand. Har du ikke bemærket alle de enker der er hjemløse? Sagen er at... Ja, jeg ville sige at det var barmhjertighedsgerning."

Han smilede.

„Sådan som jeg ser det, har jeg fortjent en medalje."

Senere, i mørke, fortalte Mariam det til pigen.

I lang tid sagde pigen ingenting.

„Han vil have et svar senest i morgen tidlig," sagde Mariam.

„Han kan få det nu," sagde pigen. „Mit svar er ja."

30

Laila

Den næste dag stod Laila slet ikke op. Hun lå gemt under tæppet om morgenen da Rashid stak hovedet indenfor og sagde at han gik til frisør. Hun lå stadig i sengen da han kom tilbage sent om eftermiddagen og viste hende sin nye frisure, sit nye brugte jakkesæt, blåt med striber, og den vielsesring han havde købt til hende.

Rashid sad på sengekanten og gjorde et stort nummer ud af at binde sløjfen op, åbne æsken og forsigtigt tage ringen op. Han afslørede at han havde fået den i bytte for Mariams gamle vielsesring.

„Hun er ligeglad. Tro mig. Hun vil ikke engang opdage det."

Laila trak sig helt ind til væggen. Hun kunne høre Mariam nedenunder og lyden af strygejernet der sydede.

„Hun har alligevel aldrig gået med den," sagde Rashid.

„Jeg vil ikke have den," sagde Laila med svag stemme. „Ikke

på den måde. De er nødt til at levere den tilbage."

„Levere den tilbage?" Et utålmodigt udtryk fløj hen over hans ansigt og var så væk igen. Han smilede. „Jeg var nødt til at spæde til, faktisk med ret meget. Det er en bedre ring, toogtyve karat guld. Mærk hvor tung den er. Kom nu, gør det nu. Nå, du vil ikke?" Han lukkede æsken. „Hvad med en buket blomster? Det ville da være dejligt. Kan du lide blomster? Har du nogen favoritter? Margueritter, tulipaner, violer? Ingen blomster? Udmærket. Jeg har aldrig selv kunnet se formålet med dem. Jeg tænkte bare... Nå, men jeg kender en skrædder her i Dihmazang. Jeg tænkte om vi kunne gå derhen i morgen og få taget mål til en passende kjole."

Laila rystede på hovedet.

Rashid hævede øjenbrynene.

„Jeg vil hellere..." begyndte Laila.

Han lagde en hånd rundt om hendes nakke. Laila kunne ikke lade være med at krympe sig og trække sig væk. Hans hånd føltes som en stikkende våd uldsweater direkte på den nøgne hud.

„Ja?"

„Jeg synes vi bare skal få det gjort hurtigst muligt."

Rashids mund gik op og viste et gult tandsmil. „Aha, ivrig, hvad?" sagde han.

Laila havde besluttet at tage til Pakistan, men det var før Abdul Sharifs besøg. Ja, selv efter at Abdul Sharif havde været der med sin svedperlende pande og lommetørklæde og sulfapiller havde Laila tænkt at hun ville tage af sted. Rejse så langt væk fra dette sted som overhovedet muligt. Lægge størst mulig afstand til denne by hvor hvert eneste gadehjørne var en fælde, hvor alle gyder og stræder var som en trold i en æske der sprang direkte op i ansigtet på hende. Hun ville måske have taget chancen.

Men pludselig var det ikke længere en mulighed.

Ikke med morgenkvalmen.

Ikke med de spændte bryster.

Ikke efter at hun pludselig, selv midt i al denne sjælekval, var blevet opmærksom på at hendes menstruation var udeblevet.

Laila forsøgte at se sig selv i en flygtningelejr, en nøgen mark med tusindvis af presenninger bundet op mellem tilfældige pæle og vildt blafrende i en kold, bidende blæst. Under en af disse presenninger så hun sin baby, Tariqs baby, med indsunkne tindinger, slap kæbe, blakket hud, blågrå. Hun så for sig den lillebitte krop blive vasket af fremmede mennesker, svøbt i et brunt klæde, sænket ned i et hul som man havde gravet på et vindomsust sted mens skuffede ådselsædere stod i en kreds og kiggede på.

Hvordan skulle hun kunne stikke af nu?

Laila lavede i sit hoved en liste over de mennesker hun havde kendt. Ahmad og Noor, døde. Hasina, rejst. Giti, død. Mammy, død. Babi, død. Og nu Tariq...

Men mirakuløst var noget fra hendes tidligere liv blevet hos hende, hendes sidste forbindelse til den pige hun havde været, før hun blev så helt og forfærdeligt alene. Noget af Tariq, stadig i live, med bittesmå arme, gennemsigtige hænder og svømmehud mellem fingrene. Hvordan skulle hun kunne sætte den eneste ting hun havde tilbage af ham, af sit gamle liv, på spil?

Hun traf sin beslutning hurtigt. Der var gået seks uger siden dengang med Tariq. Hvis hun ikke handlede nu, ville Rashid blive mistænksom.

Hun vidste godt at det hun gjorde, var æreløst. Æreløst, uærligt og skammeligt. Og helt utrolig tarveligt over for Mariam. Men selv om babyen inde i hende ikke var meget større end et morbær, forstod hun allerede de ofre en mor var nødt til at bringe. Dyd var det første offer.

Laila lagde hånden på sin mave og lukkede øjnene.

Bagefter kunne hun kun huske ceremonien i brudstykker. De flødefarvede striber i Rashids jakkesæt. Lugten af et eller andet han havde puttet i håret. At han havde skåret sig under barberingen lige under adamsæblet. Hans nikotingule fingre da han satte ringen på hendes finger. Kuglepennen. At den var løbet tør for blæk. Jagten på en ny pen. Kontrakten. Underskrift, han med sikker hånd, hun rystende. Bønnerne. Synet af Rashid i spejlet, og at han havde trimmet sine øjenbryn.

Og et eller andet sted i stuen: Mariam som tilskuer til det hele. Og luften der var tyk af hendes misbilligelse.

Laila kunne ikke få sig selv til at møde den ældre kvindes blik.

Hun lå under hans kolde lagen den aften og betragtede ham mens han trak gardinet for. Hun rystede over hele kroppen endnu før han begyndte at knappe hendes natskjorte op og hive i bændlerne i hendes bukser. Han var nervøs. Hans fingre fumlede i endeløs lang tid med hans egen skjorte og bæltet i hans bukser. Laila havde fuldt udsyn til hans hængende bryster, udstående navle, den lille blå åre midt i den, totterne af kraftigt hvidt hår på hans bryst, skuldre og overarme. Hun kunne mærke hans øjne kravle rundt på hendes krop. „Gud hjælpe mig, men jeg tror jeg elsker dig," sagde han.

Hun bad ham med klaprende tænder om at slukke lyset.

Senere, da hun var sikker på at han var faldet i søvn, rakte hun ind under madrassen efter den kniv hun havde gemt der tidligere på aftenen. Hun brugte den til at prikke hul på sin pegefinger. Så løftede hun tæppet og lod blodet fra fingeren dryppe ned på lagenet hvor de havde ligget sammen.

31

Mariam

Om dagen var pigen ikke andet end knirkende sengefjedre og fodtrin ovenpå. Hun var vand der plaskede i udhuset, eller en teske der rørte rundt i et glas i soveværelset ovenpå. En gang imellem fik Mariam et glimt af hende, et stykke flagrende kjolestof i udkanten af hendes synsfelt, på vej op ad trappen med armene rundt om kroppen og sandaler der i tilbageslaget klaprede op mod hælene.

Men de kunne ikke undgå at støde ind i hinanden. Mariam passerede pigen på trappen, i den smalle gang, i køkkenet eller i døren når hun kom ind fra gården. Når de mødtes sådan, susede en kejtet anspændelse ind og erobrede pladsen mellem deres kroppe. Pigen samlede skørtet om sig og henåndede et par undskyldende ord mens hun hastede forbi. Og Mariam skævede til hende og så rødmende kinder. En gang imellem kunne hun lugte Rashid på hendes krop. Hun kunne lugte hans sved på pigens hud, hans tobak, hans appetit. Sex var gudskelov et overstået kapitel i hendes eget liv. Det havde det været i nogen tid nu, og tanken om de anstrengende stunder under Rashids krop kunne stadig få det til at krybe af væmmelse i Mariam.

Om aftenen var det imidlertid umuligt at gennemføre denne uudtalte aftale om ikke at have noget med hinanden at gøre. Rashid hævdede at de nu var én familie. Han insisterede på det, og familier indtog deres måltider sammen, sagde han.

„Hvad er nu det her?" sagde han mens hans fingre bearbejdede kødet på et ben – ske- og gaffelkomedien var lagt på hylden en uge efter at han havde giftet sig med pigen. „Har jeg giftet mig med et par statuer. Mariam, *gap bezan*, så sig dog noget til hende. Hvorfor er du så uopdragen?"

Og mens han sugede marv ud af benet, sagde han til pigen: „Men du må ikke bebrejde hende noget. Hun er den stille type. En velsignelse, faktisk, for hvis en kvinde ikke har meget at sige, bør hun være nærig med sine ord. Vi er folk fra byen, du og jeg, men hun er *dehati*. Nej, faktisk ikke engang fra landet. Nej. Hun voksede op i en kolba af lersten *et godt stykke* fra landsbyen. Det var hendes far der anbragte hende der. Mariam, har du fortalt hende at du er en harami? Nå, men det er hun. Men hun er ikke helt unyttig, alt taget i betragtning. Det finder du selv ud af, Laila jan. For det første er hun stærk og flittig, og så er hun ydmyg. Lad mig udtrykke det på denne måde: Hvis hun var en bil, ville hun være en Volga.“

Mariam var nu treogtredive år gammel, men ordet 'harami' sved stadig. I hendes ører lød det som 'pest' eller 'kakerlak'. Hun kunne huske Nana der tog hende om håndleddene. *Du er en klodset lille harami. Det er min belønning for alt hvad jeg har måttet udholde. En klodset lille harami der ødelægger mine arvestykker.*

„Men du,“ sagde Rashid til pigen, „du ville være en Mercedes. En splinterny, førsteklasses, skinnende Mercedes. *Wah wah...*“ Han stak en fedtet pegefinger i vejret, „man skal være meget... omhyggelig... med en Mercedes. På grund af skønheden i den og det prægtige håndværk, forstår du. Åh, men du tror måske jeg er en tåbelig *diwana* med al den snak om biler. Jeg siger jo ikke at I er biler. Jeg påpeger bare en forskel.“

Rashid lagde nu den riskugle han havde formet med sine fingre, tilbage på tallerkenen før han fortsatte. Hænderne hang og dinglede uvirksomme over maden mens han kiggede ned med et alvorligt udtryk i ansigtet.

„Man må ikke tale ondt om de døde, mindst af alt om martyrerne. Og du må ikke opfatte det som mangel på respekt når jeg nu siger dette, det som du skal vide, men jeg har faktisk visse... forbehold... vedrørende den måde dine forældre – må Allah tilgive dem og gøre plads til dem i sit paradis – den måde de... jo, forstår du, deres eftergivenhed over for dig. Undskyld."

Det kolde, hadefulde blik pigen sendte Rashid, undgik ikke Mariams opmærksomhed, men han så ned i bordet og opdagede det ikke.

„Lige meget. Det jeg mener, er at jeg er din mand nu, og det er op til mig ikke blot at vogte over *din* ære, men *vores*, ja vores nang og namoos. Det er en mands byrde. Lad mig bekymre mig om den. Med hensyn til dig, jamen, du er min *malika*, og i dette hus er det dronningen der regerer. Det er dit slot. Uanset hvad du beder om, vil Mariam gøre det for dig. Er det ikke sandt, Mariam? Og hvis der er noget du ønsker dig, så skaffer jeg det til dig. Sådan en mand er jeg, forstår du.

Jeg beder kun om en lille ting til gengæld. Jeg beder dig om ikke at forlade huset uden at jeg er med. Ikke andet. En lille ting, ikke sandt? Hvis jeg ikke er til stede, og du har brug for et eller andet vigtigt, jeg mener *vigtigt*, og det ikke kan vente, så kan du sende Mariam, og hun vil gå ud og skaffe det til dig. Du har naturligvis forstået forskellen mellem dig og Mariam. Nå, jamen en Mercedes og en Volga er to forskellige biler og skal behandles på to forskellige måder. Alt andet ville være dumt, er du ikke enig? Åh ja, jeg vil også bede dig om at have burka på når vi er ude sammen. For din egen skyld, mener jeg. Det vil være bedst. Der er så mange liderlige mænd i byen i denne tid. Skrækkeligt syndige tanker, så ivrige efter at krænke selv en gift kvinde. Så. Det var alt."

Han hostede.

„Jeg skulle måske sige at Mariam er mine øjne og ører når jeg ikke er hjemme." Her sendte han Mariam et flygtigt blik der var som en knytnæve i tindingen. „Ikke at jeg er mistroisk af natur. Tværtimod. Faktisk forekommer du mig ganske klog din alder taget i betragtning. Men du er stadig en ung kvinde, Laila jan, en *dokhtar e jawan* som på grund af din manglende erfaring vil kunne træffe uigennemtænkte beslutninger og komme på afveje.

Nå, men Mariam ved at hun er ansvarlig. Og et enkelt fejltrin..."

Og sådan fortsatte han. Mariam holdt øje med pigen ud af øjenkrogen mens Rashids krav og meninger regnede ned over dem som raketterne over Kabul.

En dag stod Mariam i stuen og foldede Rashids skjorter som hun havde hentet ind fra tørresnoren ude i gården. Hun vidste ikke hvor længe pigen havde stået der, men da hun tog en skjorte og vendte sig om, stod pigen i døråbningen med hænderne foldet omkring et glas te.

„Det var ikke min mening at forskrække dig," sagde pigen. „Undskyld."

Mariam bare så på hende.

Solen faldt på pigens ansigt, på hendes store grønne øjne og glatte pande, på hendes høje kindben og smukke, kraftige øjenbryn som slet ikke lignede Mariams der var tynde og uden bue. Hendes gyldne hår var skilt på midten, men uredt.

Mariam kunne se på den stive måde pigen knugede om glasset på, og på hendes anspændte skuldre, at hun var nervøs. Hun forestillede sig hvordan hun havde siddet på sengen og taget mod til sig.

„Træerne er ved at skifte farve," sagde pigen prøvende. „Har du lagt mærke til det? Efteråret er min yndlingsårstid. Jeg elsker duften af det når folk brænder blade i deres haver. Min mor, hun holdt mest af foråret. Kendte du min mor?"

„Ikke særlig godt."

Pigen lagde en hånd bag øret. „Undskyld?"

Mariam hævede stemmen. „Jeg sagde nej. Jeg kendte ikke din mor."

„Åh."

„Var der noget du ville?"

„Mariam jan. Jeg ville gerne... Med hensyn til de ting han sagde forleden aften..."

„Det har været min mening at tale med dig om det," afbrød Mariam.

„Åh, ja," sagde pigen, alvorligt, næsten ivrigt. Hun trådte et skridt frem. Hun så lettet ud.

Udenfor slog en guldpirol en trille. En eller anden kom trækkende med en kærre, Mariam kunne høre den knirke i akslen og en knagen og raslen fra de jernbeslåede hjul. De kunne høre skud, ikke særlig langt væk, først et enkelt skud, så efterfulgt af tre, og derefter ingenting.

„Jeg vil ikke være din tjener," sagde Mariam. „Det vil jeg bare ikke."

Pigen krympede sig. „Nej, nej, selvfølgelig ikke."

„Du er måske slottets malika, og jeg en dehati, men jeg vil ikke tage imod ordrer fra dig. Du kan brokke dig til ham, og han kan skære halsen over på mig, men jeg nægter at gøre det. Forstår du hvad jeg siger? Jeg vil ikke være din tjener."

„Nej, nej! Jeg forventer ikke…"

„Og hvis du tror at du kan bruge dit kønne ansigt til at få sparket mig ud af huset, så tager du fejl. Jeg kom først. Jeg vil ikke lade mig sparke ud. Jeg vil simpelthen ikke finde mig i det."

„Det er slet ikke hvad jeg…" sagde pigen med svag stemme.

„Og jeg kan se at du har det godt igen, så du kan godt begynde at tage din del af arbejdet i huset…"

Pigen skyndte sig at nikke. Hun kom til at spilde lidt af teen, men lagde ikke mærke til det. „Ja, det er også en del af grunden til at jeg kom herned, for at takke dig for det du har gjort…"

„Jamen, jeg ville ikke have gjort det," hvæsede Mariam. „Jeg ville ikke have givet dig mad eller vasket dig eller våget over dig hvis jeg havde vidst at du, så snart du så dit snit til det, ville stjæle min mand fra mig."

„Stjæle…"

„Jeg vil stadig lave maden og vaske op. Du kan vaske tøj og feje gulv. Resten skiftes vi til at gøre. Åh, og en ting mere. Jeg har ikke brug for dit selskab. Jeg vil gerne være alene. Du holder dig væk, og jeg skal nok gengælde tjenesten. Det er sådan det vil være. Det er reglerne."

Da Mariam langt om længe havde sagt hvad der lå hende på sinde, hamrede hendes hjerte, og hun var helt tør i munden. Hun havde aldrig før talt på den måde, havde aldrig givet udtryk for sin vilje med så hårde ord. Det burde have været en skøn fornemmelse, men pigens øjne stod fulde af tårer, og munden bævede, og den tilfredshed Mariam først følte over sit vredesudbrud, forekom hende pludselig at være ret lavsindet.

Hun rakte stakken af skjorter frem mod pigen.

„Du kan lægge dem i *almari*'en, ikke i skabet. Han vil gerne have de hvide i øverste skuffe, resten i den mellemste sammen med strømperne."

Pigen stillede glasset fra sig på gulvet og rakte ud efter skjorterne med håndfladerne vendt opad. „Jeg er så ked af alt det her," hviskede hun.

„Det bør du også være," sagde Mariam. „Du bør være meget, meget ked af det."

32

Laila

Laila kunne huske en sammenkomst engang for en del år tilbage. Det havde været en af Mammys gode dage, og kvinderne havde siddet ude i gården og spist friske morbær som Wajma havde plukket fra træet i sin gård. De buttede bær havde været hvide og lyserøde og for enkeltes vedkommende violette ligesom de små bristede blodkar på Wajmas næse.

„Har I hørt hvordan hans søn døde?" havde Wajma sagt mens hun energisk fyldte sine indsunkne kindposer med morbær.

„Var der ikke noget med at han druknede?" sagde Nila, Gitis mor. „I Ghargha-søen, ikke sandt?"

„Men ved I... ved I at Rashid...?" Wajma stak en finger i vejret mens hun gjorde et nummer ud af at nikke og tygge og tvinge dem til at vente på at hun havde fået tygget af munden. „Ved I at han dengang drak en del *sharab*, og at han var fuld den dag? Det passer. Dinglende beruset, har jeg hørt. Og det var midt på formiddagen. Ved middagstid var han faldet besvimet om i en liggestol. Man kunne have skudt en kanon af i øret på ham, og han ville ikke have blinket."

Laila kunne huske hvordan Wajma havde lagt en hånd for munden og bøvset, hvordan hendes tunge havde været på udflugt mellem hendes få tilbageværende tænder.

„I kan selv tænke jer til resten. Drengen gik i vandet uden at nogen bemærkede det. De fandt ham noget senere hvor han flød rundt med ansigtet nedad. Folk kom farende for at hjælpe, og halvdelen forsøgte at genoplive ham, mens den anden halvdel forsøgte at vække faderen. Der var en der bøjede sig over drengen og gjorde den der... mund til mund-ting som man åbenbart skal gøre. Det var nytteløst. De kunne alle se det. Drengen var død."

Laila kunne huske at Wajma havde løftet en finger endnu en gang, og at hendes stemme havde bævet af medynk. „Det er derfor Den Hellige Koran forbyder sharab. Fordi det altid er den ædru der skal undgælde for den fuldes synder. Det er min mening."

Det var den historie der susede rundt i Lailas hoved da hun fortalte Rashid nyheden om babyen, og han sprang på sin cykel for at køre til moskeen og bede for at det var en dreng.

Den aften så Laila Mariam skubbe rundt med et stykke kød

på tallerkenen under hele måltidet. Laila var til stede da Rashid fortalte Mariam nyheden med en høj og dramatisk stemme – Laila havde aldrig før været vidne til noget så muntert ondskabsfuldt. Mariam havde blinket hurtigt med øjnene da hun hørte det, og hun var blevet helt rød i ansigtet. Hun sad og surmulede og så helt fortabt ud.

Bagefter var Rashid gået op for at høre radio, og Laila hjalp Mariam med at rydde sofrahen.

„Jeg kan ikke forestille mig hvad du er nu," sagde Mariam og fejede risengryn og brødkrummer sammen. „Hvis du var en Mercedes før, mener jeg."

Laila forsøgte sig med lidt humor. „Et tog? Måske et af de store jumbofly?"

Mariam rankede ryggen. „Jeg håber ikke du vil bruge det som undskyldning for ikke at klare dine pligter."

Laila åbnede munden for at sige noget, men kom på andre tanker. Hun mindede sig selv om at Mariam var den eneste uskyldige part i dette arrangement. Mariam og babyen.

Senere, da hun var kommet i seng, bristede hun i gråd.

Hvad var der i vejen, ville Rashid vide og løftede hendes hage med en finger. Var hun syg? Var det babyen, var der noget i vejen med babyen? Nå, ikke.

Behandlede Mariam hende ikke godt?

„Det er det, ikke sandt?"

„Nej."

„Wallah u billah, nu går jeg minsandten ned og siger hende et par borgerlige ord. Hvem tror hun hun er, den harami, at behandle dig…"

„Nej!"

Han var allerede ude af sengen, og hun var nødt til at gribe ham om armen og trække ham ned igen. „Nej, lad være med det! Hun har opført sig pænt over for mig. Jeg skal lige bruge et øjeblik til at samle mig. Jeg har det fint, helt fint."

Han satte sig ved siden af hende og kærtegnede mumlende hendes hals. Hans hånd krøb langsomt ned ad hendes ryg og så op igen. Han bøjede sig ned og smilede sit gule tandsmil.

„Lad os se om jeg ikke kan hjælpe dig med at få det bedre," spandt han.

Først kastede træerne – det vil sige dem der endnu ikke var blevet fældet og hugget til brænde – alle deres gul- og kobberplettede blade. Så kom blæsten, kold og rå, drønende gennem byens gader. Den rev de sidste stædige blade ned og efterlod træerne som spøgelser mod bakkernes skidenbrune skråninger. Vinterens første snefald var ikke noget at tale om, knap var fnuggene landet før de smeltede igen. Så frøs vejene til, og sneen samlede sig i driver oppe på tage og i gårde halvt op ad de rimfrosne vinduer. Med sneen kom dragerne, dem som engang havde behersket Kabuls vinterluftrum, men som nu var frygtsomme gæster på en himmel som raketter og jagerfly havde erobret.

Rashid fortsatte med at komme hjem med nyheder om krigens gang, og Laila var helt forvirret over de alliancer som Rashid forsøgte at forklare hende. Sayyaf kæmpede mod hazarerne, sagde han. Hazarerne kæmpede mod Masud.

„Og han kæmper selvfølgelig mod Hekmatyar som pakistanerne støtter. Dødelige fjender, de to, Masud og Hekmatyar. Sayyaf har valgt side for Masud, og lige i øjeblikket støtter Hekmatyar hazarerne."

Med hensyn til den utilregnelige, usbekiske general Dostum, så sagde Rashid at ingen vidste hvis side han var på. Dostum havde bekriget russerne i 1980'erne sammen med Mujahedin, men havde deserteret og sluttet op om Najibullahs kommunistiske marionetregering efter at russerne var taget hjem. Han havde oven i købet fået en medalje af selveste Najibullah før han endnu en gang skiftede side og vendte tilbage til Mujahedin. For tiden støttede Dostum Masud, sagde Rashid.

I Kabul, især i den vestlige del af Kabul, rasede brandene, og store sorte røgskyer skød som paddehatte op over de sneklædte huse. Ambassader lukkede. Skoler styrtede sammen. På hospitalernes skadestuer lå de sårede og forblødte, fortalte Rashid. På operationsstuerne blev lemmer amputeret uden bedøvelse.

„Men du skal ikke være urolig," sagde han. „Du er i sikkerhed hos mig, min blomst, min *gul.* Hvis nogen vover at gøre dig noget ondt, flår jeg deres lever ud af kroppen på dem og tvinger dem til at spise den."

Den vinter spærrede mure vejen for Laila uanset hvor hun vendte sig hen. Hun tænkte længselsfuldt på sin barndoms åbne blå himmel, på dagene hvor hun sammen med Babi var gået til *buzkashi*-turneringerne og på indkøbsture sammen med Mammy, på de dage hvor hun havde kunnet løbe frit rundt ude på gaderne og snakke om drenge sammen med Giti og Hasina. Og hun tænkte på dagene sammen med Tariq på en kløvermark ned til en flodbred et eller andet sted hvor de havde ligget og gættet gåder og spist konfekt mens solen gik ned.

Men tanker om Tariq var forræderiske, for før hun nåede at stoppe dem, så hun ham for sig i en seng med slanger stikkende ud af hans forbrændte krop som strikkepinde i et garnnøgle. Som den galde der konstant brændte i Lailas hals nu om dage, steg en lammende sorg så op og bredte sig i hendes bryst. Hendes ben knækkede sammen under hende, og hun var nødt til at klamre sig til et eller andet for at holde sig oprejst.

Laila tilbragte vinteren 1992 med at feje gulv i huset, vaske de græskargule vægge ned i det soveværelse hun delte med Rashid, og vaske tøj udenfor i en stor kobber-*lagaan.* En gang imellem så hun sig selv – som om hun svævede højt over sin krop – på knæ foran baljens kant med ærmerne smøget op til albuerne og lyserøde hænder der vred sæbevand ud af en af Rashids undertrøjer. Så følte hun sig fortabt, som en skibbruden der drev om uden at der var land i sigte, kun det endeløse hav til alle sider.

Når det var for koldt at gå udenfor, drev hun rundt i huset. Hun gik og gik og lod en fingernegl følge væggene, ned ad gangen, tilbage igen, ned ad trappen, op igen, med uvasket ansigt og uredt hår. Hun gik indtil hun stødte ind i Mariam som så glædesløst på hende og fortsatte med at skære stilke af peberfrugter og pudse fedt af kødstykker. En såret stilhed ville erobre rummet, og Laila kunne næsten se den stumme fjendtlighed som strålede ud fra Mariam som hede der i bølger steg op fra asfalten. Så trak hun sig tilbage til sit værelse, satte sig på sengen og så ud på sneen der faldt.

En dag tog Rashid hende med til sin skoforretning.

Når de var ude sammen, gik han ved siden af hende med den ene hånd om hendes albue. For Laila var det at være ude på gaden en øvelse i at undgå at komme til skade. Hendes øjne havde endnu ikke vænnet sig til burkaens begrænsede, gitteragtige udsyn, og hun blev ved med at snuble i sømmen. Hun gik i evig angst for at træde forkert i et hul i gaden og måske brække et ben. På den anden side var der en vis tryghed i den anonymitet som burkaen gav hende. På denne måde ville hun ikke blive genkendt hvis hun stødte ind i en gammel bekendt. Hun ville ikke skulle se overraskelsen i deres øjne, eller medlidenheden eller skadefryden over hendes dybe fald, over hvordan hendes højtflyvende fremtidsplaner var blevet slået til jorden.

Rashids forretning var større og langt lysere end Laila havde forestillet sig. Han fik hende til at sætte sig bag hans rodede arbejdspult hvor pladen var overstrøet med gamle skosåler og rester af skind. Han viste hende sine hammere og demonstrerede med høj og stolt stemme for hende hvordan slibemaskinen fungerede.

Han følte på hendes mave, ikke gennem blusen, men under

den, og hans fingre føltes kolde og ru, som bark, på hendes udspilede maveskind. Laila mindedes Tariqs hænder, bløde, men stærke, og de bugtende årer på håndryggene som hun altid havde syntes var så tiltrækkende maskuline.

„Så hurtigt du vokser nu," sagde Rashid. „Det bliver en stor dreng. Min søn bliver en *pahlawan*! Ligesom sin far."

Laila trak blusen ned igen. Hun blev altid meget bange når han talte sådan.

„Hvordan går det mellem dig og Mariam?"

Hun sagde at det gik fint.

„Udmærket. Udmærket."

Hun fortalte ham ikke at de havde haft deres første alvorlige skænderi.

Det var sket for et par dage siden. Laila var kommet ud i køkkenet og havde overrasket Mariam i at hive skuffer ud og smække dem i igen. Hun ledte efter den lange træslev, sagde hun, den som hun brugte når hun skulle røre i risen.

„Hvor har du lagt den?" spurgte hun og snurrede rundt for at se på Laila.

„Mig?" sagde Laila. „Jeg har ikke taget den. Jeg kommer jo kun sjældent i køkkenet."

„Det har jeg bemærket."

„Var det en anklage? Det er sådan du ville have det, husker du måske, du sagde at du ville lave maden. Men hvis du ønsker at bytte..."

„Du påstår altså at der voksede små ben ud på den, og at den er gået sin vej? *Teep teep teep teep*. Er det hvad der er sket, *degeh*?"

„Jeg siger bare..." begyndte Laila og forsøgte at bevare roen. Normalt kunne hun tvinge sig til at ignorere Mariams spot og pegen med fingre, men denne dag var hendes ankler opsvulmede, hun havde ondt i hovedet, og halsbranden var særligt slem. „Jeg siger bare at du måske har forlagt den."

„Forlagt den?" Mariam trak en skuffe ud. Paletknive og

køkkenknivene i den raslede. „Hvor længe har du boet i dette hus, nogle få måneder. Jeg har boet her i nitten år, dokhtar jo. Jeg har opbevaret *den* slev i *denne* skuffe lige siden du sked i en ble.“

„Ja,“ sagde Laila og var faretruende nær ved at bryde sammen, „men det er vel muligt at du denne gang har lagt den et andet sted og glemt alt om det.“

„Og det er muligt at *du* har gemt den for at irritere mig.“

„Du er en trist, jammerlig kvinde,“ sagde Laila.

Mariam krympede sig, men samlede sig straks igen og spidsede munden. „Og du er en skøge. En skøge og en *dozd*. En tyvagtig skøge, det er hvad du er!“

Så brød et højrøstet skænderi ud. Potter blev løftet, men ikke kastet. De havde kaldt hinanden grimme navne, navne der fik Laila til at rødme. Og de havde ikke talt sammen siden. Laila var stadig rystet over så hurtigt hun var gået op i limningen, men sandheden var at en del af hende havde syntes det var helt fint, fint at skrige ad Mariam, at have et mål som hun kunne fokusere al sin simrende vrede på. Og sorgen.

Laila spekulerede bagefter på – med bagklogskabens indsigt – om Mariam måske havde haft det på samme måde.

Til sidst var hun løbet ovenpå og havde kastet sig på Rashids seng. Mariam råbte videre nedenunder: „Skidt på dit hoved. Skidt på dit hoved!“ Laila havde ligget på sengen og stønnet ned i puden, og pludselig og med en voldsomhed der kom bag på hende, savnede hun sine forældre mere intenst end hun havde gjort siden de forfærdelige dage lige efter raketangrebet. Hun lå der og knugede om sengetøjet indtil hun brat satte sig op og gispede. Hendes hænder fløj ned og lagde sig på maven.

Det var første gang hun mærkede babyen sparke.

33

Mariam

Året efter, i 1993, stod Mariam en forårsmorgen henne ved stuevinduet og så Rashid følge pigen ud af huset. Pigen stavrede fremad, foroverbøjet og med en arm beskyttende hen over den gravide mave som nu var meget tydelig at se under burkaen. Rashid var ængstelig og overbeskyttende og holdt hende om albuen mens han førte hende gennem gården som en anden politimand. Han lavede en 'vent her'-bevægelse og løb hen til porten som han holdt åben med en fod mens han vinkede pigen nærmere. Da hun nåede hen til ham, tog han hende i hånden og hjalp hende igennem. Mariam kunne næsten høre ham sige: *Pas på hvor du går, min blomst, min gul.*

De kom hjem igen tidligt på aftenen dagen efter.

Mariam så Rashid træde ind i gården som den første. Han lod porten falde i efter sig, og den var lige ved at ramme pigen i ansigtet. Han gik hurtigt over gården. Mariam anede en skygge på hans ansigt, et andet mørke end det som tusmørkets kobberagtige lys kastede. Da han var kommet indenfor, tog han frakken af og kylede den hen på sofaen. Idet han strøg forbi Mariam, sagde han med brysk stemme: „Jeg er sulten. Gå ud, og lav mad."

Hoveddøren gik op, og Mariam så pigen stå der med en svøbt bylt i venstre arm. Hun havde den ene fod indenfor og den anden mod døren for at forhindre den i at smække i. Hun var krumbøjet og stønnede i forsøget på at nå ned til en papirspose som hun havde måttet sætte fra sig da hun skulle åbne døren. Hun skar en grimasse på grund af anstrengelsen. Hun så op og fik øje på Mariam.

Mariam vendte omkring og gik ud i køkkenet for at lave mad til Rashid.

„Det er som om en eller anden borer en skruetrækker ind i mit øre," sagde Rashid og gned sig i øjnene. Han stod i døren til Mariams værelse, med opsvulmede øjne og kun iført en løstknyttet tumban. Hans hvide hår strittede til alle sider. „Alt det hyleri, jeg kan ikke holde det ud!"

Pigen gik frem og tilbage med babyen nedenunder og forsøgte at synge hende i søvn.

„Jeg har ikke haft en rolig nat i to måneder," sagde Rashid. „Og værelset lugter som en kloak. Der er lortebleer overalt i huset. Jeg trådte på en forleden nat."

Mariam smilede smørret af skadefryd, men kun indvendigt.

„Gå udenfor med hende!" råbte Rashid. „Kan du ikke gå ud med hende?"

Sangen forstummede et øjeblik. „Så får hun jo lungebetændelse."

„Det er sommer!"

„Hvad?"

Rashid bed tænderne sammen og hævede stemmen. „Jeg sagde at det er varmt udenfor."

„Jeg går ikke udenfor med hende."

Sangen tog fat igen.

„En gang imellem... Jeg sværger på at jeg en gang imellem har lyst til at putte den tingest i en æske og sætte den ud i floden. Ligesom Moses."

Mariam havde aldrig hørt ham kalde sin datter ved det navn som pigen havde givet hende, Aziza. Ikke at det hjalp: Aziza var bestemt ikke værdsat af Rashid. Det var altid *babyen* eller, når han var særligt ophidset, *tingest*.

En gang imellem hørte Mariam dem skændes om natten. Hun listede på tæer hen til deres dør og hørte ham beklage sig over babyen, altid babyen, dens uophørlige gråd, lugten, legetøjet som han snublede over, over at babyen havde stjålet al Lailas opmærksomhed med dens krav om at få mad, blive skiftet, bøvset af, vugget, holdt. Pigen på sin side skældte ham ud for at ryge i værelset og for ikke at tillade at babyen sov i deres seng.

Der var andre skænderier som rasede med lavmælt stemme.

„Lægen sagde seks uger."

„Ikke endnu, Rashid. Nej, giv nu slip! Nej, du må ikke."

„Det er to måneder siden."

„Shh. Se nu. Du vækkede babyen." Og så med skarpere stemme: „*Khosh shodi*?"

Rashids reaktion lod ingen være i tvivl om at han langt fra var tilfreds, og Mariam listede tilbage til sit eget værelse.

„Kan du ikke hjælpe lidt til?" spurgte Rashid nu. „Der må være noget du kan gøre."

„Hvad ved jeg om babyer?" spurgte Mariam.

„Rashid! Vil du være sød at komme med flasken? Den står på almarien. Hun vil ikke ammes, jeg er nødt til at prøve med flasken."

Babyens skrig steg og faldt som en flækkekniv over et stykke kød.

Rashid lukkede øjnene. „Den tingest er som en krigsherre. Som Hekmatyar. Jeg siger dig: Laila har bragt Gulbuddin Hekmatyar til verden."

Mariam var den passive tilskuer til hvordan babyen optog al pigens tid. Der blev ammet, gået frem og tilbage, vugget og klappet på ryg. Selv når babyen sov, var der bleer der skulle skylles og lægges i blød i en spand med klormiddel som pigen insisterede på at Rashid købte til hende. Der var fingernegle der skulle files med sandpapir, sparkedragter og nattøj der skulle vaskes og hænges til tørre. Alt dette tøj blev, som alt andet der vedrørte babyen, et heftigt stridsspørgsmål.

„Hvad er der i vejen med det?" spurgte Rashid.

„Det er tøj til en *bacha.*"

„Tror du da hun ved at hun ikke er en dreng? Jeg har købt og betalt det tøj. Og for resten: Jeg bryder mig ikke om din tone. Opfat det som en advarsel."

Hver eneste uge, uden undtagelse, varmede pigen en sort jernpande over ilden, smed en knivspids vilde rugkerner i og viftede *espandi*-røgen i retning af babyen for at afværge Det Onde.

Mariam var helt udmattet af at være vidne til pigens henrykkelse og – måtte hun i sit indre indrømme – også til en vis grad fuld af beundring. Hun forundredes over pigens øjne der strålede af tilbedelse – selv om morgenen når hendes ansigt var fortrukket af udmattelse og kuløren grå efter en nat hvor hun havde måttet gå frem og tilbage med babyen. Pigen kunne bryde sammen i latter når babyen slap en vind. De mindste forandringer var fortryllende og alt hvad den lavede, ganske usædvanlig fremmeligt.

„Se! Hun rækker ud efter ranglen. Hvor er hun dygtig."

„Jeg ringer til avisernes nyhedsredaktion," sagde Rashid.

Hver eneste aften var der fremvisning. Når pigen insisterede på at Rashid skulle se et eller andet, stak han hagen frem og kastede et utålmodigt skævt blik ned langs sin næses blånende krumning.

„Se nu! Se hvordan hun smiler når jeg knipser med fingrene. Der? Så du det?"

Så udstødte Rashid et grynt og gik tilbage til sin mad. Mariam mindedes dengang pigens blotte tilstedeværelse havde gjort ham helt kulret. Alt hvad hun sagde dengang, havde gjort ham glad, interesseret, fået ham til at se op fra sin mad og nikke bifaldende.

Det mærkelige var at det burde have fornøjet Mariam at pigen var faldet i unåde, på en måde burde det være en slags hævn.

Men sådan var det ikke. Slet ikke. Til sin egen overraskelse havde Mariam ondt af hende.

Det var også over et måltid mad at pigen gav los for en støt strøm af bekymringer. Øverst på listen var lungebetændelse som det mindste lille host kunne være et forvarsel om. Dernæst kom dysenteri som løs mave kunne være et symptom på. Udslæt var enten mæslinger eller skoldkopper.

„Du bør ikke knytte dig så meget til hende," sagde Rashid en aften.

„Hvad mener du?"

„Jeg hørte radio forleden aften. Voice of America. Jeg hørte en interessant statistik. De sagde at i Afghanistan døde et ud af fire børn før det var fyldt fem år. Det er hvad de sagde. Og i USA – hvad? Hvad? Hvor går du hen? Kom tilbage. Kom straks tilbage!"

Han så forvirret op på Mariam. „Hvad er der i vejen med hende?"

Skænderiet begyndte samme aften efter at Mariam var gået i seng. Det var en varm, tør sommernat, typisk for *saratan*-måneden i Kabul. Mariam havde lukket vinduet op, men måtte lukke det igen da det eneste der kom ind, var myg. Ingen svalende brise. Hun kunne mærke varmen stige op nede fra jorden, op gennem de gyldne rå planker i udhuset nede i gården, op gennem murene og ind i hendes værelse.

Normalt ville et skænderi være overstået i løbet af få minutter, men der gik en halv time, og ikke alene var det stadig i fuld gang, det voksede også i styrke. Mariam kunne høre Rashid råbe og pigens stemme, næsten overdøvet af hans, skingert bedende. Babyen begyndte at græde.

Derefter hørte Mariam døren til deres værelse blive hamret op. Næste morgen fandt hun et rundt hul i væggen ude på gangen der hvor dørhåndtaget havde ramt. Hun sad op i sengen da hendes egen dør blev smækket op, og Rashid kom til syne.

Han havde hvide underbukser på og en ligeledes hvid undertrøje der dog var gulplettet af sved i armhulerne. Badetøfler på fødderne. Og et bælte i hånden, det brune han havde købt til sit nikka med pigen. Han var ved at rulle enden med hullerne sammen om den ene hånd.

„Det er din skyld. Jeg ved at det er din skyld," snerrede han og kom nærmere.

Mariam gled ud af sengen og veg tilbage. Instinktivt krydsede hun armene foran brystet, der hvor han ofte slog hende først.

„Hvad taler du om?" stammede hun.

„At hun nægter mig min ret. Det er dig der har fået hende til det."

Mariam havde i årenes løb lært at stålsætte sig imod hans hån og bebrejdelser, hans latterliggørelse af hende og hans tilrettevisninger. Men den angst der greb hende nu, var hun forsvarsløs overfor. Efter alle de mange år rystede hun stadig af skræk når han var sådan, snerrende og med et bælte i hånden, læderets knirken, det ondskabsfulde glimt i hans øjne. Det var som gedens afgrundsdybe rædsel når den blev sluppet ind i tigerens bur, når tigeren dovent så op fra sine poter og begyndte at knurre.

Nu var pigen kommet til og så på ham med opspilede øjne og skræk malet i ansigtet.

„Jeg burde have vidst at du ville ødelægge hende," spyttede Rashid mod Mariam. Han slog et slag med bæltet mod sit eget lår som for at afprøve det. Spændet klirrede højt.

„Hold op med det, *bas*!" råbte pigen. „Rashid, det kan du ikke tillade dig."

„Gå ind på dit værelse."

Mariam veg længere tilbage.

„Nej! Du må ikke."

„Nu!"

Rashid løftede bæltet igen, og denne gang sigtede han på Mariam.

Så skete der det mest mærkværdige: Pigen kastede sig over ham. Hun tog fat i hans arm, med begge hænder, og forsøgte at trække den ned, men formåede kun at bremse bevægelsen mod Mariam, ikke at standse den helt.

„Slip!" brølede Rashid.

„Du vinder. Jeg skal nok. Du må ikke gøre det her. Vær nu sød, Rashid, du må ikke slå. Vær sød ikke at slå."

Sådan kæmpede de, pigen dinglende fra hans arm, tryglende, og Rashid der forsøgte at ryste hende af sig mens han stadig så direkte på Mariam der stod som en stenstøtte.

Til sidst forstod Mariam at hun ikke ville få bank denne gang. Ikke i aften. Han havde fået sin vilje. Han blev stående lidt længere, med løftet arm og tungt åndende bryst. Et fint lag sved perlede på hans pande. Så sænkede han langsomt armen. Pigens fødder fik igen kontakt med gulvet, men hun gav ikke slip endnu. Måske fordi hun ikke helt stolede på ham. Han var nødt til at rive sin arm ud af hendes greb.

„Jeg har forstået," sagde han og slyngede bæltet over den ene skulder. „Jeg har forstået hvad I er ude på. Jeg vil ikke gøres til en *ahmaq* i mit eget hjem."

Han sendte Mariam et sidste morderisk blik og gav så pigen et skub i ryggen på vej ud gennem døren.

Da Mariam hørte deres dør blive lukket, kravlede hun i seng igen og tog puden over hovedet mens hun ventede på at hendes krop skulle holde op med at ryste.

Den nat vågnede Mariam tre gange. Første gang var ved lyden af drøn fra raketter mod vest et sted i retning af Karta-i Seh. Anden gang var da babyen græd nedenunder. Hun hørte pigen tysse på den og lyden af en ske der klirrede mod mælkeflasken. Tredje gang vågnede hun fordi hun var tørstig.

Stuen nedenunder lå hen i mørke bortset fra en månestråle der skinnede ind gennem vinduet. Mariam kunne høre en flue summe rundt et eller andet sted og skimte ovnen i mørket med røret der gik i en skarp vinkel ind gennem væggen lige under loftet.

På vej ud i køkkenet var hun lige ved at falde over et eller andet. Der lå noget for hendes fødder. Da hendes øjne havde vænnet sig, så hun pigen og hendes baby der lå på gulvet oven på et tæppe.

Pigen lå på siden og snorkede stille. Babyen var vågen. Mariam tændte en petroleumslampe og satte sig på hug. Der i lyset så hun for første gang rigtigt på babyen, så dens mørke hår, de brune øjne og tykke øjenvipper, de lyserøde kinder og læberne så røde som modne granatæbler.

Det var som om også babyen studerede hende. Hun lå på ryggen med hovedet lidt drejet og kiggede på Mariam med en blanding af henrykkelse, forvirring og mistænksomhed i blikket. Mariam spekulerede på om hendes ansigt måske virkede skræmmende, men babyen gurglede glad, og Mariam vidste at hun var blevet accepteret.

„Shh," hviskede Mariam. „Du må ikke vække din mor, hun er forfærdelig træt."

Babyen knyttede den ene hånd. Hånden gik op, faldt ned igen, fandt så i ryk en vej op til munden. Og med munden fuld af fingre så babyen så grinende op på Mariam mens små spytbobler bredte sig ned ad hagen.

„Hvordan er det dog du ser ud! Du har jo drengetøj på! Og så meget i den hede. Ikke underligt at du stadig er vågen."

Mariam tog tæppet af babyen og blev forfærdet over at se at der var endnu et. Hun tiskede og tog også det væk. Babyen gurglede af glæde. Hun viftede med armene som en fugl.

„Det var bedre, ikke?"

Da Mariam begyndte at trække sig væk, greb babyen fat i hendes lillefinger. Den lille hånd lukkede sig hårdt om den, varmt og blødt, våd af spyt.

„Guugh," sagde babyen.

„Ja, ja, bas, giv nu slip."

Babyen hang ved og cyklede med benene.

Mariam trak fingeren til sig. Babyen smilede og gurglede løs. Hånden forsvandt ind i munden igen.

„Hvorfor er du så glad? Hvad? Hvad har du at være glad for? Du er ikke så klog som din mor siger. Din far er et udyr, og din mor en tåbe. Du ville ikke smile sådan hvis du vidste besked. Nej, du ville ej. Sov nu, hører du."

Mariam kom på benene og var nået et par meter væk før babyen begyndte at lave sine *eh-eh*-lyde som Mariam vidste var begyndelsen til et vældigt brøl. Hun gik tilbage.

„Hvad nu? Hvad er det du vil?"

Babyen smilede tandløst.

Mariam sukkede. Hun satte sig ned og lod sin finger indfange igen, og blev så siddende og så på babyen der knirkende og gurglende cyklede løs med benene i luften. Hun blev der indtil babyen var faldet til ro og begyndte at snorke.

Udenfor sang spottedroslerne, og indimellem, når de gik på vingerne, kunne Mariam se det blå månelys der skinnede ned gennem skyerne, reflekteres i deres fjerdragt. Og selv om hun var knastør i munden, og det prikkede og brændte i hendes fødder, varede det længe før hun blidt lirkede sin finger ud af babyens hånd og rejste sig op.

34

Laila

Af alle Lailas glæder var den største at ligge ved siden af Aziza med babyens ansigt så tæt på sit at hun kunne se hendes store pupiller blive store og små igen. Hun elskede at lade en finger glide hen over Azizas bløde hud, over smilehullerne i fingerknoerne, de fede deller om hendes albue. En gang imellem lagde hun Aziza på sit bryst og fortalte hviskende ned i det bløde hår om Tariq, den far som altid ville være en fremmed for Aziza, hvis ansigt Aziza aldrig ville få at se. Hun fortalte om hans talent for at løse gåder, om hans fupnumre og utyskestreger og om hvor lattermild han havde været.

„Han havde de kønneste øjenvipper, tykke ligesom dine. En pæn hage, nydelig næse og en flot buet pande. Åh, din far var meget køn, Aziza. Han var perfekt. Perfekt ligesom dig."

Men hun passede omhyggeligt på aldrig at nævne ham ved navn.

En gang imellem greb hun Rashid i at se på Aziza på en mærkelig måde. En aften da han sad på gulvet og skar hård hud af sin fod, havde han sådan helt henkastet spurgt: „Hvordan var det så mellem jer to?"

Laila havde set forvirret på ham som om hun ikke forstod spørgsmålet.

„Laila og Majnoon. Dig og *yaklenga*'en. Ham den etbenede. Hvad var det I havde sammen?"

„Han var en god ven," sagde hun forsigtigt og med helt neutral stemme. Hun koncentrerede sig om at gøre en flaske klar til Aziza. „Det ved du godt."

„Jeg ved ikke hvad jeg ved." Rashid deponerede hudflager i vindueskarmen og lagde sig tilbage på sengen. Fjedrene skreg protesterende. Han spredte benene og kløede sig i skridtet. „Og som… venner, gjorde I så noget som ikke tålte dagens lys?"

„Hvad mener du?"

Rashid smilede sorgløst, men hun kunne mærke hans blik på sig, koldt og årvågent. „Lad mig nu se. Gav han dig nogensinde et kys? Måske lagde han sine hænder et sted hvor de intet havde at bestille?"

Laila krympede sig og satte hvad hun håbede var en indigneret mine op. Hun kunne mærke sit hjerte dunke i halsen. „Han var som en *bror* for mig."

„Så han var altså både en ven og en bror?"

„Ja, han…"

„Hvad var han mest?"

„Begge dele lige meget."

„Men brødre og søstre kan være nysgerrige væsener. Ja. En gang imellem kan en bror lade sin søster se hans tissemand, og en søster vil måske lade…"

„Du giver mig kvalme," sagde Laila.

„Der var altså ingenting mellem jer?"

„Jeg vil ikke tale mere om det."

Rashid lagde hovedet på skrå, spidsede munden og nikkede. „Folk snakkede, forstår du. Jeg kan huske at de sagde alle mulige ting om jer. Men du siger altså at der intet var at snakke om."

Hun tvang sig til at se vredt på ham.

Han holdt blikket i pinagtig lang tid på en ublinkende måde der fik hendes knoer omkring flasken til at blive hvide, og det krævede alle hendes kræfter ikke at se væk.

Hun gøs ved tanken om hvad han ville gøre hvis han fandt ud af at hun stjal fra ham. Hver eneste uge siden Aziza var kommet til verden, havde hun åbnet hans pung enten når han sov eller var ude i udhuset, og havde taget en enkelt seddel. Nogle uger havde hun, hvis der ikke var ret mange penge i den, nøjedes med at tage en femafghani-seddel, eller slet ingenting, af frygt for at han skulle opdage noget. Når pungen var tyk, tog hun måske en tier eller en tyver, og en enkelt gang havde hun dristet sig til at tage to tyvere. Hun skjulte pengene i en pose som hun havde syet ind i sømmen på sin ternede vinterfrakke.

Hun spekulerede på hvad han ville gøre hvis han vidste at hun havde planlagt at stikke af til næste forår. Senest næste sommer. Laila håbede at hun på det tidspunkt havde tusind afghani eller mere gemt af vejen – heraf skulle halvdelen bruges til busbilletten til Peshawar. Hun ville pantsætte sin vielsesring når tiden nærmede sig, foruden alle de andre smykker Rashid havde givet hende sidste år, dengang hun stadig var malika i hans slot.

„Nå, men..." sagde han og trommede med fingrene på sin mave, „man kan ikke bebrejde mig noget. Jeg er din mand. Der er ting som en mand kan spekulere på. Men det var heldigt at han døde da han gjorde. For hvis han var her nu, hvis jeg fik fingre i ham..." Han sugede luft ind mellem tænderne og rystede på hovedet.

„Hvad blev der af det med ikke at tale ondt om de døde?"

„Visse mennesker kan ikke være døde nok," svarede han.

To dage efter vågnede Laila om morgenen og fandt en stak babytøj pænt foldet sammen uden for sin soveværelsesdør. Der var blandt andet en kjole med stort skørt og små lyserøde fisk i livstykket, en blåblomstret ulden kjole med matchende strømper og vanter, en gul natdragt med gulerodsfarvede polkaprikker og grønne bukser med flæser på opslagene.

„Man siger," smaskede Rashid over aftensmåltidet den aften uden at lægge mærke til Aziza eller den natdragt Laila havde givet hende på, „at Dostum igen vil skifte side og slutte sig til Hekmatyar. Masud vil få nok at se til hvis han skal slås mod dem begge. Og så må vi ikke glemme hazarerne." Han tog et stykke syltet aubergine som Mariam havde lavet i løbet af sommeren. „Lad os håbe det bare er et rygte. For hvis det sker, vil denne krig..." Han slog ud med en fedtet hånd, „være at sammenligne med en skovtur til Paghman."

Senere besteg han hende og fik udløsning med ordløst hastværk, fuldt påklædt når man så bort fra hans tumban som han ikke havde taget af, men trukket ned til anklerne. Da de hektiske stød ebbede ud, rullede han af hende og faldt øjeblikkeligt i søvn.

Laila listede ud af soveværelset og gik ned i køkkenet hvor Mariam sad på hug og rensede et par ørreder. En skål ris stod i blød ved siden af hende. Der duftede af spidskommen og røg, stegte løg og fisk i køkkenet.

Laila satte sig i et hjørne og trak kjolen ned over sine knæ.

„Tak," sagde hun.

Mariam ignorerede hende. Hun blev færdig med den første ørred og tog fat på den næste. Med en savtakket kniv skar hun finnerne af og vendte så fisken om så bugen var opad, og skar den med øvede hænder op fra gat til gæller. Laila så hende stikke en tommelfinger i dens mund, lige over undermunden, presse den ind og med en enkelt nedadgående bevægelse fjerne gæller og indvolde.

„Det er meget smukt, tøjet."

„Jeg havde ikke noget at bruge det til," mumlede Mariam. Hun lod fisken falde ned på en avis der var fyldt med slimet, grå væske, og skar hovedet af den. „Det var enten din datter eller møllene."

„Hvor har du lært at rense fisk på den måde?"

„Jeg boede i nærheden af en å da jeg var lille. Jeg plejede at fange mine egne fisk."

„Jeg har aldrig være på fisketur."

„Der er ikke meget ved det. Det går mest ud på at vente."

Laila så hende skære den rensede ørred i tre dele.

„Hvornår syede du det tøj?"

Mariam skyllede fiskestykkerne i en skål vand. „Da jeg var

gravid den første gang. For atten, nitten år siden. Måske. I hvert fald er det længe siden. Som sagt har jeg ikke selv noget at bruge det til."

„Du er virkelig en fantastisk *khayat*. Måske kan du lære mig det?"

Mariam lagde de rensede ørredstykker i en ren skål. Der dryppede vand fra hendes fingre da hun så op og over på Laila som om det var første gang hun så hende.

„Forleden aften da han... Der er aldrig nogen der har forsøgt at hjælpe mig før."

Laila så på Mariams slappe kinder, øjenlågene der hang i trætte folder, de dybe furer der omgav hendes mund – og hun så disse ting som om det også for hendes vedkommende var første gang hun så rigtigt på Mariam. Og pludselig var det ikke en modstanders ansigt Laila så, men et ansigt der fortalte om undertrykt sorg, om byrder der stumt måtte bæres, om en skæbne Mariam havde underkastet sig og aldrig kunne undslippe. Ville det være hendes eget ansigt om tyve år hvis hun blev i dette ægteskab, spekulerede Laila på.

„Jeg kunne ikke lade ham gøre det," sagde hun. „Jeg voksede op i et hjem hvor man ikke gjorde den slags mod hinanden."

„*Dette* er dit hjem nu. Du gør klogt i at vænne dig til det."

„Ikke til den slags. Det vil jeg ikke."

„På et tidspunkt vil han også vende sig imod dig," sagde Mariam og tørrede hænderne i en klud. „Nu er du advaret. Det varer ikke længe. Selv den friskeste fisk begynder at lugte efter et par dage. Og du gav ham en datter. Så, forstår du, din synd er i virkeligheden langt mere utilgivelig end min."

Laila kom på benene. „Jeg ved det er koldt udenfor, men hvad siger du til at vi to syndere tager os en kop *chai* ude i gården?"

Mariam så overrasket op. „Det kan jeg ikke. Jeg mangler at snitte og rense bønnerne."

„Vi kan hjælpes ad i morgen tidlig."

„Og der skal gøres rent herude.“

„Vi gør det sammen. Hvis jeg ikke husker forkert, er der en rest *halwa* fra i går. Det smager vældig godt sammen med chai.“

Mariam lagde kluden på bordet. Laila kunne fornemme hendes nervøsitet i måden hun trak ned i ærmerne på, og bagefter rettede på hijaben og skubbede en lok hår på plads.

„Kineserne siger at det er bedre at undvære mad i tre dage end te i én.“

Mariam smilede tøvende. „Det er en fin talemåde.“

„Ja.“

„Men kun et øjeblik.“

„En enkelt kop.“

De satte sig på klapstole udenfor og spiste halwa med fingrene fra en fælles skål. De fik to kopper te, og da Laila spurgte Mariam om hun ville have en tredje, sagde Mariam ja tak. Til lyden af maskingeværild oppe i bakkerne sad de og så skyerne glide for månen og årstidens sidste ildfluer hvirvle rundt i gule skyer ude i mørket. Og da Aziza vågnede, og Rashid råbte til Laila at hun skulle komme op og få hende til at holde kæft, udvekslede Laila og Mariam et blik, et indforstået, vidende blik, den slags man udveksler med en lidelsesfælle.

Efter denne flygtige, ordløse kontakt med Mariam vidste Laila at de ikke længere var fjender.

35

Mariam

Efter den aften deltes Mariam og Laila om husarbejdet. De sad ude i køkkenet og æltede dej, skar grønne løg i skiver og knuste hvidløg mens de skiftedes til at stikke små agurkestykker i munden på Aziza som sad imellem dem og bankede løs med skeer og legede med gulerødder. Eller de skiftedes til at holde øje med hende når hun lå ude i gården i en kurv iklædt flere lag tøj og med et varmt halstørklæde om halsen. Når de vaskede skjorter, bukser og bleer, hændte det at Mariams knoer ramte Lailas, for de stod med hænderne i den samme balje.

Mariam vænnede sig langsomt til dette tøvende, men hyggelige venskab. Om aftenen kunne hun næsten ikke vente på at kunne sætte sig ud i gården og drikke de tre kopper chai sammen med Laila. Det var blevet et aftenritual nu. Om morgenen glædede hun sig til at høre klaprelyden fra Lailas sandaler når hun kom ned til morgenmad, og til lyden af Azizas latterhvin, til synet af hendes otte små tænder og til duften af mælk på hendes hud. Hvis Laila og Aziza sov længe, blev hun rastløs. Hun vaskede tallerkener der ikke behøvede at blive vasket. Hun flyttede rundt på puderne i stuen. Hun støvede af på vindueskarme hvor der ikke var det mindste støvfnug. Hun holdt sig beskæftiget indtil Laila trådte ud i køkkenet med Aziza hængende på hoften.

Når Aziza fik øje på Mariam om morgenen, blev hendes øjne store, og hun begyndte at klynke og vride sig i sin mors arme. Hun rakte armene frem mod Mariam, forlangte at komme over i hendes favn, mens hendes små hænder åbnede og lukkede sig, og der bredte sig et udtryk af både tilbedelse og skælvende uro på hendes ansigt.

„Sikke dog en scene du laver,“ ville Laila så sige og sætte hende ned så hun kunne kravle hen til Mariam. „Sikke dog en scene! Vær nu lidt rolig. Khala Mariam går jo ingen steder. Se, der er hun jo, din tante. Af sted med dig.“

Og lige så snart Aziza var oppe i Mariams arme, forsvandt tommelfingeren ind i hendes mund, og hun gemte ansigtet ved Mariams hals.

Mariam hoppede lidt stift med hende med et halvt forvirret, halvt taknemmeligt smil om munden. Mariam havde aldrig følt sig ønsket på den måde. Kærlighed var aldrig blevet erklæret på en så umiddelbar, uforbeholden måde.

Aziza fik tårerne til at vælde op i Mariams øjne.

„Hvorfor har du kastet din kærlighed på sådan en grim, gammel heks som mig?" kunne hun mumle ned i Azizas hår. „Svar mig. Jeg er en noksagt, forstår du ikke det? En dehati. Hvad har jeg at tilbyde dig?"

Men Aziza knirkede bare af tilfredshed og gravede sit ansigt endnu dybere ned. Og når hun gjorde det, blev Mariam svag i benene. Halsen snørede sig sammen af bevægelse. Hendes hjerte hamrede. Og hun undrede sig over hvordan hun – efter så mange år at have drevet om som en skibbruden på et uendeligt hav – i dette lille væsen havde fundet den første ægte samhørighed i et liv fyldt med falske og kuldsejlede forbindelser.

Tidligt det følgende år, i januar 1994, skiftede Dostum så side igen. Han sluttede sig til Gulbuddin Hekmatyar og flyttede sin stilling til et sted i nærheden af Bala Hissar, de gamle fæstningsmure som tårnede sig op over byen fra Sher Dar Waza-bjerget. Sammen beskød de Masud og Rabbanis styrker der havde slået sig ned i Forsvarsministeriets bygning og præsidentpaladset således at byen blev delt i to, og raketter og maskingeværild fløj hen over Kabuls flod. Gaderne blev oversået med døde mennesker, glasskår og forvredne stykker metal. Der blev plyndret, der blev myrdet, og i stigende grad blev der også voldtaget. Voldtægt blev brugt både som middel til at skræmme de civile og som belønning til militsen. Mariam hørte om kvinder der af skræk for at blive voldtaget valgte at begå selvmord, og om mænd der i ærens navn dræbte deres koner og døtre hvis nogen havde forbrudt sig imod dem.

Aziza hylede når mortergranaterne slog ned. For at aflede

hendes opmærksomhed lagde Mariam risengryn ud på gulvet og lavede et hus eller en hane eller en stjerne af dem blot for at barnet kunne sprede dem ud over hele gulvet igen. Hun tegnede elefanter for Aziza sådan som Jalil havde vist hende, med én lang streg og uden at løfte blyanten.

Rashid sagde at der nu dagligt omkom snesevis af civile. Hospitaler og lagerbygninger hvor man havde lægemidler opmagasineret, blev bombet. Biler der kom med nødforsyninger, blev forhindret i at køre ind i byen, sagde han, og plyndret og beskudt. Mariam spekulerede på om kamphandlingerne var lige så voldsomme i Herat, og hvis de var, på hvordan mullah Faizullah klarede sig, om han stadig var i live, og også Bibi jo med alle hendes sønner, svigerdøtre og børnebørn. Og så selvfølgelig Jalil. Var han krøbet i skjul, tænkte Mariam, ligesom hun selv var? Eller havde han pakket sine koner og børn sammen og var flygtet ud af landet? Hun håbede at Jalil var i sikkerhed et sted, at det var lykkedes ham at komme væk fra alt dette myrderi.

En uge tvang kamphandlingerne selv Rashid til at blive hjemme. Han låste porten til gården, satte fælder op, låste også hoveddøren og barrikaderede den med sofaen. Han vandrede hvileløst rundt i huset, kæderøg, kiggede uafladeligt ud ad vinduet, rensede sin pistol, ladede den og afladede den igen. To gange skød han ud mod gaden og påstod at han havde set en eller anden der forsøgte at klatre over muren.

„De tvangsudskriver drenge nu," sagde han. „Mujahedin, mener jeg. I fuldt dagslys. De samler de rene børn op fra gaden. Og når soldater fra den anden side fanger disse drenge, torturerer de dem. Jeg har hørt at de får elektriske stød, det er hvad jeg har hørt, at de knuser deres nosser med tænger. De tvinger drengene til at vise dem hvor de bor. Så bryder de ind i husene, myrder deres fædre og voldtager deres søstre og mødre."

Han viftede med pistolen over hovedet. „Men de kan bare komme an. Her i mit hus bliver det *mig* der knuser deres nosser.

Jeg blæser hovedet af de sønner af en hore. Ved I hvor heldige I er at have en mand i huset der ikke er bange for *Shaitan* selv?"

Han så ned og opdagede pludselig hvad der sad ved hans fødder. „Væk med dig!" hvæsede han og lavede en fejende bevægelse med pistolen. „Hold op med at kravle i hælene på mig! Og du kan godt holde op med at vifte med hænderne. Jeg løfter dig ikke op. Væk med dig! Ellers ender det med at jeg træder på dig."

Aziza krympede sig. Hun kravlede tilbage til Mariam med et såret og forvirret udtryk i øjnene. Da hun var kommet op på Mariams skød, begyndte hun at sutte på tommelfinger mens hun kiggede tungsindigt på Rashid. En gang imellem kiggede hun op på Mariam for, bildte Mariam sig ind, at blive forsikret om at hun var elsket.

Når det imidlertid drejede sig om fædre, var Mariam ude af stand til at forsikre hende om noget som helst.

Det var en lettelse da kamphandlingerne ebbede ud, især fordi de så ikke længere skulle være spærret inde sammen med Rashid hvis dårlige humør fik alle til at snige sig langs væggene. For ikke at tale om at han havde jaget en skræk i livet på Mariam da han viftede med en ladt pistol i nærheden af Aziza.

En dag den vinter bad Laila om lov til at flette Mariams hår.

Mariam sad helt stille og kiggede på Lailas slanke fingre i spejlet der flettede og strammede mens hendes ansigt var knebet sammen af koncentration. Aziza lå og sov på gulvet. I favnen havde hun en dukke som Mariam havde syet til hende. Mariam havde stoppet den med bønner og lavet en kjole af lysebrunt stof og en halskæde med små tomme garntrisser som hun havde trukket en snor igennem.

Så slog Aziza en prut i søvne. Laila begyndte at le og smittede Mariam med sin latter. Sådan lo de til hinandens spejlbilleder, med tårer der trillede ned ad kinderne, og det hele virkede så naturligt, så ubesværet, at Mariam pludselig begyndte at fortælle hende om Jalil og Nana, og om jinnen. Laila stod med uvirksomme hænder på Mariams skuldre og øjne der kiggede ind i Mariams i spejlet. Ud kom ordene som blod der sprøjtede fra en arterie. Mariam fortalte hende om Bibi jo og mullah Faizullah, om den ydmygende tur til Jalils hus og om Nanas selvmord. Hun fortalte om Jalils koner og om det hastigt arrangerede nikka med Rashid, om busrejsen til Kabul, om sine graviditeter, håb og skuffelser der afløste hinanden uden ende, og om Rashid der til sidst havde vendt sig fra hende.

Bagefter satte Laila sig på hug foran Mariams stol. Hun fjernede åndsfraværende en stoftrævl der havde forvildet sig ind i Azizas hår. Der var stille et øjeblik.

„Jeg har også noget jeg vil fortælle dig," sagde Laila så langt om længe.

Mariam kunne ikke falde i søvn den nat. Hun sad på sengen og kiggede ud på sneen der dalede.

Årstider var kommet og gået, præsidenter i Kabul var blevet indsat og afsat; et stort rige havde lidt nederlag, gamle krige var blevet bilagt, og nye var brudt ud. Men Mariam havde knap nok lagt mærke til det, havde ikke interesseret sig særligt for det. Kun en lille del af hendes bevidsthed havde registreret årstidernes skiften. Hendes liv havde været en gold ørken, uden jammer, uden ønsker, uden drømme, uden illusioner. I den ørken var fremtiden ligegyldig. Og fortiden rummede kun ét visdomsord: at kærlighed var en ødelæggende fejltagelse, og at dens medsammensvorne, håbet, var en forræderisk illusion. Og når som helst disse to giftige blomster begyndte at skyde op gennem den tørre jord, rev Mariam dem resolut op. Hun lugede dem væk og smed dem ud før de kunne nå at slå rod i hendes hjerte.

Men på en eller anden måde var Laila og Aziza – som havde vist sig at være en harami ligesom Mariam – blevet som en forlængelse af hende selv, og nu forekom det liv som Mariam så stoisk havde udholdt, hende pludselig utåleligt hvis de to ikke fandtes i det.

Vi tager af sted til foråret, Aziza og mig. Tag med, Mariam.

Årene havde ikke været venlige mod Mariam, men måske ventede der nu nogle der ville være det. Et nyt liv, et liv hvor hun skulle opleve den glæde som Nana havde sagt at en harami som hende aldrig ville komme til at opleve. To nye blomster havde uventet slået rod i hendes liv, og mens Mariam så sneen dale, så hun for sit indre blik mullah Faizullah dreje sine tasbeh-perler mellem fingrene mens han lænede sig frem og med sin sagte, skrøbelige stemme hviskede til hende: *Men det er Gud der såede dem, Mariam jo. Og det er Hans vilje at du vander dem. Det er Hans vilje, min pige.*

36

Laila

I takt med at solen langsomt fordrev mørket fra himlen den morgen i 1994, blev Laila mere og mere overbevist om at Rashid vidste besked. At han lige om et øjeblik ville hive hende op fra sengen og spørge om hun virkelig regnede ham for sådan en *khar*, sådan et fjols, sådan et æsel der så nemt lod sig føre bag lyset. Men der blev sunget azan, og så faldt solens stråler fladt hen over hustagene, og hanerne galede, og der skete intet usædvanligt.

Hun kunne høre ham ude i badeværelset, lyden af ragekniven der blev banket mod kanten af håndvasken. Så nedenunder hvor han gik rundt og lavede te. Nøgler der klirrede. Og nu trak han sin cykel hen over gården.

Laila kiggede ud gennem en sprække i gardinet. Hun så ham cykle af sted, en stor mand på en lille cykel, og den blændende sol der reflekteredes i styret.

„Laila?“

Mariam stod i døråbningen. Laila kunne høre at hun heller ikke havde fået nogen søvn den nat. Hun spekulerede på om Mariam ligesom hende havde haft anfald af eufori der afløstes af anfald af afgrundsdyb angst der gjorde en helt tør i munden.

„Vi tager af sted om en halv time,“ sagde Laila.

De talte ikke sammen da de sad på bagsædet i taxaen. Aziza sad på Mariams skød og knugede om sin dukke mens hun med store øjne kiggede ud på byen der gled forbi.

„*Ona*!“ hvinede hun og pegede på en flok sjippende piger. „Mayam! *Ona*.“

Uanset hvor Laila så hen, fik hun øje på Rashid. Hun så ham bag støvede vinduer i frisørsaloner, komme ud fra små forretninger der solgte agerhøns, fra ramponerede, åbne butikker med gamle bildæk i stabler fra gulv til loft.

Hun sank længere ned i sædet.

Ved siden af hende sad Mariam og bad en bøn. Laila ville ønske at hun kunne se hendes ansigt, men Mariam havde burka på – det havde de begge – og det eneste hun kunne se, var et glimt i hendes øjne bag nettet.

Det var første gang Laila var uden for huset i flere uger når man så bort fra den korte tur til pantelåneren dagen før – hvor hun havde skubbet sin vielsesring hen over glasskranken og var gået igen fuld af fryd over det endegyldige i hendes handling, over visheden om at der nu ingen vej var tilbage.

Hele vejen rundt om dem så Laila resultatet af de nye kampe der var brudt ud, og som hun havde kunnet høre inde i stuen. Huse som lå uden tag, helt i ruiner som bunker af sten og mørtel, bygninger uden indmad med bjælker der stak op af hullerne, sodsværtede, forvredne bilvrag, væltet om på siden eller taget, en gang imellem stablet oven på hinanden, mure med huller i efter alle tænkelige kuglestørrelser, knust glas overalt. Hun så et begravelsestog på vej mod en moské, en sortklædt kvinde som bagtrop der rev hele totter hår ud af sit hoved. De kom forbi en kirkegård der var oversået med gravsteder med væltede sten og lasede shaheed-flag der blafrede i vinden.

Laila rakte hen over kufferten og foldede hænderne rundt om sin datters bløde arm.

I busterminalen ved Lahore-porten i nærheden af Pol Mahmud Khan i Østkabul holdt en række busser ved kantstenen med motoren i tomgang. Mænd med turban på hovedet havde travlt med at løfte kufferter og kasser op på bussernes tage og sikre dem med reb. Inde i stationsbygningen stod mænd i en lang række foran billetlugen. Burkaklædte kvinder stod i grupper og snakkede med deres ejendele i stabler ved siden af sig. Babyer blev vugget og børn skældt ud for at være løbet for langt væk.

Mujahedin-militsen patruljerede i bygningen og udenfor mens de glammede ordrer til højre og venstre. De havde støvler på, pakoler, grønne støvede kampuniformer, og de var alle bevæbnet med en Kalashnikov.

Laila følte sig iagttaget. Hun undlod at se nogen i ansigtet, men hun følte det som om alle på dette sted vidste besked, og at de kiggede misbilligende på hende på grund af det hun og Mariam var i færd med.

„Har du fundet nogen?" spurgte Laila.

Mariam flyttede Aziza over på den anden hofte. „Ikke endnu."

Dette ville blive den første risikable ting, vidste Laila. De skulle finde en mand som var tilforladelig nok til at kunne optræde som et familieoverhoved. Den frihed kvinder havde nydt mellem 1978 og 1992 var et overstået kapitel nu – Laila kunne stadig høre Babi udtale sig om årene under kommunismen: *Det er en god tid at være kvinde i Afghanistan, Laila.* Da Mujahedin tog magten i april 1992, skiftede Afghanistan navn til Den Islamiske Stat Afghanistan, og Højesteret under Rabbani var fyldt med ortodokse mullaher der med hård hånd havde fjernet alle den kommunistiske tids love der gav kvinder frihed, og i stedet havde indført den strenge, islamiske *sharia* der straffede utugt med stening, beordrede kvinder til at dække sig til og forbød dem at rejse uden at være ledsaget af en mand. Indtil videre var håndhævelsen af disse love kun sporadisk, *men de ville føre dem alle ud i livet med det samme hvis de ikke havde haft så travlt med at slå hinanden ihjel*, havde Laila sagt til Mariam.

Den anden farefulde del af denne rejse ville opstå når de nåede den pakistanske grænse. Pakistan var i forvejen ved at segne under byrden af en halv million afghanske flygtninge og havde lukket grænsen i januar. Laila havde hørt at kun dem med et visum ville blive lukket ind i landet. Men grænsen var hullet som en si, det havde den altid været, og Laila vidste at der stadig slap afghanere i tusindvis ind i Pakistan, enten ved hjælp af bestikkelse eller af humanitære grunde – og desuden var det nemt at en hyre en menneskesmugler. *Den bro krydser vi når vi kommer til den*, havde hun sagt til Mariam.

„Hvad med ham der?" sagde Mariam og gjorde tegn med hagen.

„Han ser ikke særlig pålidelig ud."

„Ham?"

„For gammel. Og han rejser sammen med to andre mænd."

Langt om længe fandt Laila ham på en bænk udenfor hvor han sad sammen med en tildækket kvinde og med en lille dreng med kasket, omtrent på alder med Aziza, på skødet. Han var høj og slank, havde skæg og var iført en skjorte der var knappet op i halsen, og en slidt grå frakke hvor nogle af knapperne manglede.

„Vent her," sagde hun til Mariam. På vej væk hørte hun Mariam begyndte at bede.

Da hun nærmede sig den unge mand, så han op og skyggede for solen med den ene hånd.

„Tilgiv mig, broder, men er De på vej til Peshawar?"

„Ja," sagde han med sammenknebne øjne.

„Jeg spekulerer på om De mon vil hjælpe os. Gøre os en tjeneste?"

Han rakte drengen over til sin kone. Han og Laila gik lidt afsides.

„Hvad kan jeg hjælpe med, hamshira?"

Hun følte sig opmuntret ved at se han havde blide øjne og et venligt ansigt.

Hun fortalte ham den historie hun og Mariam havde brygget sammen. Hun var *biwa*, sagde hun. Efter mandens død havde hun og hendes mor og datter ingen tilbage i Kabul. De skulle til Peshawar hvor hun havde en onkel.

„De ønsker at rejse i selskab med mig og min familie?" sagde den unge mand.

„Jeg ved det er til zahmat for Dem. Men De ligner et venligt menneske, og jeg..."

„Det er helt i orden, hamshira. Jeg forstår. Og det er ikke til ulejlighed. Nu skal jeg gå hen og købe Deres billetter."

„Mange tak, broder. Gud vil huske Dem for denne gode *sawab*."

Hun fiskede kuverten op af lommen under burkaen og rakte ham den. Der var elleve hundrede afghani i den, omtrent halvdelen af de penge hun havde puget sammen i løbet af året plus det hun havde fået for vielsesringen. Han stak kuverten ned i bukselommen.

„Vent her."

Hun så ham gå ind i stationsbygningen. Han kom tilbage en halv time senere.

„Det vil være bedst hvis jeg holder Deres billetter. Bussen kører om en time, klokken elleve. Vi stiger om bord sammen. Mit navn er Wakil. Hvis nogen spørger, men det sker nok ikke, så siger jeg at De er min kusine.“

Laila fortalte ham hvad de hed, og han sagde at han nok skulle huske det.

„Bliv i nærheden,“ sagde han.

De satte sig på bænken ved siden af Wakil og hans familie. Det var en solrig, varm dag, der var kun enkelte tynde skyer i det fjerne over bjergene. Mariam begyndte at give Aziza lidt mad, et par kiks som hun i al hastværket havde husket at tage med. Hun rakte en over til Laila.

„Jeg kommer bare til at kaste op,“ lo Laila. „Jeg er alt for spændt.“

„Også mig.“

„Tak, Mariam.“

„For hvad?“

„For alt dette. For at tage med,“ sagde Laila. „Jeg tror ikke jeg ville kunne klare det alene.“

„Det kommer du heller ikke til.“

„Det skal nok gå, ikke, Mariam? Vi skal nok klare den.“

Mariams hånd gled hen over bænken og lukkede sig om Lailas. „Der står i Koranen at Allah er Østen og Vesten, hvor I end vender jer hen, der vil I se Hans åsyn.“

„*Bov*!“ hvinede Aziza og pegede på en bus. „Mayam, *bov*!“

„Ja, jeg kan godt se den, Aziza jo,“ sagde Mariam. „Det er rigtigt, en bov. Lige straks skal vi op og køre i bov. Åh, så mange ting du skal til at opleve.“

Laila smilede. Hun kiggede over på snedkeren i butikken på den anden side af gaden der stod og savede i noget træ så spånerne fløj om ørerne på ham. Hun så på bilerne der susede forbi med ruder der var dækket af støv og sod. Hun så på busserne der holdt med tændt motor ved kantstenen, på de påfugle og løver og opgående sole og skinnende sværd der var malet på deres sider.

Badet i varmen fra formiddagssolen følte Laila sig helt opstemt og ør i hovedet af spænding, og da en hund med gule øjne luntede forbi, bøjede hun sig ned og klappede den.

Et par minutter i elleve bad en mand i megafon alle passagerer til Peshawar om at stige om bord. Bussens døre gik op med et højt sus. En masse rejsende stormede hen imod den, puffende til hinanden for at komme først op.

Wakil gjorde tegn til Laila samtidig med at han løftede sin søn op på armen.

„Så er det nu," sagde Laila.

Wakil gik forrest. Da de nærmede sig bussen, så Laila ansigter komme til syne i vinduerne, næser og håndflader der blev presset mod ruden. Rundt om dem lød der høje farvelråb.

En ung militssoldat tog imod billetter henne ved døren.

„*Bov*!" hvinede Aziza.

Wakil rakte billetterne frem mod soldaten som rev dem i to stykker og gav dem tilbage. Wakil lod sin kone stige ind først. Laila så et blik blive udvekslet mellem Wakil og soldaten, og Wakil der stod på det første trin, bøjede sig ned og hviskede ham noget i øret. Soldaten nikkede.

Lailas hjerte dumpede ned i maven.

„I to, med barnet, vær venlig at træde til side," sagde soldaten.

Laila lod som om hun ikke hørte det. Hun gik hen til trappen, men han tog hende om skulderen og trak hende brutalt ud af køen. „Også Dem," sagde han til Mariam. „Skynd Dem! De står i vejen."

„Hvad er der galt, broder?" spurgte Laila med følelsesløse læber. „Vi har billetter. Fik De dem ikke lige nu af min fætter?"

Han gjorde en shh-bevægelse med en finger og talte lavmælt med en anden soldat. Den anden soldat, en fedladen mand med søvnige, grønne øjne og et ar ned langs højre kind, nikkede.

„Følg mig," sagde han til Laila.

„Vi er nødt til at komme med denne bus!" sagde Laila med rystende stemme. „Vi har billetter. Hvorfor gør De det her mod os?"

„De kommer ikke med denne bus. De kan lige så godt se det i øjnene. Jeg må bede Dem komme med. Medmindre De ønsker at Deres lille pige skal se Dem blive trukket af sted."

Mens de blev ført hen til en lastbil, så Laila sig tilbage over skulderen og fik øje på Wakils lille dreng bagest i bussen. Drengen så hende og vinkede glad.

På politistationen ved Turabaz Khan blev de placeret i hver sin ende af en lang, tætpakket korridor med en mand der sad bag et skrivebord midt imellem og kæderøg mens han fra tid til anden klaprede et eller andet på en skrivemaskine. På den måde gik der tre timer. Aziza stavrede frem og tilbage mellem Laila og Mariam. Hun legede med en papirklips som manden bag skrivebordet gav hende. Hun spiste resten af kiksene. Til sidst faldt hun i søvn på Mariams skød.

Ved tretiden blev Laila kaldt ind i et forhørslokale. Mariam fik besked på at vente udenfor sammen med Aziza.

Manden der sad på den anden side af skrivebordet, var i trediverne og iført civilt tøj, sort jakkesæt, slips og sorte hyttesko. Han havde et nydeligt trimmet skæg, sort hår og øjenbryn der mødtes på midten. Han stirrede på Laila mens han bankede i bordet med viskelæderenden på en blyant.

„Vi ved," begyndte han og hostede kort mens han høfligt holdt sig for munden, „at De allerede har fortalt én løgn i dag, hamshira. Den unge mand på busstationen var ikke Deres fætter. Det har vi hans ord for. Spørgsmålet er om der er flere løgne De vil fortælle os i dag. Personligt vil jeg fraråde det."

„Vi var på vej til min onkel for at bo hos ham," sagde Laila. „Jeg lyver ikke."

Politimanden nikkede. „Hamshiraen ude på gangen, er det Deres mor?"

„Ja."

„Hun taler med herati-dialekt. Det gør De ikke."

„Hun voksede op i Herat. Jeg er født i Kabul."

„Selvfølgelig. Og De er enke? Det sagde De at De var. Må jeg kondolere. Og denne onkel, Deres kaka, hvor bor han så?"

„I Peshawar."

„Nå ja, det sagde De jo også." Han fugtede blyantspidsen og holdt den svævende i luften over et blankt stykke papir. „Men hvor i Peshawar? Hvilket kvarter. Gadenavn. Sektornummer."

Laila forsøgte at undertrykke den panik der boblede op i brystet på hende. Hun fortalte ham navnet på den eneste gade hun kendte i Peshawar – hun havde hørt den nævnt engang til en fest Mammy havde holdt dengang Mujahedin første gang drog ind i Kabul. „Jamrud Road."

„Åh ja. Pearl Continental Hotel ligger jo også på Jamrud Road. Måske har han nævnt det for Dem?"

Laila greb chancen og sagde at det havde han faktisk. „Ja, det ligger lige i nærheden af hvor han bor."

„Bortset fra at hotellet ligger på Khyber Road."

Laila kunne høre Aziza græde ude på gangen. „Min datter er bange. Må jeg gå ud og hente hende, broder?"

„Jeg ville foretrække at De tiltalte mig med officer. Og De vil meget snart være sammen med hende meget snart. Har De et telefonnummer til denne onkel?"

„Ja, det vil sige, det havde jeg. Jeg..." Selv med burkaen imellem dem følte Laila sig gennemboret af hans blik. „Jeg er så meget ude af mig selv at jeg har glemt det."

Han sukkede træt. Han spurgte hende om hvad onklen hed, hvad hans kone hed. Hvor mange børn han havde. Og hvad hed de så? Hvor arbejdede han? Hvor gammel var han? Hans spørgsmål gjorde Laila helt forfjamsket.

Til sidst lagde han blyanten fra sig, foldede hænderne og bøjede sig frem på den måde forældre gør når de ønsker at sige noget til et lille barn. „De ved godt, hamshira, at det er en forbrydelse for en kvinde at stikke af hjemmefra. Vi ser meget af den slags. Kvinder der rejser alene og påstår at deres mænd er døde. En gang imellem siger de sandheden, men som oftest ikke. De kan komme i fængsel for at løbe hjemmefra. Det forstår De godt, *nay*?"

„Vær sød at lade os gå, officer..." Hun læste hans navn på navneskiltet på hans jakke, „officer Rahman. Gør Deres navn ære, og forbarm Dem over os. Hvad betyder det for Dem at lade to ligegyldige kvinder gå? Hvad skade gør det at lade os gå? Vi er ikke forbrydere."

„Det kan jeg ikke."

„Jeg beder Dem."

„Det er et spørgsmål om *qanoon*, hamshira," sagde Rahman og lagde alvorsfuldt tryk på ordet. „Forstår De, det er min pligt at opretholde lov og orden."

På trods af sin fortvivlelse var Laila lige ved at briste i latter. Hun var så forbløffet over at han kunne bruge det ord når man tænkte på alt hvad Mujahedin-fraktionerne havde begået af forbrydelser, mordene, plyndringerne, voldtægterne, henrettelserne, bombesprængningerne, de titusindvis af raketter som de havde affyret mod hinanden uden at tænke på alle de uskyldige mennesker som døde i krydsilden. *Lov og orden.* Men hun bed det i sig.

„Hvis De sender os hjem," sagde hun i stedet for langsomt, „så ved ingen hvad han vil gøre mod os."

Hun kunne se den anstrengelse det kostede ham ikke at se væk. „Hvad en mand gør i sit eget hjem, er hans sag."

„Men hvad siger *loven* om det, officer Rahman?" Rasende tårer steg op i hendes øjne. „Kommer De så for at opretholde lov og orden der?"

„Af principielle årsager blander vi os ikke i familieanliggender, hamshira."

„Selvfølgelig gør De ikke det. Ikke når det er til mandens fordel. Og er dette ikke et familieanliggende, som De siger? Er det ikke?"

Han skubbede stolen tilbage fra skrivebordet og rejste sig samtidig med at han glattede sin jakke. „Jeg vil mene at denne samtale er forbi. Lad mig dog tilføje, hamshira, at De ikke har gjort et tilforladeligt indtryk. Meget langt fra endda. Hvis De nu vil være venlig at vente ude på gangen mens jeg taler et øjeblik med Deres… hvem hun end er."

Laila begyndte at protestere, så at skrige, og han var nødt til at tilkalde to mænd og bede dem om at fjerne hende fra hans kontor.

Forhøret af Mariam varede kun få minutter. Da hun kom ud, rystede hun over det hele.

„Han stillede mig så mange spørgsmål," sagde hun. „Tilgiv mig, Laila jo. Jeg er ikke så kløgtig som dig. Han stillede så mange spørgsmål, og jeg vidste ikke hvad jeg skulle svare. Undskyld."

„Det er ikke din skyld, Mariam," sagde Laila med svag stemme. „Det er min. Det er alt sammen min skyld."

Klokken var over seks da politibilen kørte op foran huset. Laila og Mariam fik besked på at vente i bilen på bagsædet med en militssoldat som vagt på passagersædet. Det var chaufføren der steg ud af bilen, som bankede på porten, og som talte med Rashid. Det var ham der gjorde tegn til at de skulle komme nu.

„Velkommen hjem," sagde manden på passagersædet og tændte en cigaret.

„Du," sagde han til Mariam. „Du venter her."

Mariam satte sig stille på sofaen.

„I to, ovenpå."

Rashid tog Laila om albuen og skubbede hende op ad trappen. Han havde stadig sine arbejdssko på, havde ikke skiftet til hjemmesandaler eller taget sit ur af, havde ikke engang taget frakken af. Laila forestillede sig hvordan han for en time siden, måske kun for få minutter siden, var løbet fra rum til rum, havde smækket med døre, rasende og vantro og stygt bandende.

For enden af trappen vendte Laila sig om og så på ham. „Hun ville ikke med," sagde hun. „Jeg overtalte hende. Hun ville ikke med..."

Laila så ikke hans næve før den ramte hende. Det ene øjeblik talte hun til ham, det næste lå hun på alle fire, rød i ansigtet og med opspærrede øjne mens hun forsøgte at få vejret. Dct var som om en bil i fuld fart var kørt ind i hende og havde ramt hende på det ømme punkt lige mellem brystbenet og navlen. Det gik op for hende at hun havde tabt Aziza, og at Aziza skreg. Hun forsøgte at trække vejret, men kunne kun lave en hæs, halvkvalt lyd. Spyt silede ud af munden på hende.

Så blev hun trukket ved håret. Hun så Aziza blive løftet op, så hendes sandaler falde af og hendes små ben sparke ud i luften. Hår blev revet ud af Lailas isse, og tårerne sprøjtede ud af hendes øjne af smerte. Hun så hans fod sparke døren op til Mariams værelse og så Aziza blive slynget over i sengen. Han gav slip på hendes hår, og Laila mærkede en tåspids hamre ind i venstre balle. Hun skreg af smerte samtidig med at han knaldede døren i. En nøgle raslede i låsen.

Aziza hylede stadig. Laila lå på gulvet og gispede. Hun skubbede sig op på knæ og kravlede over til Aziza på sengen. Hun rakte ud efter sin datter.

Så begyndte slagene nedenunder. I Lailas ører var det lyden af en metodisk, ofte gennemprøvet adfærd. Der lød ingen forbandelser, ingen skrig, ingen tryglen, ingen overraskede skrig, kun systematisk slåen på og blive slået på. Dunk, klask, dunk fra noget der igen og igen ramte hud, et eller andet, en eller anden, der bragede mod væggen, tøj der blev revet i stykker. Indimellem hørte Laila løbende skridt, en stum flugt og en ordløs jagt, møbler der blev væltet, glas der gik i stykker, og så klaske-dunkelydene forfra.

Laila løftede Aziza op i favnen. En varme bredte sig foran på hendes kjole da Aziza tissede i bukserne.

Nedenunder hørte jagten og flugten langt om længe op og blev erstattet af lyden af noget der lød som en trækølle der gentagne gange blev hamret ned i et stykke kød.

Laila vuggede Aziza i sine arme indtil også den lyd hørte op, og da hun hørte netdøren knirke og straks efter smække i igen, satte hun Aziza ned på gulvet og gik hen og kiggede ud ad vinduet. Hun så Rashid føre Mariam hen over gården med en hånd om hendes nakke. Mariam var barfodet og tumlede foroverbøjet af sted. Der var blod på Rashids hænder, blod i Mariams ansigt, i hendes hår, ned foran på brystet og bagved på ryggen. Hendes bluse var blevet revet op.

„Tilgiv mig, Mariam," græd Laila ind mod glasset.

Hun så ham skubbe Mariam ind i redskabsskuret. Han fulgte selv efter og kom ud igen med en hammer og adskillige træplanker. Han lukkede dobbeltdøren til skuret og tog en nøgle op fra lommen og låste hængelåsen. Han tog prøvende i dørene og gik så rundt til bagsiden af skuret og hentede en stige.

Et øjeblik efter kom hans ansigt til syne i Lailas vindue med søm stikkende ud af mundvigene. Hans hår strittede til alle sider. Der var lidt udtværet blod på hans pande. Ved synet af ham skreg Aziza og gemte ansigtet i Lailas armhule.

Rashid begyndte at hamre brædderne for vinduet.

Mørket var totalt, uigennemtrængeligt og konstant, uden nuancer eller substans. Rashid havde fyldt sprækkerne mellem plankerne ud med et eller andet og sat noget stort og tungt foran døren så intet lys kunne trænge ind. Derefter havde han stoppet nøglehullet til.

Laila fandt det helt umuligt at følge med i tidens gang med øjnene, så i stedet for gjorde hun det med det gode øre. Azan og galende haner fortalte at det var morgen. Lyden af klirrende tallerkener i køkkenet nedenunder og radioen der var tændt, betød aften.

Den første dag ledte og famlede de efter hinanden i mørket. Laila kunne ikke se Aziza når hun græd, eller se hvor hun kravlede hen.

„*Aishee*," klynkede Aziza. „*Aishee*."

„Lige om lidt." Laila kyssede sin datter. Hun havde sigtet mod panden, men ramte hende på toppen af hovedet. „Du skal nok få mælk om et øjeblik. Du må bare være lidt tålmodig. Kan du være en sød og tålmodig lille pige for mor, så skal jeg nok skaffe dig lidt aishee."

Laila sang et par sange for hende.

Der blev sunget azan for anden gang, og Rashid var stadig ikke kommet med mad til dem, og værre endnu, heller ikke med vand. Den dag var de ved at kvæles i den overvældende hede. Værelset blev som en trykkoger. Laila lod sin tørre tunge glide hen over sine sprukne læber og tænkte på brønden nede i gården. På koldt og frisk vand. Aziza græd uophørligt, og Laila opdagede forskrækket at når hun tørrede hendes kinder, blev hånden ikke våd. Hun tog alt tøjet af Aziza og ledte efter et eller andet at vifte hende med, men endte med at puste på hende indtil hun blev helt svimmel. Snart holdt Aziza op med at kravle rundt og faldt i en urolig søvn.

Adskillige gange den dag hamrede Laila på væggene og opbrugte sine kræfter på at skrige om hjælp i håb om at en nabo ville høre det. Men ingen kom, og hendes skrig gjorde Aziza bange så hun begyndte at græde igen med svage, kvækkende lyde. Laila gled ned på gulvet. Hun tænkte skyldbevidst på Mariam, forslået og blodig, der var låst inde i denne kvælende varme nede i skuret.

På et tidspunkt faldt hun i søvn. Hun drømte at hun og Aziza var ude at gå og fik øje på Tariq på den anden side af en befærdet vej, under markisen til en skædderbutik. Han sad på hug og smagte på en figen fra en kasse foran sig. *Det er din far*, sagde Laila. *Den mand derovre, kan du se ham? Det er din rigtige Babi.* Hun råbte hans navn, men hendes stemme druknede i gadelarmen, og Tariq hørte det ikke.

Hun vågnede op til lyden af raketter der hvinede hen over hustagene. Et eller andet sted over hende, som hun ikke kunne se, blev himlen oplyst af eksplosioner og lysspor fra lange, knitrende skudsalver. Laila lukkede øjnene. Hun vågnede igen til lyden af Rashids tunge fodtrin ude på gangen. Hun slæbte sig hen til døren og slog med håndfladen på den.

„Bare et enkelt glas, Rashid. Ikke til mig. Gør det for hendes skyld. Du vil ikke ønske at få hendes død på din samvittighed."

Han gik forbi.

Hun begyndte at trygle. Hun bad om tilgivelse, lovede bod og bedring. Hun forbandede ham.

Hans dør gik i. Der blev tændt for radioen.

Muezzinen sang azan for tredje gang. Igen en stegende hed dag. Aziza blev mere og mere slap. Hun holdt op med at bevæge sig og græd ikke længere.

Laila lagde øret ned mod Azizas mund og frygtede hver gang at hun ikke længere ville få lyden af et overfladisk hurtigt åndedræt at høre. Selv den enkle handling at hæve sig op på armene fik det til at køre rundt i hovedet på hende. Hun faldt i søvn og drømte, men kunne ikke bagefter huske hvad hun havde drømt. Da hun vågnede, tjekkede hun Aziza, mærkede barnets sprukne læber og den svage puls i hendes hals og lagde sig så ned igen. De skulle dø her, det var Laila nu sikker på, men det hun frygtede allermest, var at hun ville overleve Aziza som var så lille og skrøbelig. Hvor meget mere kunne Aziza holde til? Aziza ville dø i denne varme, og hun ville derefter skulle ligge ved siden af den lille stive krop og afvente sin egen død. Igen faldt hun i søvn. Vågnede. Faldt i søvn. Overgangen mellem drøm og vågen tilstand udviskedes.

Det var ikke haner eller azan der vækkede hende igen, men lyden af noget tungt der blev slæbt. Hun hørte en raslen. Pludselig strømmede lyset ind i værelset. Hendes øjne skreg i protest. Laila løftede hovedet, skar en grimasse og skyggede for øjnene. Mellem fingrene så hun en stor, udtværet silhuet i det firkantede lysfelt. Silhuetten bevægede sig. Nu var der en skygge der satte sig på hug ved siden af hende, bøjede sig ind over hende, og hun hørte en stemme i sit øre.

„Jeg finder dig hvis du prøver på den slags en gang til. Jeg sværger i Profetens navn på at jeg vil finde dig. Og når jeg gør det, er der ikke en eneste domstol i dette gudsforladte land som vil stille mig til regnskab for det jeg vil gøre. Først mod Mariam, så mod hende der, og til sidst mod dig. Jeg vil tvinge dig til at se på. Forstår du hvad jeg siger? Jeg vil tvinge dig til at se det hele."

Og med de ord forlod han værelset, men ikke før han havde givet hende et spark i siden der fik hende til at pisse blod i flere dage.

37

Mariam

September 1996

Mariam vågnede om morgenen den 27. september, to et halvt år efter, til lyden af råb og piften, fyrværkeri og musik. Hun løb hen til Laila der allerede stod henne ved vinduet med Aziza ridende på sine skuldre. Laila vendte sig om og smilede.

„Taliban er kommet," sagde hun.

Første gang Mariam hørte om Taliban, var to år tidligere, i oktober 1994, da Rashid kom hjem med nyheden om at de havde slået krigsherrerne i Kandahar og indtaget byen. Det var en guerillahær, fortalte han, bestående af unge pashtunske mænd hvis familier var flygtet til Pakistan under krigen mod Sovjetunionen. De fleste af dem var vokset op i flygtningelejre langs den pakistanske grænse, ja, nogle af dem født der, og havde gået i pakistanske *madrasa*'er hvor de var blevet skolet i sharia af mullaher. Deres anfører var en mystisk, analfabetisk enøjet enspænder ved navn mullah Omar som, fortalte Rashid med nogen munterhed i stemmen, kaldte sig selv *Ameer ul-Mumineen*, Leder af De Troende.

„Det er sandt at disse drenge ikke har nogen *risha*," sagde Rashid uden at henvende sig til hverken Mariam eller Laila. Siden deres flugtforsøg for to et halvt år siden var de – vidste Mariam – blevet en og den samme i hans øjne, lige usle, lige upålidelige. De havde begge gjort sig fortjent til hans foragt. Når han sagde noget, havde Mariam det som om han samtalede med sig selv eller med en eller anden usynlig i rummet som i modsætning til hende og Laila var værdig til at høre hans mening.

„Ja, de har ingen rødder, det er sandt," gentog han og pustede røg op mod loftet. „De kender måske intet til dette lands historie. Sandt nok. Og sammenlignet med dem vil Mariam her næsten være at regne for en universitetsprofessor. Ha! Alt sammen sandt. Men se jer omkring. Hvad ser I? Korrumperede, grådige Mujahedin-generaler der er bevæbnet til tænderne, som er blevet rige på handel med heroin, som har erklæret jihad mod hinanden og dræber alle der kommer dem på tværs, det er hvad I ser. I det mindste er talibanerne rene og ufordærvede. I det mindste er de retskafne, muslimske drenge. Wallah, når de drager ind i byen, vil de rense den for alt urent. De vil komme med fred og lov og orden. Folk vil ikke længere blive skudt når de går ud for at købe mælk. Ikke flere raketter! Tænk lige på det."

I to år havde Taliban nu bevæget sig mod Kabul og undervejs erobret byer fra Mujahedin og bragt klankrigen til ophør hvor de kom frem. På et tidspunkt havde de sendt krigsherren i Herat, Ismail Khan, på flugt til Iran. De havde fanget hazargeneralen Abdul Ali Mazari og henrettet ham. I flere måneder havde de ligget i den sydlige udkant af Kabul og beskudt byen og udvekslet raketter med Ahmad Shah Masud. Tidligere på måneden havde de erobret Jalalabad og Sarobi.

Taliban havde én fordel frem for Mujahedin, sagde Rashid. De stod sammen.

„Bare lad dem komme," sagde han. „Personligt vil jeg overøse dem med rosenblade."

De tog rundt i byen den dag, alle fire, med Rashid som anfører fra den ene bus til den næste så de kunne møde den nye verden og hylde dens ledere. I alle sønderbombede kvarterer så Mariam mennesker komme ud fra ruinerne og strømme ud på gaderne. Hun så en gammel kone der strøede om sig med et helt rismåltid – kastede risengryn ud over forbipasserende – samtidig med at hun smilede et kraftesløst, tandløst smil. To mænd omfavnede hinanden foran et raseret hus, og det hvislede og piftede og knitrede over deres hoveder fra fyrværkeriraketter som drenge sendte til himlens fra taget på deres huse. Nationalsangen gjaldede fra kassettebåndoptagere og forsøgte at overdøve de tudende bilhorn.

„Se, Mayam!" Aziza pegede på en flok drenge der stormede ned ad Jadayi Maywand. De slog ud i luften med knyttede næver og havde rustne dåser i en snor efter sig. De råbte at Masud og Rabbani havde forladt Kabul.

Overalt råbte folk *Allah-u-akbar.*

Mariam så et lagen hænge ned fra et vindue på Jadayi Maywand. På det havde en eller anden malet tre jublende ord med store, sorte bogstaver. *Zenda Baad Taliban.*

På vej gennem gaderne sås den samme besked malet på vinduer, på opslag på døre, blafrende fra bilantenner. Længe leve Taliban!

Mariam så sin første talibaner senere den dag på Pashtunistanpladsen hvor de var endt sammen med en masse andre mennesker. Mariam så folk lægge hovedet tilbage, folk der strømmede rundt om det blå springvand midt på pladsen, folk der havde slået sig ned i den tomme kumme. De forsøgte at få bedre udsyn til udkanten af pladsen henne i nærheden af den tidligere Khyber-restaurant.

Rashid udnyttede sin store krop til at skubbe og mase sig forbi tilskuerne og føre dem hen til det sted hvor en eller anden stod og råbte i en mikrofon.

Da Aziza så ham, udstødte hun et skrig og skjulte ansigtet i Mariams burka.

Mikrofonstemmen kom fra en slank, skægget mand med en sort turban på hovedet. Han stod på et hastigt sammenflikket podium. I sin frie hånd holdt han et raketstyr. Ved siden af ham dinglede to blodindsmurte mænd i reb der var hængt op i trafiklyset. Deres tøj var flået i stykker, og de var blåviolette i de opsvulmede ansigter.

„Ham kender jeg," sagde Mariam. „Ham til venstre."

En ung kvinde foran Mariam vendte sig om og sagde at det var Najibullah. Den anden var hans bror. Mariam kunne huske Najibullahs runde overskægsprydede ansigt fra plakater og butiksvinduer under den russiske besættelse.

Senere hørte hun at Taliban havde slæbt Najibullah ud af hans asyl i FN-hovedkvarteret i nærheden af Darulaman-paladset. At de havde tortureret ham i timevis og derefter bundet ham ved fødderne til en lastbil og slæbt hans krop igennem gaderne.

„Han har slået mange muslimer ihjel!" råbte den unge talibaner i mikrofonen. Han talte skiftevis farsi med pashto-accent og pashto. Han understregede sine ord ved at pege på ligene med raketstyret. „Hans forbrydelser er kendt af alle. Han var kommunist og en *kafir*. Det er hvad vi gør mod alle vantro som forbryder sig imod islam."

Rashid grinede henrykt.

Aziza græd i Mariams arme.

Dagen efter trillede lastbiler ind i Kabul i tusindtal. I Kahir Khana, i Shahr-i Naw, i Karteh Parwan, i Wazir Akbar Khan og i Taimani snoede røde Toyota-lastbiler sig ud og ind gennem trafikken. Bevæbnede, skæggede mænd med sorte turbaner på hovedet sad på rad og række på ladet. Fra hver lastbil gjaldede en højtaler med meddelelser, først på farsi og så på pashto. Den samme besked blev råbt ud fra højtalere højt oppe på moskeer og i radioen som nu var blevet omdøbt til Sharias Stemme. Meddelelsen kunne også læses på løbesedler der blev fordelt på gaderne. Mariam fandt en ude i gården.

Vores watan kendes nu under navnet Det Islamiske Emirat Afghanistan. Dette er de love vi har vedtaget, og som I skal adlyde:

Alle borgere skal bede fem gange om dagen. Hvis det er bedetid, og du afsløres i at gøre andet end at bede, vil du blive pisket.

Alle mænd skal lade skægget stå. Den korrekte længde er mindst en knyttet næve under hagen. Hvis du ikke adlyder dette bud, vil du blive pisket.

Alle drenge skal have turban på hovedet. Drenge fra første klasse til og med sjette klasse skal have sorte turbaner på, alle klasser over det skal bære hvide turbaner. Alle drenge skal bære islamisk tøj. Skjorter skal være knappet.

Det er forbudt at synge.

Det er forbudt at danse.

Det er forbudt at spille skak, spille kort, spille om penge og at sætte drager op.

Det er forbudt at skrive bøger, se film og male billeder.

Hvis du holder papegøjer, vil du blive pisket. Dine fugle vil blive slået ihjel.

Hvis du stjæler, vil din højre hånd blive hugget af ved håndleddet. Hvis du gentager din forbrydelse, vil din ene fod blive hugget af.

Er du ikke-muslim, må du ikke bede til din gud et sted hvor muslimer kan se dig. Hvis du gør det, vil du blive pisket og sat i fængsel. Hvis du afsløres i forsøget på at omvende en muslim til din egen tro, vil du blive henrettet.

Hør efter, kvinde:

Du skal blive inde i dit hus til alle tider. Det er ikke ærbart for en kvinde at gå rundt i gaderne uden mål. Hvis du går ud, skal du ledsages af en mahram. *Hvis du standses på gaden uden at have en mandlig slægtning som ledsager, vil du blive pisket og sendt hjem.*

Du må under ingen omstændigheder vise dit ansigt. Du skal være dækket af en burka når du færdes uden for hjemmet. Er du ikke det, vil du blive straffet strengt.

Det er forbudt at have makeup på.

Det er forbudt at bære smykker.

Du må ikke iklæde dig forførende tøj.

Du må ikke tale medmindre du tales til.

Du må ikke forsøge at få øjenkontakt med mænd.

Du må ikke le når fremmede er til stede. Hvis du gør det, vil du blive pisket.

Du må ikke male dine negle. Hvis du gør det, vil en finger blive hugget af.

Det er forbudt for piger at gå i skole. Alle pigeskoler vil blive lukket med det samme. Hvis du forsøger at etablere en pigeskole, vil du blive pisket og skolen lukket.

Kvinder har forbud mod at arbejde.

Hvis du erklæres skyldig i ægteskabsbrud, vil du blive stenet ihjel. Hør efter. Hør godt efter. Adlyd. Allah-u-akbar.

Rashid slukkede for radioen. De sad på gulvet i stuen og spiste aftensmad mindre end en uge efter at have set Najibullahs lig dingle i et reb.

„De kan da ikke få halvdelen af befolkningen til at gå hjemme og lave ingenting," sagde Laila.

„Hvorfor ikke?" spurgte Rashid. For en gangs skyld var Mariam enig med ham. Det var jo faktisk hvad han havde fået hende og Laila til at gøre, så hvorfor ikke? Det måtte Laila da kunne indse.

„Det her er ikke en eller anden landsby. Det er *Kabul*. Kvinder her er advokater, læger, de har haft ministerposter…"

Rashid grinede. „Talt som den arrogante datter af en lyrikelskende universitetsprofessor som du er. Hvor hovent, hvor tadsjikisk af dig. Du tror måske at det er en helt ny radikal tanke som Taliban har fundet på? Har du nogensinde boet uden for din dyrebare lille Kabul-skal, min gul? Har du nogensinde set det *rigtige* Afghanistan, i syd, mod øst, ved den pakistanske grænse? Ikke det? Nå, men det har jeg. Og jeg kan fortælle dig at der er mange steder i dette land hvor man altid har levet på denne måde, eller i hvert fald på en måde der ligner. Ikke at det er noget du kender til."

„Jeg nægter at tro det," sagde Laila. „De kan ikke mene det alvorligt."

„Det Taliban gjorde mod Najibullah, så alvorligt ud i mine øjne," sagde Rashid. „Er du ikke enig?"

„Han var kommunist. Han var chef for det hemmelige politi."

Rashid lo.

Mariam hørte svaret i hans latter: I Talibans øjne var det kun *en anelse* mere foragteligt at være kommunist og leder af det frygtede KHAD end at være kvinde.

38

Laila

Laila var taknemmelig for at Babi ikke kom til at opleve det da Taliban for alvor tog fat.

Mænd med hakker myldrede ind det forfaldne Kabul Museum og smadrede alt før-islamisk – det vil sige, alt det som Mujahedin ikke havde stjålet. Universitetet lukkede, og alle de studerende blev sendt hjem. Malerier blev flået ned fra vægge og flænset med knive. Tv-apparater blev smadret. Alle bøger med undtagelse af Koranen blev samlet i bunker og brændt, de butikker der solgte dem, blev lukket. Lyrik af al-Khalili, Pajwak, Ansari, Hadji Dehqan, Ashraqi, Beytaab, Hafiz, Jami, Nizami, Rumi, Khayyám, Beydel og flere gik op i røg.

Laila hørte om mænd som blev pågrebet i gaderne, beskyldt for at have sprunget namaz over og jaget ind i moskeerne. Hun hørte at Marco Polo-restauranten i Chicken Street var blevet omdannet til et forhørscenter. En gang imellem hørtes skrig inde bag de sortmalede vinduer. Og overalt kørte Skægkontrollen rundt i deres Toyota-biler på udkig efter glatbarberede ansigter som de kunne slå til blods.

De lukkede også alle biografer. Cinema Park, Ariana, Aryub. Fremviserrum blev ransaget, og filmruller brændt. Laila tænkte på alle de gange hun og Tariq havde siddet i disse biografer og set hindifilm, alle de melodramatiske fortællinger om elskende der tragisk kom fra hinanden, den ene alene i et fjernt land, den anden tvangsgiftet, gråden, sange på en eng med blomstrende morgenfruer, længslen efter en genforening. Hun huskede at Tariq havde leet ad hende når hun bristede i gråd over den slags film

„Hvad mon de har gjort ved min fars biograf?" sagde Mariam en dag. „Hvis den altså stadig findes. Og han altså stadig ejer den."

Kharabat, Kabuls gamle musikkvarter, blev stille. Musikere blev slået og smidt i fængsel, deres *rubab*'er, *tamboura*'er og harmonier blev sparket i stykker. Talibanerne drog ud til Ahmad Zahirs grav og skød huller ned i jorden. Tariq havde elsket Zahirs musik.

„Han har været død i næsten tyve år," sagde Laila til Mariam. „Er det ikke nok at dø én gang?"

Rashid havde ikke de store problemer med Taliban. Det eneste han skulle gøre, var at lade skægget stå, og det gjorde han, samt at gå i moskeen, og det gjorde han også. Rashid fulgte med i Talibans gøren og laden med en slags tilgivende, hengiven moro – sådan som man ville holde af en uberegnelig fætter der havde tendens til latterlig og skandaløs opførsel.

Hver onsdag aften satte han sig ved radioen og lyttede til Sharias Stemme hvor Taliban remsede navne op på de mennesker der stod til at blive straffet. Derefter gik han til Ghazi Stadion om fredagen, købte en Pepsi og var tilskuer når straffen blev eksekveret. Når han var kommet i seng, tvang han Laila til at lytte når han med bemærkelsesværdig ubekymrethed fortalte om hænder han havde set blive hugget af, og om folk der var blevet hængt, halshugget eller pisket.

„Jeg så en mand skære halsen over på sin brors morder i dag," sagde han en aften og sendte røgringe op i luften.

„De er barbarer," sagde Laila.

„Synes du det?" sagde han. „Sammenlignet med hvem? Russerne myrdede en million mennesker. Ved du hvor mange mennesker Mujahedin slog ihjel i Kabul alene i de sidste fire år? Halvtreds tusind. *Halvtreds tusind!* Er det virkelig så ufølsomt at hugge hænderne af et par tyve? Øje for øje, tand for tand. Det står i Koranen. Og i øvrigt, hvis der var nogen der slog Aziza ihjel, ville du så ikke ønske at hævne det?“

Laila sendte ham et blik der var fuldt af foragt.

„Tænk over det.“

„Du er ligesom dem.“

„Det er en interessant farve øjne hun har. Aziza. Synes du ikke også det? De er hverken dine eller mine.“

Rashid lagde sig om på siden og lod blidt en krum fingernegl glide op ad hendes lår mens han betragtede hende.

„Lad mig pensle det ud,“ sagde han. „Hvis jeg skulle få lyst til at give Aziza væk – og jeg siger ikke at det vil ske, men det kunne ske, jo, det kunne absolut ske – ja, så er det min ret at gøre det. Hvad ville du sige til det? Eller jeg kunne opsøge Taliban en dag, bare gå ind fra gaden, og sige at jeg har gjort mig visse tanker vedrørende dig. Mere skal der ikke til. Hvis ord tror du de vil tage for gode varer? Hvad tror du de vil gøre ved dig?“

Laila trak låret væk.

„Ikke at jeg kunne drømme om at gøre det,“ sagde han. „Slet ikke. Nay. Formentlig ikke. Du kender mig jo.“

„Du er foragtelig,“ sagde Laila.

„Det var et stort ord,“ sagde Rashid. „Det er en ting jeg aldrig har brudt mig om hos dig. Selv dengang du var lille og løb omkring med den der krøbling, regnede du dig for at være åh så klog, med alle dine bøger og digtsamlinger. Men hvad glæde har du af al din kløgt nu? Hvad er det der holder dig væk fra gaderne, din kløgt eller min? Så du mener jeg er foragtelig? Halvdelen af kvinderne i denne by ville slå ihjel for at få en mand som mig. De ville slå ihjel for det.“

Han rullede om på ryggen igen og pustede røg op mod loftet.

„Du holder af store ord? Nu skal jeg give dig et: perspektiv. Det er hvad jeg gør her, Laila. Sørger for at du ser dit liv i det rette perspektiv.“

Og det der holdt Laila vågen resten af natten med kvalme, var at hvert eneste af Rashids ord havde været den skinbarlige sandhed.

Men uroen i maven var ikke gået væk om morgenen, og den gik heller ikke væk de følgende morgener, tværtimod blev den værre og endte med at være noget som hun kun alt for godt vidste hvad var.

En kold, overskyet eftermiddag få dage efter lå Laila på ryggen på gulvet i soveværelset. Mariam lå og sov eftermiddagssøvn sammen med Aziza i sit værelse.

I Lailas hænder befandt der sig en jernpind, en eger fra et udtjent cykelhjul som hun med en tang havde bidt af. Hun havde fundet hjulet i den samme passage hvor hun havde kysset Tariq for mange år siden. Hun lå længe på gulvet med spredte ben og sugede luft ind mellem tænderne.

Hun havde tilbedt Aziza fra det øjeblik hun første gang blev opmærksom på hendes eksistens. Der havde ikke været den samme tvivl, denne usikkerhed. Hvor var det forfærdeligt, tænkte Laila, at en mor kunne frygte at hun aldrig ville kunne elske sit eget barn. Hvor unaturligt. Men det var hvad hun frygtede nu, som hun lå her på gulvet med svedige hænder der var parat til at føre pinden ind: at hun aldrig ville kunne elske Rashids barn så højt som hun elskede Tariqs.

Da det kom til stykket, kunne hun ikke gøre det.

Det var ikke frygten for at forbløde der fik hende til at lægge pinden fra sig. Det var ikke engang tanken om at det var en utilgivelig handling – hvad det jo var. Laila lagde pinden fra sig fordi hun ikke kunne acceptere det som Mujahedin så villigt havde accepteret: at uskyldige liv gik til i en krig. Hendes krig mod Rashid. Barnet var uden skyld. Der havde været tilstrækkeligt med sanseløst myrderi. Laila havde set for mange uskyldige mennesker dø i krydsild mellem fjender.

39

Mariam

September 1997

„Dette hospital behandler ikke længere kvinder," gøede vagten. Han stod for enden af trappen og kiggede iskoldt ned på menneskemængden der havde samlet sig foran Malalai Hospital.

En høj stønnen brød ud mellem de forsamlede.

„Men det er et hospital for kvinder!" råbte en kvinde bag Mariam. Det blev bekræftet af råb i mængden.

Mariam flyttede Aziza over på den anden arm. Med sin frie arm støttede hun Laila som stønnede og selv havde en arm slynget om Rashids hals.

„Ikke længere," sagde talibaneren.

„Min kone er ved at føde!" skreg en kraftig mand. „Siger De at hun skal gøre det herude på gaden, broder?"

Mariam havde allerede i januar hørt meddelelsen om at mænd og kvinder nu skulle behandles på hver deres hospital, og at alt kvindeligt personale var blevet afskediget fra Kabuls hospitaler og sendt videre til en central enhed. Ingen havde troet på det, og talibanerne havde ikke gennemført ændringen. Indtil nu.

„Hvad så med Ali Abad Hospital?" råbte en anden mand.

Vagten rystede på hovedet.

„Wazir Akbar Khan?"

„Kun for mænd," var svaret.

„Hvad skal vi så gøre?"

„Henvend jer på Rabia Balkhi," sagde vagten.

En ung kvinde masede sig frem og sagde at der havde hun allerede været. De havde ikke rent vand, sagde hun, ingen ilt, ingen elektricitet og ingen medicin. „Der er intet der," sagde hun.

„Det er der I skal henvende jer," sagde vagten.

Der lød flere støn og skrig og en fornærmelse eller to. En kastede en sten.

Talibaneren hævede sin Kalashnikov og affyrede en salve op i luften. En anden talibaner kom til syne bag ham med en pisk i hånden.

Mængden spredtes hurtigt.

Venteværelset på Rabia Balkhi var masende fyldt med børn og kvinder i burka. Der stank af sved og uvaskede kroppe, af fødder, antiseptiske midler, urin og cigaretrøg. Børn jagtede hinanden rundt i lokalet under den stillestående loftsvifte, hoppende over benene på mødre der stønnede af smerte, fædre der var faldet i søvn.

Mariam hjalp Laila ned at sidde op ad en væg hvor gipsen var skallet af så væggen lignede et kort over fremmede lande. Laila rokkede frem og tilbage med en hånd presset mod sin mave.

„Jeg skal nok finde en der vil tilse dig, Laila jo. Det lover jeg dig."

„Så se at få fart på," sagde Rashid.

Henne foran indskrivningsruden stod en mængde skubbende og masende kvinder. Nogle stod med deres børn i armene. Andre brød ud af mængden og stormede hen mod dobbeltdøren ind til behandlingsrummene. En bevæbnet talibaner spærrede dem vejen og sendte dem tilbage igen.

Mariam masede sig frem. Hun måtte kæmpe for hver centimeter, bore sig forbi albuer, hofter og fremmede menneskers rygge. En stak en albue i siden på hende, og hun gjorde gengæld. En hånd rakte desperat ud efter hendes ansigt. Hun slog den til side. For at komme frem måtte Mariam kradse folk i nakken, på arme og albuer, rive dem i håret, og da en kvinde hvæsede ad hende, hvæsede hun tilbage.

Mariam oplevede nu de ofre en mor var villig til at bringe. Anstændighed var kun et af dem. Hun tænkte trist på Nana og på de ofre også hun havde måttet bringe. Nana der kunne have givet hende væk eller smidt hende i en grøft og være gået sin vej. Men det havde hun ikke gjort. I stedet for havde Nana måttet udholde skammen ved at få en harami og havde formet sit liv rundt om den utaknemmelige opgave at opfostre Mariam og på sin egen måde elske hende. Og da det kom til stykket, havde Mariam foretrukket Jalil frem for sin mor. Mens Mariam kæmpede sig igennem trængslen, fast besluttet på at komme op forrest i køen, tænkte hun at hun ville ønske hun havde været en bedre datter. Hun ville ønske at hun havde forstået dengang hvad hun nu forstod om moderskabet.

„Min datters vand er gået, og babyen vil ikke komme ud!" råbte Mariam.

„Det var *mig* der talte med hende!" skreg en blodindsmurt ung kvinde. „Vent til det er Deres tur."

Hele flokken svajede fra side til side som det høje græs omkring kolbaen når brisen strøg igennem lysningen. En kvinde bag ved Mariam hylede at hendes datter havde brækket en arm efter at være faldet ned fra et træ. En anden kvinde råbte at hun havde blod i afføringen.

„Har hun feber?" spurgte sygeplejersken. Der gik et øjeblik før Mariam forstod at spørgsmålet var rettet mod hende.

„Nej," sagde Mariam.

„Bløder hun?"

„Nej."

„Hvor er hun?"

Mariam pegede hen over de tildækkede hoveder mod det sted hvor Laila sad sammen med Rashid.

„Vi ser på hende," sagde sygeplejersken.

„Hvornår?" spurgte Mariam. En eller anden havde taget fat

om hendes skulder og trak hende væk.

„Det kan jeg ikke sige noget om," sagde sygeplejersken. Hun sagde at der kun var to læger, og at de begge stod og opererede nu.

„Hun har mange smerter," sagde Mariam.

„Det har jeg også!" råbte den blodindsmurte kvinde. „Vent til det er Deres tur!"

Mariam blev trukket baglæns. Udsynet til sygeplejersken blev spærret af skuldre og hoveder. Hun kunne lugte en babys mælkebøvs.

„Gå en tur med hende," råbte sygeplejersken. „Og vent."

Det var blevet mørkt da en sygeplejerske langt om længe kaldte på dem. Der var otte senge inde på fødestuen, og på dem alle lå stønnende kvinder og vred sig mens fuldt tilslørede sygeplejersker forsøgte at hjælpe. To af kvinderne var i fuld gang med at føde. Der var ingen forhæng mellem sengene. Laila fik en seng længst tilbage i rummet under et vindue som en eller anden havde malet sort. Der var en håndvask i nærheden, revnet og tør, og operationshandsker hang på række på en snor hen over vasken. Midt i rummet så Mariam et aluminiumsbord. Den øverste plade var dækket af et gråt klæde, den nederste var tom.

En af kvinderne fulgte Mariams blik.

„De lægger de levende på den øverste," sagde hun træt.

Lægen, der var klædt i en mørkeblå burka, var en lille, fortravlet kvinde med fugleagtige bevægelser. Alt hvad hun sagde, kom ud på en utålmodig, bydende måde.

„Første gang." Sådan sagde hun det, ikke som et spørgsmål, men som en konstatering.

„Anden," sagde Mariam.

Laila udstødte et skrig og rullede om på siden. Hendes fingre lukkede sig om Mariams.

„Problemer ved den første fødsel?"

„Nej.“

„Er De moderen?“

„Ja,“ sagde Mariam.

Lægen løftede den nederste halvdel på sin burka og fandt et metallisk, kegleformet instrument frem derindefra. Hun løftede Lailas burka og satte den brede ende af instrumentet på hendes mave og den smalle mod sit øre. Hun lyttede i næsten et minut, flyttede instrumentet og lyttede igen og flyttede instrumentet endnu en gang.

„Jeg er nødt til at føle på barnet, hamshira.“

Hun tog et par handsker over vasken og trak dem på. Hun trykkede på Lailas mave med den ene hånd og stak den anden op i hende. Laila klynkede. Da lægen var færdig med sin undersøgelse, rakte hun handskerne videre til en sygeplejerske som skyllede dem og hængte dem op på snoren igen.

„Vi er nødt til at tage barnet ved kejsersnit. Ved De hvad det er? Vi er nødt til at skære maven op og tage barnet ud fordi det ligger i sædeposition.“

„Jeg forstår ikke hvad De siger,“ sagde Mariam.

Lægen forklarede at barnet skulle ligge med hovedet nedad, ellers ville det ikke kunne komme ud ved egen hjælp. „Og der er gået for lang tid allerede. Vi er nødt til at køre Deres datter på operationsstuen nu.“

Laila løftede hovedet og nikkede udmattet. Så faldt hovedet slapt ned igen.

„Der er imidlertid noget jeg er nødt til at fortælle Dem,“ sagde lægen. Hun gik tæt hen til Mariam som for at betro hende en hemmelighed. Nu var der en antydning af forlegenhed i stemmen.

„Hvad siger hun?“ stønnede Laila. „Er der noget galt med barnet?“

„Men hvordan skal hun kunne udholde smerterne?“ spurgte Mariam.

Lægen kunne tilsyneladende høre anklagen i dette spørgsmålet, for der kom noget forsvarsberedt i stemmen.

„Tror De det er med min gode vilje?" spurgte hun. „Men hvad vil De have at jeg skal stille op? De vil ikke give mig hvad jeg har brug for. Jeg kan heller ikke tage røntgenbilleder, jeg har ingen sug, ingen ilt, ikke engang almindelig antibiotika. Når ngo'er tilbyder penge, afviser Taliban dem. Eller de sluser pengene hen et sted hvor de kommer mænd til gode."

„Men doktor sahib, har De slet intet at give hende?" spurgte Mariam.

„Hvad sker der?" stønnede Laila.

„De kunne selv gå ud og købe medicinen, men..."

„Skriv navnet ned," sagde Mariam. „De skriver det ned, og jeg skaffer det."

Lægen rystede på hovedet under burkaen. „Der er ikke tid," sagde hun. „For det første er alle apoteker i nærheden løbet tør. De ville være nødt til at kæmpe Dem gennem trafikken fra et sted til et andet, måske tværs gennem byen, og det vil med stor sandsynlighed være forgæves. Klokken er næsten halv ni nu, så De vil formentlig blive arresteret for at overtræde udgangsforbuddet. Og selv om det lykkedes Dem at finde medicinen, vil De ikke have råd til at købe den. Eller De ville ende i en budrunde med en anden der er lige så desperat, og med apotekeren som fornøjet mellemmand. Der er ikke tid til det. Barnet skal ud nu."

„Fortæl mig hvad der sker!" sagde Laila og kæmpede sig op på albuerne.

Lægen tog en dyb indånding og fortalte Laila at hospitalet var løbet tør for bedøvelse.

„Men De kommer til at miste barnet hvis vi ikke handler nu."

„Så skær mig op," sagde Laila. Hun faldt tilbage på madrassen og trak knæene op. „Skær mig op, og giv mig min baby."

Laila lå på en briks på hjul inde på den lurvede operationsstue mens lægen skrubbede sine hænder henne ved en vask. Laila rystede over hele kroppen. Hun sugede luft ind mellem tænderne hver gang sygeplejersken tørrede hendes mave med en klud vædet med et eller andet gulligbrunt. Der stod yderligere en sygeplejerske henne ved døren. Hun blev ved med at åbne den på klem for at se ud.

Lægen havde taget sin burka af nu, og Mariam så at hendes hår var sølvgråt, og at hun havde tunge øjenlåg og trætte rynker omkring munden.

„De forlanger at vi opererer iført burka," forklarede lægen og slog ud med hånden i retning af sygeplejersken henne ved døren. „Hun holder vagt. Hvis hun ser dem, dækker jeg mig til igen."

Hun sagde det på en nøgtern, næsten ligegyldig måde, og Mariam forstod at denne kvinde havde opbrugt alt sit raseri. Her er en kvinde, tænkte hun, som havde fattet at hun var heldig overhovedet at have et arbejde, og at der stadig var noget, noget andet, som de kunne tage fra hende.

Der var to vandrette jernstænger på hver sin side af Lailas skuldre. Sygeplejersken der havde renset Lailas mave, satte et lagen op med klemmer. Det dannede et forhæng mellem Laila og lægen.

Mariam stillede sig hen ved Lailas hoved og bøjede sig ned og lagde sin kind mod Lailas. Hun kunne mærke Lailas tænder klapre. De knugede hinanden i hånden.

Gennem lagenet så Mariam skyggen af lægen bevæge sig om på Lailas venstre side og sygeplejersken på højre side. Lailas læber var trukket helt ud i begge mundvige. Spyt boblede frem og lagde sig på oversiden af hendes sammenbidte tænder. Hun trak vejret med små hvæsende gisp.

Lægen sagde: „Vær modig, lille søster."

Hun bøjede sig over Laila.

Lailas øjne fløj op. Så gik hendes mund op. Hun holdt den åben, holdt og holdt den sådan, skælvende, senerne i hendes hals blev stramme, sveden dryppede fra hendes ansigt, hendes fingre knuste Mariams.

Mariam ville altid beundre Laila fordi der gik så lang tid før hun skreg.

40

Laila

Efteråret 1999

Det var Mariams idé at grave hullet. Om morgenen pegede hun på et stykke jord lige bag redskabsskuret. „Vi kan gøre det her,“ sagde hun. „Det er et godt sted.“

De skiftedes til at hugge løs med spaden og skovle den løse jord til side. De havde ikke planlagt at grave et stort hul, ikke engang et dybt hul, så gravearbejdet burde ikke have været så anstrengende som det var. Det var tørken der var begyndt året før og nu var på sit andet år, der anrettede de store ødelæggelser overalt. Det havde knap nok sneet om vinteren, og de havde slet ingen regn fået i foråret. Over det ganske land forlod bønder deres udtørrede jord, solgte deres ejendele og strejfede fra landsby til landsby på jagt efter vand. De drog til Pakistan eller Iran. De drog til Kabul og slog sig ned der. Men grundvandstanden var også lav i Kabul, og de knap så dybe brønde var tørret ud. Køen foran de dybe brønde var nu så lang at Laila og Mariam måtte vente i timevis før det blev deres tur. Kabul-floden havde ikke fået sin sædvanlige tilførsel af smeltevand fra bjergene og var fuldstændig tørret ud. Flodsengen var nu et offentlig toilet, ikke andet end en sandet losseplads.

Så de svingede spaden og huggede løs, men den solbagte jord var blevet hård som sten og lod sig kun løsne en centimeter ad gangen.

Mariam var fyrre år gammel nu, hendes pande var blevet lidt højere med årene, og der var grå striber i hendes hår. Poserne under hendes øjne var brune og måneformede. Hun havde tabt to af fortænderne. Den ene faldt ud af sig selv, den anden slog Rashid ud da hun en dag var kommet til at tabe Zalmai. Huden var blevet grov og brun efter al den tid de sad ude i gården og blev bagt af solen. De sad derude for at holde øje med Zalmai når han legede med Aziza.

Da de var færdige, og hullet var gravet, stod de ved siden af det og kiggede ned.

„Det må være godt nok," sagde Mariam.

Zalmai var to år gammel og en buttet lille dreng med krøllet hår. Han havde små lysebrune øjne og røde kinder, ligesom Rashid, uanset vejret. Han havde også sin fars kraftige hår og hårgrænse der gik ned i en halvmåneform til midt på panden.

Når Laila var alene med Zalmai, var han en kær, godmodig og legesyg dreng. Han elskede at klatre op på hendes skuldre og at lege gemmeleg ude i gården sammen med sin mor og søster. En gang imellem, når han havde et af sine mere rolige øjeblikke, sad han på Lailas skød mens hun sang for ham. Hans favoritsang var *Mullah Mohammad Jan*. Han svingede med sine små solide ben når hun sang den ned i hans krøllede hår, og sang med på omkvædet så godt han nu kunne forme ordene:

Kom, lad os til Mazar gå, mullah Mohammad jan
Og se tulipanmarkerne, du min elskede dreng.

Laila elskede de våde kys Zalmai plantede på hendes kinder, elskede smilehullerne i hans albuer og de små fede tæer. Hun elskede at kilde ham, at bygge tunneler af puder og tæpper som han kunne kravle igennem, at se ham falde i søvn i sine arme, altid med den ene af de små hænder knuget om hendes øre. Hun fik kvalme når hun tænkte tilbage på den eftermiddag da hun lå på gulvet med en cykeleger i hånden mellem sine ben. Så tæt på at hun havde gjort det. Det var helt ufatteligt at hun overhovedet kunne have fået den tanke. Hendes søn var en velsignelse, og Laila var lettet over at opdage at hendes frygt havde vist sig at være ubegrundet, at hun elskede ham med hver en fiber af sin krop lige så højt som hun elskede Aziza.

Men Zalmai forgudede sin far, og fordi han gjorde det, var han som forvandlet når faderen var i nærheden til at stå på pinde for ham. Så var Zalmai hurtig til at sende Laila et trodsigt eller uforskammet grin. Når faderen var i nærheden, blev han let fornærmet. Han bar nag. Han holdt ikke op med at lave ballade selv om Laila skældte ud, noget han aldrig gjorde når Rashid ikke var i nærheden.

Rashid havde ingen indvendinger. „Det er et tegn på intelligens," sagde han. Han sagde det samme om Zalmais drengestreger, når barnet slugte marmorkugler som bagefter måtte ud i den anden ende, når han strøg tændstikker, og når han tyggede på Rashids cigaretter.

Da Zalmai var kommet til verden, havde Rashid flyttet ham ind i sit og Lailas værelse. Han havde købt en ny vugge til ham og havde fået malet løver og leoparder på de indvendige sider af den. Han havde punget ud til nyt tøj, nye rangler, nye flasker, nye bleer selv om de faktisk ikke havde råd, og det tøj Aziza var vokset ud af, stadig kunne bruges. En dag var han kommet hjem med en batteridrevet uro som han havde hængt op over Zalmais vugge. Der hang små gule og sorte humlebier ned fra en solsikke, og de knirkede og peb når man trykkede på dem. Når man tændte for uroen, spillede den en lille melodi.

„Jeg synes du sagde at det gik skidt med forretningen," sagde Laila.

„Jeg har venner som jeg kan låne af," svarede han afvisende.

„Hvordan vil du betale dem tilbage?"

„Tiderne skifter. Det gør de altid. Se, han kan lide den. Se nu der."

De fleste dage måtte Laila undvære sin søn. Rashid tog ham med på arbejde og lod ham kravle rundt under sit fyldte arbejdsbord og lege med gamle lædersåler og skindstykker. Rashid hamrede søm i skoene og drejede sandpapirshjulet samtidig med at han holdt øje med sin søn. Hvis Zalmai væltede en hylde med sko, skældte Rashid blidt ud på en rolig, halvsmilende måde. Hvis han gjorde det igen, lagde Rashid hammeren fra sig, løftede ham op på bordet og talte lavmælt til ham.

Hans tålmodighed med Zalmai var en brønd der var dyb og aldrig tørrede ud.

De kom hjem sammen om aftenen, med Zalmais hoved hoppende på Rashids skulder, og lugtede begge af lim og læder. De grinede sådan som folk gør der har en hemmelighed sammen, snu, som om de havde siddet hele dagen i den halvmørke butik og slet ikke lavet sko, men udtænkt hemmelige planer. Zalmai sad ved siden af sin far når de spiste aftensmad, så de kunne fortsætte med deres indforståede lege mens Mariam, Laila og Aziza vartede dem op. De skiftedes til at prikke hinanden på brystet, fnisede og bombarderede hinanden med brødkugler mens de hviskede ting som de andre ikke kunne høre. Hvis Laila sagde noget til dem, så Rashid utilfreds op over den uvelkomne afbrydelse. Hvis hun spurgte om hun måtte holde Zalmai – eller værre, hvis Zalmai rakte ud efter hende – gloede Rashid rasende på hende.

Laila forlod såret stuen.

Så en aften, et par uger efter Zalmais toårs fødselsdag, kom Rashid hjem med et fjernsyn med indbygget video. Det havde været en varm dag, men hen under aftenen var det blevet køligt, og det så ud til at blive en overskyet, kold nat.

Han stillede det på bordet i stuen. Han sagde at han havde købt det på det sorte marked.

„Endnu et lån?" spurgte Laila.

„Det er et Magnavox."

Aziza kom ind i stuen. Da hun fik øje på fjernsynet, løb hun hen mod det.

„Forsigtig, Aziza jo," sagde Mariam. „Du må ikke røre ved det."

Azizas hår var blevet lige så lyst som Lailas. Laila kunne se sine egne smilehuller i datterens kinder. Aziza havde udviklet sig til at være en alvorlig lille pige som efter Lailas mening virkede ældre end sine seks år. Laila forundredes over sin datters sprog, kadencen og rytmen i det, hendes eftertænksomme pauser og intonationer, så voksent, på en eller anden måde helt forkert i forhold til den lille krop der husede det. Det var Aziza der med sorgløs autoritet havde påtaget sig opgaven med at vække Zalmai hver morgen og få ham i tøjet. Bagefter hjalp hun ham med at spise og redte hans hår. Det var hende der lagde ham når han skulle sove til middag, og hende der fik ham til at falde til ro når han fik et raserianfald. Når han var i nærheden, havde Aziza fået for vane at ryste opgivende, voksent, på hovedet.

Aziza trykkede på tænd og sluk-knappen. Rashid så vredt på hende og tog hendes hånd og lagde den temmelig ublidt ned på bordet.

„Det er Zalmais fjernsyn," sagde han.

Aziza gik hen til Mariam og kravlede op på hendes skød. De to var blevet uadskillelige. På det seneste var Mariam med Lailas velsignelse begyndt at lære hende vers fra Koranen. Aziza kunne allerede recitere Åbningen og Den Rene Tro og kunne udføre morgenbønnens fire *ruqat'*er.

Det er det eneste jeg har at give hende, havde Mariam sagt til Laila, *denne viden, disse bønner. Det er det eneste jeg nogensinde har kunnet kalde mit.*

Zalmai var i mellemtiden kommet ind i stuen. Med Rashid som spændt tilskuer, på samme måde som folk kunne kigge på selv en gadegøglers simpleste tricks, trak Zalmai i ledningen, trykkede på knapper og lagde håndfladerne på skærmen. Da han fjernede dem igen, fordampede to svedige håndaftryk langsomt fra glasset. Rashid så stolt til mens Zalmai lagde hænderne på skærmen og fjernede dem igen og igen.

Taliban havde forbudt fjernsyn. Videobånd blev offentligt tømt for indhold, og filmen revet ud og hængt op på plankeværk. Paraboler blev hængt op i lygtepæle. Men Rashid havde sagt at det at en ting var forbudt, ikke var ensbetydende med at man ikke kunne skaffe den.

„Jeg vil se om jeg ikke kan finde et par tegnefilm i morgen," sagde han. „Det skulle ikke være svært. Man kan købe alting på det sorte marked."

„Så kunne du måske overveje at købe en ny brønd til os," sagde Laila og modtog som tak et hånligt blik.

Det var først senere, efter at Rashid havde spist to portioner ris, drukket sin te og røget en cigaret at han fortalte Laila hvad han havde besluttet.

„Nej," sagde Laila.

Han sagde at han ikke havde bedt om hendes tilladelse.

„Jeg er ligeglad. Svaret er stadig nej."

„Du ville ikke være ligeglad hvis du kendte hele historien."

Han fortalte at han havde lånt flere penge af sine venner end han havde indrømmet, og at indtægten fra butikken ikke længere var nok til at brødføde dem alle fem. „Jeg ville spare dig for bekymringer, og derfor fortæller jeg dig det først nu. I øvrigt vil du blive overrasket over hvor indbringende det er," tilføjede han.

Laila sagde igen nej. De sad inde i stuen. Mariam og børnene var ude i køkkenet. Laila kunne høre klirrende tallerkener, Zalmais skingre latter og Aziza der sagde et eller andet til Mariam med sin rolige, fornuftige stemme.

„Der vil være andre ligesom hende, oven i købet yngre," sagde Rashid. „Du ser dem overalt i Kabul nu."

Laila svarede at hun var ligeglad med hvad andre folk gjorde med deres børn.

„Jeg skal nok holde øje med hende," sagde Rashid der var ved at miste tålmodigheden. „Det er et godt og trygt hjørne. Der ligger en moské på den anden side af vejen."

„Du får ikke lov til at gøre en tigger ud af min datter!" hvæsede Laila.

Der fulgte lyden af et højt klask da hans hånd med de fede fingre landede på Lailas kind. Slaget fik hende til at snurre rundt en halv omgang. Lydene forstummede ude i køkkenet. Et øjeblik var der fuldstændig stille i huset. Så lød der hastige skridt ude i gangen, og både Mariam og børnene kom løbende ind i stuen hvor de stod og så frem og tilbage mellem Laila og Rashid.

Og så slog Laila Rashid.

Det var første gang i sit liv at hun havde slået nogen når man så bort fra de gange hun og Tariq spøgefuldt havde langet ud efter hinanden. Dengang havde det været med flad hånd, mere dask end slag, omhyggeligt venskabelige udtryk for følelser der var både forvirrende og spændende. Slag der var rettet mod det som Tariq med professionel stemme kaldte deltamusklen.

Laila så den bue hendes næve beskrev da den susede gennem luften. Mærkede Rashids skæg krølle sig sammen under hendes knoer. Hørte lyden som når man tabte en pose ris på gulvet. Hun ramte ham hårdt. Slaget fik ham faktisk til at vakle to skridt tilbage.

Fra den anden ende af stuen lød der et gisp, et skrig og et hyl. Laila kunne ikke afgøre hvem der lavede hvilken lyd. Et øjeblik var hun alt for forbløffet til at bekymre sig over det mens hun ventede på at hendes hoved skulle indhente det hendes hånd havde gjort. Da det gjorde det, mente hun måske at hun nok havde smilet. Måske havde hun ligefrem *grinet* da Rashid til hendes overraskelse roligt forlod stuen.

Pludselig forekom det Laila at al den samlede modgang i deres liv, hendes, Azizas og Mariams, simpelthen faldt væk, fordampede ligesom Zalmais håndaftryk på tv-skærmen. Absurd som det jo var, syntes dette triumferende øjeblik at opveje alt hvad de havde måttet udholde. Et øjeblik var det virkelig som om denne trodsige handling kunne betyde afslutningen på alle ydmygelser.

Laila havde ikke opdaget at Rashid var kommet tilbage. Ikke før hans hånd lå om hendes strube. Ikke før hun blev løftet op fra gulvet og hamret ind mod væggen.

Helt tæt på virkede hans snerrende ansigt uhyggelig stort. Laila lagde mærke til hvor oppustet han var blevet med årene, hvor mange små blodsprængninger der tegnede stier hen over hans næse. Rashid sagde ikke noget. Og hvad var der egentlig også at sige når man havde stukket et pistolløb ind i munden på sin kone?

Der var husrazziaer, gerne en gang om måneden, men det hændte også at der kun gik en uge imellem, og her på det sidste skete det næsten dagligt. Det var grunden til at de gravede et hul ude i gården. For det meste konfiskerede talibanerne det de fandt, gav en eller anden et los bagi eller delte lussinger ud til højre og venstre. Men en gang imellem blev pisken svunget på offentlige steder. Og gerne på fodsåler og håndflader.

„Forsigtigt," sagde Mariam der lå på knæ foran hullet. De sænkede fjernsynet ned i det ved at holde fast i hver sit hjørne af det plastic de havde pakket det ind i.

„Mon ikke det er godt nok?“ sagde Mariam.

Bagefter klappede de jorden på plads, rev den jævn og kastede så nogle håndfulde grus ud over stedet så det ikke så mistænkeligt ud.

„Det var det,“ sagde Mariam og tørrede hænderne af i sin kjole.

Når faren var drevet over, sagde de til hinanden, når Taliban skar ned på antallet af razziaer, om en måned eller to eller seks, måske længere endnu, ville de grave fjernsynet op igen.

I Lailas drøm står hun og Mariam igen omme bag redskabsskuret og graver. Men denne gang er det Aziza de sænker ned i hullet. Azizas ånde dugger plasticstykket til som de har pakket hende ind i. Laila kan se hendes panikslagne øjne, det hvide i hendes håndflader mens de slår og skubber til plasticen. Aziza trygler. Laila kan ikke høre hendes skrig. *Kun kort tid*, råber hun ned i hullet. *Det er på grund af razziaerne, forstår du det, min elskede? Når razziaerne er forbi, graver Mammy og khala Mariam dig op igen. Det lover jeg, min elskede. Og så kan vi lege sammen. Lege sammen lige så meget du vil.* Hun tager jord op på spaden.

Laila vågnede panisk fordi hun ikke kunne få luft. Hun kunne smage jord i sin mund fra da den første spadefuld ramte plasticen.

41

Mariam

Med sommeren år 2000 gik tørken ind i sit tredje og værste år.

I Helmand, Zabol og Kandahar blev hele landsbyer forvandlet til nomadesamfund der hele tiden var på vandring på jagt efter vand og grønne enge til deres dyr. Når de hverken fandt det ene eller det andet, når geder og får og køer var døde, kom de til Kabul. De slog sig ned i bakkerne i Karti Ariana i barakbyer, stuvet sammen femten-tyve mennesker i samme hytte.

Det var også *Titanic*-sommeren, den sommer hvor Mariam og Aziza rullede fnisende rundt på gulvet i én sammenfiltret masse. Aziza insisterede på at *hun* skulle være Jack.

„Stille, Aziza jo."

„Jack! Sig nu mit navn, khala Mariam. Sig det så. Jack!"

„Din far bliver meget vred hvis du vækker ham."

„Jack. Og De skal være Rose."

Det endte med Mariam på ryggen, bedende om nåde mens hun gik med til at være Rose. „Udmærket, så er du Jack," gispede hun. „Du dør ung, og jeg bliver en meget gammel dame."

„Ja, men jeg dør som en helt," sagde Aziza, „hvorimod De, Rose, vil længes efter mig i hele Deres ynkelige liv." Så meddelte hun siddende overskrævs på Mariams bryst: „Og nu skal vi kysse!" Mariam vred hovedet til den ene side, og Aziza spidsede læberne og gnæggede af fryd over sin egen skandaløse opførsel.

En gang imellem kom Zalmai slentrende ind for at kigge på deres leg. Hvad skulle *han* være, spurgte han.

„Du kan være isbjerget," sagde Aziza.

Det var den sommer at Titanic-feberen rasede i Kabul. Folk smuglede piratkopier af filmen over grænsen fra Pakistan – en gang imellem skjult i deres undertøj. Når udgangsforbuddet trådte i kraft, låste alle deres døre, slukkede for alt lys, skruede ned for lyden og græd fortvivlet over Jack og Rose og alle passagerne på det dødsdømte skib. Når de havde strøm, så Mariam, Laila og børnene den også. En snes gange eller mere gravede de fjernsynet op af hullet bag skuret, sent om aftenen, og så den i mørke og med tæpper hængt op for vinduerne.

Sælgere satte boder op midt ude i den knastørre Kabul-flod. Inden længe kunne man derude i den solbagte flodseng købe

Titanic-tæpper og Titanic-stof fra ruller der var arrangeret oven på trillebøre. Der var Titanic-deodoranter, Titanic-tandpasta, Titanic-parfume, Titanic-*pakora*'er, ja tilmed Titanic-burkaer. En særlig vedholdende tigger begyndte at kalde sig for Titanic Tigger.

Titanic City så dagens lys.

Det er sangen, sagde man.

Nej, havet. Den vanvittige luksus. Skibet.

Det er al den sex, hviskede de.

Leonardo, sagde Aziza fåret. *Det hele handler om Leonardo.*

„De vil alle sammen have Jack," sagde Laila til Mariam. „Det er hvad det handler om. Alle vil have at Jack skal redde dem fra katastrofen. Men der findes ikke nogen Jack. Jack kommer ikke tilbage. Jack er død."

Og så, sent samme sommer, faldt en stofhandler i søvn og havde glemt at slukke sin cigaret. Han overlevede branden, men det gjorde hans butik ikke. Ilden tog også nabobutikken, en tøjbutik, en lille møbelforretning og et bageri.

Senere fortalte de Rashid at hvis vinden havde blæst fra øst i stedet for vest, ville hans forretning, som lå på hjørnet af karreen, måske ikke være blevet flammernes bytte.

De solgte alt.

Først Mariams ting, så Lailas. Azizas babytøj og de få stykker legetøj som Laila havde kæmpet for at få Rashid til at købe. Aziza tog det hele med knusende ro. Så røg Rashids ur, hans gamle transistorradio, hans lommetørklæder, hans sko og hans vielsesring. Sofaen, bordet, tæppet og stolene gik samme vej. Zalmai fik et hysterisk anfald da Rashid solgte fjernsynet.

Efter branden var Rashid hjemme næsten hver eneste dag. Han slog Aziza. Han sparkede Mariam. Han kastede med ting. Han fandt tusindvis af fejl hos Laila, måden hun lugtede på, måden hun klædte sig på, måden hun redte sig på, hendes tænder der var begyndt at gulne.

„Hvad er der sket med dig?" spurgte han. „Jeg giftede mig med en pari, og nu hænger jeg på en heks. Du minder mere og mere om Mariam."

Han blev afskediget fra sit job i kabobhuset i nærheden af Haji Yaqub-pladsen fordi han kom op at skændes med en kunde. Kunden klagede over at Rashid havde sat brødet på bordet på en uforskammet måde. Det var kommet til hidsig ordveksling. Rashid havde kaldt kunden en usbeker med abefjæs. Der blev viftet med en pistol. Der blev langet ud med et stegespid. I Rashids version var det ham der havde holdt stegespiddet. Mariam tvivlede.

Så blev han fyret fra sit job i restauranten i Taimani fordi kunderne klagede over den lange ventetid. Rashid sagde at kokken var langsom og doven.

„Du sad formentlig i baglokalet og tog dig en lur," sagde Laila.

„Lad være med at provokere ham, Laila jo," sagde Mariam.

„Jeg advarer dig," sagde han.

„Enten det, eller også var du ude for at ryge."

„Guds død, kvinde."

„Du kan ikke gøre for at du er som du er."

Og så var han over Laila, tævede løs på hende, på brystet, i hovedet, i maven, flåede hårtotter ud af hovedet på hende og kastede hende ind mod væggen. Aziza skreg og rev i hans skjorte, og også Zalmai skreg og forsøgte at få ham væk fra sin mor. Rashid skubbede børnene til side, væltede Laila om på gulvet og begyndte at sparke hende. Mariam kastede sig oven på Laila. Han sparkede videre, nu var det Mariam han ramte, og spyttet fløj fra hans mund mens øjnene skinnede af morderisk had, og sådan blev det ved indtil han ikke havde flere kræfter.

„Jeg sværger på at du en dag tvinger mig til at slå dig ihjel, Laila," sagde han stønnende. Så stormede han ud af huset.

Da der ikke var flere penge, holdt sulten sit indtog i huset og kastede et mørke hen over deres liv. Det var virkelig forbløffende, tænkte Mariam, hvor hurtigt det blev hele omdrejningspunktet i deres liv at holde sulten stangen.

Kogt ris uden kød og sovs blev nu en sjælden svir. De sprang måltider over med alarmerende regelmæssighed. En gang imellem kom Rashid hjem med sardiner og et hårdt og tørt brød der smagte som savsmuld. En gang imellem en pose æbler som han havde stjålet med fare for at få hugget en hånd af. En sjælden gang imellem lykkedes det ham at stikke en dåse ravioli i lommen som de delte i fem portioner hvor Zalmai altid fik broderparten. De spiste rå roer drysset med en smule salt, slatne salatblade og sortplettede bananer til aftensmad.

Sultedøden forekom pludselig som en realistisk udgang på deres situation. Der var dem der valgte at komme den i forkøbet. Mariam hørte om en nabokone, en enke, der havde knust noget tørt brød, blandet det med rottegift og serveret det for sine syv børn. Hun havde gemt den største portion til sig selv.

Azizas ribben begyndte at stikke frem under huden, og hvalpefedtet forsvandt fra hendes kinder. Hendes ben blev tynde, og farven i hendes ansigt blev som tynd te. Når Mariam løftede hende op, kunne hun mærke hendes hofteskåle stikke ud under den stramme hud. Zalmai lå dvask rundtomkring i huset med sløve, halvt lukkede øjne eller slap som en klud på sin fars skød. Han græd sig i søvn når han havde kræfter til det, men søvnen var urolig og sporadisk. Hvide prikker dansede for Mariams øjne hver gang hun rejste sig op. Hun var ør i hovedet, og det kimede uafladeligt for hendes ører. Hun kom i tanke om noget mullah Faizullah plejede at sige om hungersnød lige før ramadanen begyndte: *Selv en mand der er blevet bidt af en slange, vil kunne finde hvile, men ikke en hungerramt.*

„Mine børn er ved at dø," sagde Laila. „Lige her for øjnene af mig."

„Vel er de ej," sagde Mariam. „Jeg vil ikke lade dem dø. Det skal nok gå, Laila jo. Jeg har fået en idé."

En kogende hed dag tog Mariam sin burka på, og hun og Rashid gik til Intercontinental Hotel. En busbillet var nu en luksus de ikke havde råd til, og Mariam var udmattet da de nåede op på toppen af den stejle bakke. Mens hun asede sig opad, blev hun gentagne gange overmandet af svimmelhed, og to gange måtte hun stå stille og vente på at det fortog sig.

Henne foran hotellets indgang omfavnede Rashid en af dørmændene som var iklædt bordeauxrød jakke og havde en kasket med skygge på hovedet. De stod og talte tilsyneladende venskabeligt med hinanden. Rashid havde sin hånd om dørmandens albue mens han snakkede. På et tidspunkt gjorde han en bevægelse hen imod Mariam, og de så begge kortvarigt på hende. Mariam syntes at der var noget vagt bekendt over dørmanden.

Dørmanden forsvandt ind på hotellet, og Mariam og Rashid ventede. Fra dette udsigtspunkt kunne Mariam se helt over til Polyteknisk Læreanstalt og bag det det gamle Khayr Khanadistrikt og vejen til Mazar. Mod syd kunne hun se brødfabrikken Silo som længe havde været lukket og nu stod som en bleggul og arret skal efter al den beskydning den havde måttet lægge mure til. Længere mod syd kunne hun ane resterne af Darulaman-paladset hvor Rashid for mange år siden havde taget hende med på udflugt. Mindet om den dag var en rest fra en fortid der ikke forekom som hendes længere.

Mariam koncentrerede sig om disse ting, disse landemærker. Hun var bange for at modet skulle svigte hende hvis hun lod tankerne gå på langfart.

Med få minutters mellemrum kom jeeps og taxaer kørende op foran hotellet. Dørmænd kom løbende til for at tage imod passagererne der alle var mænd, bevæbnede, skæggede og turbanklædte, og som alle steg ud af bilerne med det samme selvsikre, lettere truende udtryk i ansigterne. Mariam hørte brudstykker af deres samtale før de forsvandt ind gennem hoteldøren. Hun hørte pashto og farsi, men også urdu og arabisk.

„Mød vores *virkelige* herrer," sagde Rashid lavmælt. „Pakistanske og arabiske islamister. Talibanerne er marionetdukker. *Det her* er de store drenge, og Afghanistan er deres legeplads."

Rashid sagde at han havde hørt rygter om at Taliban tillod disse mennesker at etablere hemmelige lejre flere steder i landet hvor unge mænd blev trænet til at blive selvmordsbombere og jihadister.

„Hvorfor er han så længe om det?" spurgte Mariam.

Rashid spyttede og sparkede jord hen over spytklatten.

En time efter vinkede dørmanden dem indenfor, Rashid og Mariam, og bad dem om at følge efter. Deres hæle klikkede mod flisegulvet mens de blev ført gennem en dejlig kølig lobby. Mariam så to mænd sidde i læderstole, med rifler og et kaffebord imellem sig, og drikke sort te og spise fra et fad sirupsovertrukne *jelabi*-ringe pudret med flormelis. Hun tænkte på Aziza der elskede jelabier, og tvang sig til at se væk.

Dørmanden viste dem ud på en balkon. Han tog en lille sort trådløs telefon op af lommen og et stykke papir med et nummer skriblet på. Han sagde til Rashid at det var hotelinspektørens satellittelefon.

„Jeg skaffede jer fem minutter," sagde han. „Kun fem, husk det."

„Tashakor," sagde Rashid. „Jeg er dybt taknemmelig."

Dørmanden nikkede og gik igen. Rashid tastede telefonnummeret. Han gav Mariam telefonen.

Mens Mariam lyttede til den skrattende opringetone, gik hendes tanker tilbage til den sidste gang hun så Jalil, for tretten år siden, i foråret 1987. Han havde stået på gaden uden for huset, støttende sig til en stok, ved siden af en blå Mercedes med Herat-nummerplader og den hvide stribe der delte tag, motorhjelm og bagsmæk i to. Han havde stået der i timevis og ventet. Nu og da havde han råbt hendes navn, præcis som hun havde ventet uden for *hans* hjem og kaldt på *ham*. Mariam havde kigget ud gennem en sprække i gardinet, en lille sprække, og fået et glimt af ham. Kun et glimt, men længe nok til at se at han var blevet tyndhåret og grå, og at han var begyndt at synke sammen i kroppen. Han havde haft briller på, et rødt slips som førhen, og det sædvanlige hvide lommetørklæde i brystlommen. Den største ændring var at han var blevet tynd, meget tyndere end hun huskede. Den brune jakke slaskede om hans skuldre, og buksebenene flagrede om hans ankler.

Jalil havde også set hende, om end kun kortvarigt. Et øjeblik mødtes deres blikke gennem sprækken i gardinet ligesom de havde set hinanden i øjnene gennem en anden sprække i et andet gardin for mange år siden. Men Mariam havde hurtigt trukket gardinet helt for. Hun havde sat sig på sengen og ventet på at han skulle gå igen.

Hun tænkte på det brev han til sidst havde skubbet ind under døren. Hun havde beholdt det i flere dage, gemt under sin hovedpude, og havde nu og da taget det frem og vendt og drejet det i sine hænder. Til sidst havde hun revet det uåbnet i stykker.

Og nu stod hun her, efter så mange år, og ringede til ham.

Mariam fortrød nu sin ungdommelige, dumme stolthed. Hun ville ønske at hun havde lukket ham ind. Hvad skade kunne det have gjort at lukke ham ind, sidde lidt sammen med ham og lade ham sige det han var kommet for at sige. Han var hendes far. Han havde ikke været en god far, sandt nok, men hvor forekom hans mangler hende nu så små, så tilgivelige, sammenlignet med Rashids ondskabsfuldhed og den brutalitet og vold som hun havde set mænd lægge for dagen over for andre.

Hun ville ønske at hun ikke havde revet brevet i stykker.

En mand talte med dyb stemme i hendes øre og informerede hende om at hun havde ringet til borgmesterens kontor i Herat.

Mariam rømmede sig. „Salaam broder, jeg leder efter en som bor i Herat. Eller boede der for mange år siden. Hans navn er Jalil Khan. Han bor i Shar-e-nau og ejede en biograf. Kender De noget til hvad der er blevet af ham?"

Irritationen var tydelig at høre i mandens stemme. „Er det grunden til at De har ringet til borgmesterens kontor?"

Mariam sagde at hun ikke havde vidst hvem hun ellers skulle ringe til. „Tilgiv mig, broder. Jeg er klar over at De har vigtige ting at tage Dem til, men det gælder liv eller død... det er et spørgsmål om liv eller død."

„Jeg kender ham ikke. Biografen har været lukket i mange år."

„Måske er der en der kender ham, en som..."

„Ingen."

Mariam lukkede øjnene. „Broder, der er børn involveret. Små børn. Jeg beder Dem."

Et langtrukkent suk.

„Måske er der nogen...?"

„Der er en opsynsmand her, jeg tror han har boet her hele sit liv."

„Åh ja, vær sød at spørge ham."

„Ring tilbage i morgen."

Mariam sagde at det ikke lod sig gøre. „Jeg har kun telefonen i fem minutter. Jeg kan ikke..."

Der lød et klik i den anden ende, og Mariam troede at han havde lagt på. Men så hørte hun fodtrin og stemmer, et bilhorn i det fjerne og en mekanisk summelyd og regelmæssige klik, måske fra en elektrisk vifte. Hun tog telefonen over til det andet øre og lukkede øjnene.

Hun så Jalil for sig, smilende mens han stak hånden ned i jakkelommen.

Åh. Ja, selvfølgelig. Jamen, så her da…"

Et halssmykke formet som et blad hvorfra der hang små mønter med måne og stjerner på.

Tag det på, Mariam jo.

Hvad synes De?

Jeg synes du ligner en dronning.

Der gik et par minutter. Så fodtrin igen, en skrattende lyd og et klik. „Han kender ham."

„Gør han?"

„Det er hvad han siger."

„Hvor bor han så?" spurgte Mariam. „Ved denne mand hvor Jalil Khan bor?"

En lille pause. „Han siger at han døde for år tilbage. I 1987."

Mariams hjerte sank i livet på hende. Hun havde selvfølgelig overvejet muligheden. Jalil ville være midt i halvfjerdserne nu, men…

1987.

Han var døende dengang. Han var kørt hele den lange vej fra Herat for at sige farvel.

Hun gik hen til balkonrækværket. Herfra kunne hun se ned på hotellets engang så berømte swimmingpool der nu var tømt for vand og beskidt, gennemhullet af kugler og med knækkede fliser. Og der lå den ramponerede tennisbane med et laset net på jorden midt mellem de to banehalvdele som hammen fra en slange.

„Jeg er nødt til at gå nu," sagde stemmen i den anden ende.

„Undskyld at jeg forstyrrede Dem," sagde Mariam og græd lydløst ned i telefonen. Hun så Jalil vinke mens han hoppede af sted på stenene i åen med lommerne fulde af gaver. Tænkte på alle de gange hun havde holdt vejret og bedt til Gud om at få mere tid sammen med ham. „Mange tak," begyndte Mariam at sige, men manden i den anden ende havde allerede afbrudt forbindelsen.

Rashid så på hende. Hun rystede på hovedet.

„Unyttig," sagde han og rev telefonen ud af hendes hænder. „Datter og far, ét fedt."

På vej ud gennem lobbyen gik Rashid rask hen til kaffebordet som nu var forladt, og stak den sidste jelabi-ring i lommen. Han tog den med hjem og gav den til Zalmai.

42

Laila

Aziza pakkede følgende ting ned i en papirspose: sin blomstrede bluse, sit eneste par sokker, sine to forskellige uldluffer, et gammel orange tæppe med stjerne og kometer på, en revnet plastickop, en banan, et par terninger.

Det var en kølig morgen i april 2001 nogle dage før Lailas treogtyveårs fødselsdag. Himlen var gennemsigtig grå, og kolde, klamme vindstød fik netdøren til at klapre.

Det var få dage efter at Laila havde hørt at Ahmad Shah Masud var taget til Frankrig for at tale i EU-parlamentet. Masud var rykket nordpå hvor han var født, og var nu leder af Nordalliancen, den eneste gruppe der stadig gjorde modstand mod Taliban. I Europa havde Masud advaret Vesten om træningslejrene i Afghanistan og tryglet USA om at hjælpe ham med at bekæmpe talibanerne.

„Hvis præsident Bush ikke hjælper os," havde han sagt, „vil disse terrorister meget snart slå til i USA og Europa."

En måned før det havde Laila hørt at talibanerne havde

placeret TNT i hulrummene i Kolossalbuddhaerne i Bamiyan og sprængt dem i stumper og stykker fordi de efter deres opfattelse var afguder. Det havde udløst et ramaskrig fra USA til Kina. Regeringer, historikere og arkæologer i hele verden havde skrevet breve og bønfaldet Taliban om ikke at ødelægge de to største historiske artefakter i Afghanistan. Men Taliban havde ignoreret dem og detoneret sprængstofferne inde i de to tusind år gamle buddhaer. De havde messet Allah-u-akbar for hver sprængning og jublet hver gang en statue i en sky af støv mistede en arm eller et ben. Laila kunne huske dengang hun havde stået oven på den største af de to buddhaer sammen med Babi og Tariq helt tilbage i 1987. Der havde blæst en frisk brise, og de havde stået og set en høg kredse over den udstrakte dal langt nede. Men da Laila hørte nyheden om statuernes endeligt, var hun ligeglad. Det betød ikke det store nu. Hvorfor skulle hun kere sig om statuer når hendes eget liv lå i ruiner?

Indtil Rashid sagde at det var tid til at gå, sad Laila på gulvet i et hjørne af stuen, stum og med stenansigt og håret hængende i krøllede totter rundt om ansigtet. Uanset hvor meget hun forsøgte, var det som om hun ikke kunne få luft nok ned i lungerne.

På vej til Karta-i Seh sad Zalmai og hoppede på Rashids arm, og Aziza holdt Mariam i hånden mens de hurtigt spadserede af sted. Vinden tog i det snavsede tørklæde der var bundet under Azizas hage, og fik sømmen på hendes kjole til at bølge. Al latter var forsvundet ud af Aziza nu, som om hun fornemmede – mere og mere for hvert skridt – at hun blev ført bag lyset. Laila havde ikke haft kræfter til at fortælle hende sandheden. Hun havde fortalt hende at hun skulle gå i en særlig skole hvor børn spiste og sov og ikke kom hjem efter timerne. Nu bombarderede Aziza Laila med de samme spørgsmål som hun havde stillet i dagevis. Havde eleverne deres egne værelser, eller sov de på sovesal? Ville hun få venner? Var hun, Laila, sikker på at lærerne ville være rare?

Og mere end én gang: *Hvor længe skal jeg være der?*

De standsede to blokke fra en firkantet, baraklignende bygning.

„Zalmai og jeg venter her," sagde Rashid. „Åh, før jeg glemmer det..."

Han fiskede et stykke tyggegummi op af lommen, en afskedsgave, og gav det til Aziza med en stiv, ædelmodig bevægelse. Aziza tog imod det og mumlede tak. Laila var helt betuttet over sin datters ynde, hendes overvældende villighed til at tilgive, og tårerne vældede op i hendes øjne. Hendes hjerte knugede sig sammen, og hun var svimmel af sorg, sorg ved tanken om at Aziza og hun ikke skulle sove til eftermiddag ved siden af hinanden, over at hun ikke skulle føle den fnuglette vægt af Azizas arm over sit bryst, mærke rundingen på Azizas hoved mod sine ribben, Azizas varme ånde på sin hals, Azizas hæle prikke hende i maven.

Da Aziza blev ført væk, begyndte Zalmai at vræle *Ziza! Ziza!* Han vred og snoede sig og sparkede i sin fars arme og råbte på sin søster indtil hans opmærksomhed blev afledt af en lirekassemand og hans abe på den anden side af gaden.

De gik de sidste to blokke alene, Mariam, Laila og Aziza. Da de nærmede sig bygningen, kunne Laila se dens splintrede facade, det sammensunkne tag, træplankerne der var hamret for udblæste vinduer, og det øverste af en gynge over en smuldrende mur.

De stod stille foran døren, og Laila gentog over for Aziza hvad hun havde fortalt hende tidligere.

„Og hvis de spørger efter din far, hvad siger du så?"

„Mujahedin slog ham ihjel," sagde Aziza med et træt drag om munden.

„Fint. Aziza, forstår du hvorfor?"

„Fordi det er en særlig skole,“ sagde Aziza. Nu da de var nået frem, og bygningen var en realitet, virkede hun chokeret. Underlæben bævede, og det så ud som om hun havde svært ved at holde gråden tilbage, og Laila så hvor hårdt hun kæmpede for at være tapper. „Hvis vi siger sandheden,“ sagde Aziza med sprød, åndeløs stemme, „vil de ikke lukke mig ind. Det er en særlig skole. Jeg vil gerne hjem.“

„Jeg kommer og besøger dig hele tiden,“ lykkedes det Laila at få frem. „Aziza, hører du? Jeg lover at besøge dig.“

„Også mig,“ sagde Mariam. „Vi kommer og besøger dig, Aziza jo, og vi vil lege sammen ligesom før. Du skal ikke være her ret længe, kun indtil din far har fundet sig et arbejde.“

„De har mad her,“ sagde Laila med rystende stemme. Hun var glad for burkaen, glad for at Aziza ikke kunne se hvordan hun var ved at gå i stykker inde under den. „Du vil ikke sulte her. De har ris og brød og vand og måske også frugt.“

„Men *De* vil ikke være her. Og khala Mariam vil ikke være her.“

„Jeg kommer og besøger dig,“ sagde Laila. „Hele tiden. Se på mig, Aziza. Jeg kommer og besøger dig. Jeg er din mor. Om det så skal koste mig livet, så kommer jeg og besøger dig.“

Lederen af børnehjemmet var en krumbøjet, trangbrystet mand med et furet ansigt. Han var tyndhåret, og skægget var tjavset, men øjnene var venlige nok selv om de var små som ærter. Hans navn var Zaman. Han havde en kalot på hovedet. Det venstre glas i hans briller var skåret.

Mens han ledsagede Laila og Mariam til sit kontor, spurgte han dem om deres navne, og hvad Aziza hed, og hvor gammel hun var. De kom forbi dunkelt oplyste gange hvor børn uden sko og strømper trådte til side og kiggede efter dem. Deres hår var uredt eller var blevet barberet af. De havde sweatere på med flossede ærmer, lasede jeans hvor knæene var næsten slidt helt af, og jakker der var blevet lappet med isoleringstape. Laila kunne lugte ammoniak og urin, sæbe og talkum og en stigende angst hos Aziza som var begyndt at klynke.

Laila fik et glimt af gården: ukrudt, et par vakkelvorne gynger, gamle bildæk, en flad basketball. I de værelser de kom forbi, var vinduesglasset erstattet med plastic. En dreng smuttede ud fra et af rummene og tog Laila om albuen og forsøgte at kravle op i hendes arme. En hjælper som var i færd med at tørre hvad der lignede urin op fra gulvet, satte moppen fra sig og vristede ham løs.

Zaman virkede ægte beskyttende over for de forældreløse børn. Han klappede nogle af dem på hovederne når han gik forbi, sagde et venligt ord eller to til dem eller purrede op i deres hår uden at virke nedladende. Børnene så ud til at kunne lide hans kærtegn. De så alle på ham som om de anglede efter hans kærlighed.

Han viste dem ind på sit kontor, et rum med kun tre klapstole og et rodet skrivebord med stakke af papirer overalt.

„De stammer fra Herat," sagde han til Mariam. „Jeg kan høre det på Deres dialekt."

Han lænede sig tilbage i stolen og foldede hænderne over sin mave og sagde at hans svoger engang havde boet i Herat. På trods af hans forekommenhed fornemmede Laila noget anstrengt i hans kropssprog. Og selv om han smilede svagt, var der noget ængsteligt og såret underneden, en fernis af godt humør der dækkede over skuffelse og nederlag.

„Han var glaspuster," sagde Zaman. „Han lavede disse her meget smukke glassvaner. Man holdt dem op imod lyset, og så glitrede de indefra, som glas der var fyldt med ganske små splinter af ædelsten. Har De været i Herat for nylig?"

Mariam sagde nej, det havde hun ikke.

„Selv er jeg fra Kandahar. Har De nogensinde været i Kandahar, hamshira? Ikke det? Det er en dejlig by. Så smukke parker.

Og vindruerne! Åh, vindruerne. En lise for smagsløgene."

Et par børn var kommet hen til døren og stod og kiggede ind. Zaman jog dem venligt væk med et par ord på pashto.

„Selvfølgelig holder jeg også meget af Herat. En by af kunstnere, forfattere, sufier og mystikere. De kender vel den gamle spøg om at man ikke kan strække benene i Herat uden at ramme en digter i bagdelen?"

Aziza der sad ved siden af Laila, kom til at fnise.

Zaman hyklede et gisp. „Jamen dog. Jeg fik dig til at le, lille hamshira. Det er normalt det sværeste af det hele. Et øjeblik var jeg helt bekymret. Jeg troede jeg blev nødt til at klukke som en høne eller skryde som et æsel. Men det blev altså ikke nødvendigt. Sikke køn du er når du smiler."

Han kaldte på en medhjælper og bad hende om at se efter Aziza et øjeblik. Aziza kastede sig ind til Laila og klyngede sig til hende.

„Vi skal bare snakke sammen et øjeblik, min skat," sagde Laila. „Jeg går ingen vegne. Okay?"

„Hvad siger du til at du og jeg går udenfor et øjeblik, Aziza jo?" sagde Mariam. „Din mor har brug for at tale med kaka Zaman her. Kun et øjeblik. Kom med mig."

Da de var blevet alene, spurgte Zaman om hvornår Aziza var født, om hun havde været syg eller led af allergi. Han spurgte om Azizas far, og det var den særeste oplevelse for Laila at fortælle en løgn der var sand. Zaman lyttede med et udtryk der ikke afslørede om han troede hendes historie eller ej. Han bestyrede børnehjemmet ud fra et spørgsmål om tillid. Hvis en hamshira sagde at hendes mand var død, og at hun ikke kunne tage vare på sine børn, så betvivlede han det ikke.

Laila begyndte at græde.

Zaman lagde blyanten fra sig.

„Jeg skammer mig sådan," kvækkede Laila med hånden for munden.

„Se på mig, hamshira."

„Hvad slags mor overlader sit barn til fremmede mennesker?"

„Se på mig."

Laila så op.

„Det er ikke Deres skyld. Hører De hvad jeg siger? De må ikke bebrejde Dem selv. Det er disse *wahshi'*er der er de skyldige. Disse barbarer har bragt skam over alle pashtuner. De har vanæret mit folks navn. Og De er ikke alene, hamshira. Der kommer mødre som Dem hele tiden, hele tiden, mødre som kommer her og er ude af stand til at brødføde deres børn fordi Taliban ikke vil tillade dem at gå ud og skaffe sig et arbejde. Så De må ikke bebrejde Dem selv. Der er ingen her der bebrejder Dem noget. Jeg forstår." Han lænede sig frem. „Hamshira, jeg forstår."

Laila tørrede øjnene med en snip af burkaen.

„Med hensyn til dette sted," sukkede Zaman og slog ud med hånden, „så kan De se hvor usselt det er. Vi har for få penge og må vende og dreje hver eneste mønt. Improvisere os frem. Vi får kun lidt eller ingen støtte fra Taliban. Men vi klarer os. Som Dem må vi gøre hvad der skal gøres. Allah er god og kærlig, og Allah giver, og så længe Allah giver, vil jeg sørge for at Aziza får mad og tøj på kroppen. Så meget kan jeg love Dem."

Laila nikkede taknemmeligt.

„Okay?" Så smilede han venligt. „De må ikke græde, hamshira. De må ikke lade hende se Dem græde."

Laila tørrede igen øjnene. „Gud velsigne Dem," sagde hun med grødet stemme. „Gud velsigne Dem, broder."

Men da de skulle tage afsked, udviklede det sig præcis så forfærdeligt som Laila havde frygtet.

Aziza gik i panik.

Hele vejen hjem måtte Laila støtte sig til Mariam med Azizas skingre skrig i ørerne. For sit indre blik så hun Zamans barkede næver lukke sig om Azizas arme, hun så ham trække, blidt i begyndelsen, så lidt hårdere indtil han var nødt til at vriste Aziza væk fra hende. Hun så Aziza sparkende i Zamans arme mens han skyndte sig rundt om et hjørne, hørte Aziza skrige som om hun var ved at blive opslugt af jorden. Og Laila så sig selv løbe ned ad gangen med bøjet hoved og et skrig der sad fast i halsen.

„Jeg kan lugte hende,“ sagde hun til Mariam da de var kommet hjem. Hendes blik svømmede useende forbi Mariams skulder, ud over gården, over muren og helt op til bjergene der var brune som en rygers spyt. „Jeg kan lugte hendes sovelugt. Kan du også? Kan du lugte den?“

„Åh, Laila jo,“ sagde Mariam. „Lad være med at gøre det her. Det nytter jo ikke noget.“

I begyndelsen føjede Rashid sig og fulgte dem – hende, Mariam og Zalmai – til børnehjemmet selv om han sørgede for at hun, mens de gik af sted, noterede sig hans plagede, forbitrede udtryk og ikke kunne undgå at høre hans larmende brok over hvor meget besvær hun kostede ham, hvor ondt han fik i benene og fødderne af evindeligt at skulle følge dem til børnehjemmet. Han sørgede for at hun var fuldt ud klar over hvor utilfreds han var med hende.

„Jeg er ikke længere ung,“ sagde han. „Ikke at det bekymrer dig. Du ville slide mig op hvis du fik din vilje. Men det får du ikke, Laila, det får du ikke.“

De skiltes to gader fra børnehjemmet, og han gav dem aldrig mere end et kvarter. „Et minut mere,“ sagde han, „og jeg begynder at gå. Jeg mener det.“

Laila var nødt til at trygle for at vride nogle få ekstra minutter ud af ham. For hendes egen skyld, men også for Mariams der var lige så utrøstelig som Laila over ikke at have Aziza hos sig, men som havde valgt – som altid – ikke at bære sin sorg uden på tøjet. Og også for Zalmais skyld som spurgte efter sin søster hver eneste dag og ofte havde hysteriske grådanfald.

En gang imellem standsede Rashid op på vej til børnehjemmet og klagede over smerter i benet. Så drejede han omkring og begyndte at gå hjem igen med lange, faste skridt uden så meget som at trække på benet. Eller han slog klik med tungen og sagde: „Det er mine lunger, Laila. Jeg er forpustet. Måske har jeg det bedre i morgen eller i overmorgen. Vi får se.“ Han ikke så meget som forsøgte at lyde stakåndet. Ofte tændte han en cigaret i samme øjeblik han havde vendt sig om og var på vej hjem igen. Laila var nødt til at følge efter, hjælpeløs og rystende af harme og indestængt raseri.

Så en dag sagde han at han ikke ville følge hende derhen længere. „Jeg er for træt efter at have gået rundt og ledt efter arbejde hele dagen,“ sagde han.

„Så går jeg alene,“ sagde Laila. „Du kan ikke forhindre mig i det, Rashid. Hører du hvad jeg siger? Du kan slå mig lige så meget du vil, men jeg vil ikke holde op med at besøge hende.“

„Gør som du vil. Men du kommer ikke forbi Taliban. Kom ikke og sig at du ikke er blevet advaret.“

„Jeg går med,“ sagde Mariam.

Laila ville ikke tillade det. „Du er nødt til at blive hjemme hos Zalmai. Hvis vi bliver standset… jeg vil ikke have at han ser…“

Fra da af drejede Lailas liv sig pludselig om at finde udveje til at besøge Aziza nogle få minutter. Halvdelen af gangene nåede hun ikke frem til børnehjemmet. Når hun krydsede gaden, blev hun set af Taliban, og spørgsmålene haglede ned over hende: *Hvad er Deres navn? Hvor skal De hen? Hvorfor er De alene, hvor er Deres mahram*? – før hun blev sendt hjem igen. Hvis hun var heldig, slap hun med et verbalt overfald eller et enkelt spark bagi, et skub i ryggen. Andre gange blev hun mødt med et udvalg af køller, friske afbarkede grene, korte piske, lussinger, ofte knytnæver.

En dag tæskede en ung talibaner hende med en radioantenne. Da han var færdig, gav han hende et sidste slag hen over halsen og sagde: „Hvis jeg ser Dem igen, får De så mange bank at Deres mors mælk siver ud af Deres knogler."

Den dag gik Laila hjem. Hun lå på maven og følte sig som et stupidt, ynkeligt dyr og hvæsede mens Mariam lagde fugtige klude hen over hendes blodige ryg og lår. Men sædvanligvis nægtede Laila at bøje sig. Hun lod som om hun gik hjem, og valgte så at gå ad de små sidegader til børnehjemmet. En gang imellem blev hun standset, udspurgt, skældt ud to, tre, ja fire gange på en dag. Så blev piske svunget, og antenner skar igennem luften, og hun vaklede blodig og forslået hjem uden så meget som at have fået et glimt af Aziza. Efter kort tid fik hun for vane – på trods af varmen – at have flere lag tøj på, to, tre sweatere under burkaen som polster mod de mange tæv.

Men for Laila var belønningen for at slippe uden om Taliban det hele værd. Hun kunne være sammen med Aziza lige så længe hun ville, *timer* ligefrem. De sad ude i gården henne ved gyngerne, mellem de andre børn og besøgende mødre, og talte om hvad Aziza havde lært siden sidst.

Aziza sagde at kaka Zaman insisterede på at undervise dem hver eneste dag, ofte læsning og skrivning, en gang imellem geografi, lidt historie eller naturfag, noget om planter og dyr.

„Men vi er nødt til at trække gardinerne for så Taliban ikke opdager det," forklarede Aziza. Kaka Zaman havde nåle og tråd og garn parat, sagde hun, i tilfælde af en Taliban-inspektion. „Så gemmer vi bøgerne og lader som om vi strikker."

En dag under et besøg fik Laila øje på en midaldrende kvinde med ansigtsnettet løftet op der var sammen med tre drenge og en pige. Laila genkendte det kantede ansigt, de kraftige øjenbryn om end ikke den mimrende mund og det grå hår. Hun kunne huske sjalerne, de sorte skjorter, den afsnuppede stemme, hvordan hun dengang havde haft sit ravnsorte hår samlet i en knude i nakken så man kunne se de små sorte hår i nakken. Laila kunne huske at denne kvinde engang havde forbudt pigerne i klassen at bære slør fordi, som hun havde sagt, kvinder var lige med mænd, og der var ingen grund til at en kvinde skulle tildække sig når mænd ikke ville gøre det.

På et tidspunkt så khala Rangmaal op og mødte Lailas blik, men Laila så ingen genkendelse i sin gamle lærerindes øjne.

„Der er sprækker i jordens overflade," sagde Aziza. „Man kalder dem 'forkastninger'."

Det var en varm eftermiddag, en fredag i juni måned 2001. De sad udenfor i børnehjemmets baghave, alle fire, Laila, Zalmai, Mariam og Aziza. Rashid havde bøjet sig – det hændte faktisk en gang imellem – og ledsaget dem. Han ventede længere nede ad gaden ved busstoppestedet.

Børn legede rundt omkring dem. En flad fodbold blev sparket hen over jorden og sløvt jagtet.

„Og på begge sider af forkastningen er der plader af sten som udgør jordens skorpe," sagde Aziza.

En eller anden havde skrabet håret væk fra Azizas pande, flettet det og sat det nydeligt op på hovedet af hende. Laila var jaloux på den der havde fået lov til at sidde bag hendes datter og lagt lokker hen over hinanden mens hun havde bedt hende om at sidde stille.

Aziza demonstrerede det ved at åbne hænderne, med håndfladerne opad, og gnide dem mod hinanden. Zalmai så til med utilsløret interesse.

„Kektoniske plader, hedder de."

„Tektoniske," rettede Laila. Det gjorde ondt at tale. Hendes kæbe var stadig øm, og hun havde smerter i ryggen og nakken. Hendes mund var opsvulmet, og hendes tunge blev ved med at søge hen til det tomme sted i undermunden hvor Rashid havde slået en fortand ud for to dage siden. Før Mammy og

Babi døde, og livet slog en kolbøtte, ville Laila aldrig have troet at et menneskes krop kunne udholde så mange klø, så ondartet, så ofte, og stadig fungere.

„Nå ja. Og når de glider mod hinanden, så tipper de en gang imellem og glider ind under hinanden, Mammy, og det frigiver så meget energi som trænger helt op til jordens overflade og får den til at ryste."

„Hvor er du klog," sagde Mariam. „Meget klogere end din dumme khala."

Azizas ansigt glødede, og hun spærrede øjnene op. „De er ikke dum, khala Mariam. Og kaka Zaman siger at en gang imellem sker det meget meget langt nede at pladerne flytter sig, og at der er virkelig skrækkeligt og farligt dernede, men at det eneste vi mærker til det heroppe, er en svag rysten. Et skælv, siger han at det hedder."

Sidste gang de var her, havde hun fortalt om iltatomer i atmosfæren der spredte det blå lys fra solen. *Hvis jorden ikke havde nogen àtmosfære, ville himlen slet ikke være blå*, havde Aziza en smule stakåndet fortalt dem. *Den ville være som det sorteste hav, og solen kun være som en lysende stjerne midt i mørket.*

„Kommer Aziza hjem med os i dag?" spurgte Zalmai.

„Snart, min skat," sagde Laila. „Snart."

Laila så efter ham da han gik sin vej, gik som sin far, lidt foroverbøjet og med indadvendte fødder. Han gik hen til gyngestativet, skubbede til en tom gynge og endte med at sætte sig på betonen og hive ukrudt op af en revne.

Vand fordamper fra blade, Mammy, vidste De det, ligesom vand fordamper fra vasketøj på en tørresnor? Og vandet suges op i træet. Fra jorden op i rødderne, så hele vejen op gennem stammen, gennem grenene og ud i bladene. Det kaldes transpiration.

Mere end én gang havde Laila spekuleret på hvad Taliban ville gøre hvis de fandt ud af at kaka Zaman underviste børnene i det skjulte.

Aziza tillod ikke nogen tavshed når de besøgte hende. Hun udfyldte tomrummet med en endeløs talestrøm afleveret med klingende, høj stemme. Hun sprang fra emne til emne, og hendes hænder fløj forvildet rundt mens hun talte, noget der slet ikke lignede hende. Hendes latter havde også skiftet karakter. Ikke så meget en latter, faktisk, mere som et nervøst forsøg på at berolige dem, havde Laila en mistanke om.

Og der var andre forandringer. Laila så at hun havde sorte negle, og Aziza så at Laila så det, og begravede sine hænder under lårene. Når et barn i nærheden begyndte at græde, og snot løb ud af næsen, eller hvis et barn gik forbi med bar numse og uvasket, filtret hår, ville Aziza hurtigt glippe med øjnene og forsøge at bortforklare det. Hun var som en husmor der havde fået uventet gæster og var forlegen over snavset og sine uvaskede børn.

Spørgsmål om hvordan hun klarede sig, blev besvaret med uoverbevisende munter stemme.

Jeg har det fint, khala. Helt fint.

Driller de andre børn dig?

Nej, overhovedet ikke, Mammy. De er alle meget søde.

Får du nok at spise? Sover du godt om natten?

Jeg får masser af mad. Sover godt. Ja. Vi fik lam i går. Måske var det i sidste uge.

Når Aziza talte sådan, kunne Laila genkende en smule af Mariam i hende.

Aziza var også begyndt at stamme. Det var Mariam der først lagde mærke til det. Det var ikke særlig tydeligt, men det var der, og især hvis et ord begyndte med 't'. Laila talte med Zaman om det. Han fik rynker i panden og sagde: „Det troede jeg hun altid havde gjort."

De tog Aziza med ud på en lille tur en fredag eftermiddag og mødtes med Rashid som ventede henne ved busstoppestedet. Da Zalmai fik øje på sin far, udstødte han et henrykt hvin og snoede sig utålmodigt ud af Lailas arme. Aziza hilste stift, men ikke fjendtligt på ham. Aziza var aldrig fjendtlig over for Rashid.

Rashid sagde at tiden var knap; om to timer skulle han være tilbage på sit arbejde. Det var hans første uge som dørmand på Intercontinental. Fra klokken tolv middag til otte om aftenen, seks dage om ugen, åbnede Rashid bildøre, bar kufferter, og tørrede op hvis nogen var kommet til at spilde på gulvet. En gang imellem gav kokken i buffetrestauranten Rashid lov til ved dagens afslutning at tage lidt rester med hjem hvis han bare gjorde det diskret: kolde kødboller der svømmede i olie, grillede kyllingevinger, nu hårde og fuldstændig tørstegte, gummiagtig pasta med fyld, størknet, grusagtig ris. Rashid havde lovet Laila at Aziza måtte komme hjem igen når han havde sparet lidt penge sammen.

Rashid havde sin uniform på, et bordeauxrødt jakkesæt, hvid skjorte, slips med elastikbånd og en kasket trukket godt ned over hans hvide hår. Iført denne uniform var Rashid som forvandlet. Han lignede slet ikke sig selv. Han så sårbar ud, lidt forvildet, næsten ufarlig. som en der havde accepteret – uden protester – de ydmygelser som livet kunne finde på at byde ham. En som både var medynkvækkende og beundringsværdig i al sin føjelighed.

De tog bussen til Titanic City. De gik nede i flodlejet mellem boder der var klasket tilfældigt op på begge sider af den indtørrede flod. Henne ved broen havde de på vej ned ad trappen set en mand dingle fra en kran, barfodet, uden ører og med brækket nakke. Nede i selve flodlejet lugtede der af horder af mennesker og penge der skiftede hænder, ngo'er der ugideligt stod og hang, cigaretsælgere, tilslørede kvinder der stak falske recepter på antibiotika i hovedet på folk og tryglede dem om penge til medicinen. *Naswar*-tyggende talibanere patruljerede bevæbnet med pisk rundt i Titanic City på jagt efter en latter eller et synligt kvindeansigt.

Zalmai valgte en gummibold med gule og blå siksakstriber fra en bod mellem en poostin-frakkesælger og en bod med kunstige blomster.

„Hvad kunne du tænke dig?“ spurgte Rashid Aziza.

Aziza stivnede af forlegenhed.

„Skynd dig nu. Jeg skal være tilbage på arbejde om en time.“

Aziza valgte en legetøjsautomat til tyggegummikugler – den samme mønt kunne puttes i sprækken for at få en tyggegummikugle og så tages op af skuffen igen.

Rashids øjenbryn fór op i panden da sælgeren fortalte ham hvad den kostede. Der fulgte nu en indædt prutten om prisen der endte med at Rashid vredt sagde til Aziza: „Sæt den tilbage. Jeg har ikke råd til begge dele,“ som om det var hende der havde pruttet om prisen.

På vej tilbage gled den muntre facade gradvist af Aziza jo tættere de kom på børnehjemmet. Hænderne flagrede ikke længere i luften. Udtrykket i hendes ansigt blev tungt. Det samme skete hver eneste gang. Så var det Lailas tur, med Mariam som andenstemme, til at sludre løst, le nervøst og udfylde de triste pause med ligegyldig, spøgefuld småsnak.

Senere, da Rashid havde taget bussen tilbage på arbejde, så Laila Aziza vinke farvel og med slæbende fødder gå ind i børnehjemmet igen. Hun tænkte på Azizas stammen og på det hun havde sagt tidligere, om forkastninger og om voldsomheden når kontinentalpladerne stødte sammen, og om det eneste man kunne mærke oppe på jorden en gang imellem, kun var et ganske svagt jordskælv.

„Væk med Dem, væk!“ hylede Zalmai.

„Sssh,“ sagde Mariam. „Hvad er det du skriger ad?“

Han pegede. „Ham der. Manden.“

Laila så i den retning hans finger pegede. Der stod faktisk en mand foran porten til gården. Ja, han lænede sig ligefrem op ad den. Han drejede hovedet da han så dem nærme sig. Han lod hænderne falde. Tog et haltende skridt hen imod dem.

Laila stod helt stille.

En halvkvalt lyd pressede sig op igennem hendes hals. Benene eksede under hende. Pludselig havde Laila brug for Mariams arm at støtte sig til, et eller andet, en skulder, en hånd, for ikke at falde. Men hun søgte ikke den støtte. Hun turde ikke. Hun turde overhovedet ikke bevæge sig. Hun turde ikke trække vejret eller så meget som at blinke af skræk for at han blot var et drømmesyn, en grusom illusion som ville forsvinde ved den mindste provokation. Laila stod fuldstændig stille og så på Tariq indtil hendes lunger skreg på luft, og øjnene begyndte at svie. Men så, som ved et mirakel, stod han der stadig efter at hun havde hevet efter vejret og blinket. Tariq var ikke blevet tryllet væk igen.

Laila gav sig selv lov til at tage et skridt hen imod ham. Så endnu et. Og et tredje. Og til sidst begyndte hun at løbe.

43

Mariam

Zalmai faldt til ro igen oppe på Mariams værelse. Han kastede lidt med sin nye gummibold, ned på gulvet og op ad væggen. Mariam bad ham om at holde inde, men han vidste at hun ingen myndighed havde over ham, så han blev ved med at lege med sin bold mens han så trodsigt på hende. Et stykke tid legede de med hans legetøjsbil, en ambulance med store røde bogstaver på siden, ved at sende den frem og tilbage i rummet mellem sig.

Tidligere, da de havde hilst på Tariq foran døren, havde Zalmai knuget sin bold ind til brystet og stukket tommelfingeren i munden – noget han ikke gjorde længere undtagen når han var urolig. Han havde set mistænksomt på Tariq.

„Hvem er den mand?“ ville han nu vide. „Jeg kan ikke lide ham.“

Mariam skulle til at forklare og sige noget om at han og Laila var vokset op sammen, men Zalmai afbrød hende og sagde at hun skulle dreje ambulancen så forenden vendte mod ham, og da hun gjorde det, sagde han at han ville have sin bold tilbage.

„Hvor er den?“ spurgte han. „Hvor er den bold Babi jan købte til mig? Hvor er den? Jeg vil have den! Jeg vil have den!“ Hans stemme steg og blev mere skinger for hvert ord.

„Den var jo lige her,“ sagde Mariam, og han råbte: „Nej, den er blevet væk, jeg ved den er blevet væk. Hvor er den, hvor er den?“

„Her,“ sagde hun og hentede bolden fra skabet som den var trillet hen til. Men Zalmai hylede nu og slog efter hende og skreg at det ikke var den samme bold, det kunne det ikke være, for hans bold var blevet væk, og det her var en forkert bold, hvor var hans rigtige bold, hvor var den, hvor hvor hvor?

Han skreg indtil Laila kom op og tog ham i favnen og rokkede ham og lod sine fingre glide gennem hans tætte mørke krøller og tørrede tårerne væk og klikkede med tungen i hans øre.

Mariam ventede uden for døren. Oppe fra toppen af trappen kunne hun se Tariqs lange ben, det rigtige og det kunstige, i kakibukser, strække sig ud på det tæppeløse stuegulv. Det var da at hun pludselig forstod hvorfor dørmanden på Continental havde virket bekendt den dag hun og Rashid var gået derop for at ringe til Jalil. Den dag havde han haft kasket og solbriller på, og det var grunden til at hun havde været så længe om at genkende ham. Men nu huskede hun ham fra dengang for ni år siden, huskede hvordan han havde siddet nede i stuen og duppet sin pande med et lommetørklæde og bedt om vand. Nu ræsede alle mulige spørgsmål gennem hendes hoved: Havde også sulfapillerne været en del af skuespillet? Hvem af dem havde udtænkt løgnen og fundet på de overbevisende detaljer? Og hvor meget havde Rashid betalt Abdul Sharif, hvis det altså var hans navn, for at komme og ødelægge Laila med historien om Tariqs død?

44

Laila

Tariq sagde at en af mændene som han havde delt celle med, havde en fætter der var blevet pisket offentligt for at have malet flamingoer. Han, fætteren, havde tilsyneladende en faible for dem.

„Hele tegneblokke fyldt med flamingoer," sagde Tariq. „Snesevis af oliemalerier af flamingoer der vadede rundt i laguner eller solede sig i sumpe. Eller på træk ind i en solnedgang, er jeg bange for."

„Flamingoer," sagde Laila. Hun så på ham som han sad der op mod væggen med det gode ben bøjet i knæet. Hun følte trang til at røre ved ham igen, som hun havde gjort før, ude ved porten da hun var løbet ham i møde. Det gjorde hende forlegen nu at tænke på at hun havde kastet armene om hans hals og grædt mod hans bryst mens hun havde sagt hans navn igen og igen med grødet, tyk stemme. Havde hun virket for ivrig, spekulerede hun nu på, for desperat? Måske. Men hun havde ikke kunnet styre sine følelser. Og nu, nu længtes hun efter at røre ved ham igen for at overbevise sig selv om at han virkelig var her, at han ikke var et drømmesyn, et genfærd.

„Javist, flamingoer," sagde han.

Da talibanerne fandt malerierne, fortalte Tariq, var de forargede over fuglenes lange, bare ben. Efter at de havde bundet fætteren om fødderne og pisket fodsålerne til blods, havde de stillet ham over for et valg: Enten ødelagde han malerierne, eller også gjorde han dem anstændige. Så fætteren havde taget en pensel og malet bukser på hver eneste fugl.

„Og så var de pludselig gode, islamiske flamingoer,“ sagde Tariq.

Latter boblede op i Lailas bryst, men hun skubbede den ned igen. Hun skammede sig over sine gule tænder og den manglende fortand i undermunden. Skammede sig over sit falmede udseende og sine forslåede læber. Hun ville ønske at hun havde haft mulighed for at vaske sig i ansigtet eller i det mindste at rede sit hår.

„Men den der ler sidst, ler bedst,“ sagde Tariq. „Min fætter malede nemlig bukserne med vandfarve. Da Taliban var gået igen, vaskede han dem simpelthen af.“ Han smilede – Laila lagde mærke til at også han manglede en tand – og så ned i skødet. „Javist gjorde han så.“

Han havde en pakol på hovedet, vandrestøvler på fødderne og en sort uldsweater stukket ned i linningen på et par kakibukser. Han sad og smilede skævt og nikkede langsomt. Laila kunne ikke mindes at han havde sagt ordet før, dette 'javist', og det eftertænksomme udtryk, fingrene der dannede en pyramide i hans skød; den måde han hele tiden nikkede på, også det var nyt.

Sådan et voksent ord, javist, så voksen en opførsel, og hvorfor kom det sådan bag på hende? Han *var* voksen nu, Tariq, en femogtyve år gammel mand med langsomme bevægelser og med en antydning af træthed i smilet. Høj, skægget, slankere end i hendes drømme, men med stærke hænder, en arbejdsmands hænder med snoede, tykke årer på håndryggene. Ansigtet var stadig smalt og kønt, men ikke så lyst i huden længere; panden var blevet vejrbidt og solbrændt ligesom nakken, faktisk en nomades pande efter en lang og udmattende rejse. Han havde skubbet sin pakol om i nakken, og hun kunne se at han var ved at blive tyndhåret. Hans brune øjne var ikke så mørke som hun huskede dem, eller måske skyldtes det lyset i stuen.

Laila tænkte på Tariqs mor, hendes rolige væsen, de kloge smil, den falmet-violette paryk. Og hans far med de let skelende øjne og den tørre humor. Tidligere, ude foran porten, havde hun grådkvalt og snublende over ordene fortalt hvad hun havde hørt var sket ham og hans forældre, og han havde rystet på hovedet og sagt at intet af det var sandt. Nu spurgte hun hvordan de havde det, hans forældre. Men hun fortrød med det samme spørgsmålet da Tariq så ned og en smule åndsfraværende sagde: „De er gået bort."

„Det gør mig ondt."

„Jah, også mig. Her!" Han fiskede en lille papirspose op af lommen og gav hende den. „Med venlig hilsen fra Alyona." Nede i posen lå et stykke ost i klar plastic.

„Alyona. Sikke et pænt navn." Laila forsøgte at sige det med rolig stemme. „Din kone?"

„Min ged." Han smilede forventningsfuldt til hende som om han ventede på at hun skulle grave et minde frem af sin hukommelse.

Så kom Laila i tanke om det. Den russiske film. Alyona havde været kaptajnens datter, pigen der var forelsket i førstestyrmanden. Det var den dag de havde set de russiske kampvogne og jeeps køre ud af Kabul, den dag han havde haft den latterlige russiske pelshue på hovedet.

„Jeg var nødt til at tøjre hende til en pæl," sagde Tariq. „Og bygge et hegn. På grund af ulvene. I nærheden af forbjergene hvor jeg bor, er der en lille skov, en kilometer derfra måske, mest fyrretræer, enkelte grantræer, et par cedertræer. De holder sig for det meste til skoven, ulvene altså, men en brægende ged, en som holder af at strejfe, kan lokke dem ud af skoven. Derfor hegnet. Og pælen."

Laila spurgte ham om hvilke forbjerge.

„Pir Panjal. I Pakistan,“ svarede han. „Jeg bor et sted der hedder Murree, en times kørsel fra Islamabad. Folk flygter derop om sommeren fordi der er grønne bakker, masser af træer, og så ligger det højt. Der er køligt om sommeren. Perfekt til turister.“

Englænderne havde bygget en bjergby i nærheden af deres militære hovedkvarter i Rawalpindi, fortalte han, så de kunne undslippe varmen. Det var i victoriatiden, tilføjede han. Man kunne stadig se spor efter kolonitiden, et tehus der, bungalower med bliktag her som man kaldte 'sommerboliger', den slags ting. Selve byen var lille og hyggelig. Hovedgaden hed simpelthen Hovedgaden, og her lå postkontoret, en basar, et par restauranter, butikker som flåede turister for penge når de solgte malet glas og håndknyttede tæpper. Mærkeligt nok gik trafikken på Hovedgaden den ene vej den ene uge, og den anden vej den næste uge.

„De lokale siger at det er ligesådan i Irland visse steder,“ sagde Tariq. „Det ved jeg ikke noget om. Nå, men der er rart. Det er et enkelt liv, men jeg kan lide det. Jeg kan lide at bo der.“

„Sammen med din ged. Sammen med Alyona.“

Laila havde ment det mindre som en spøg end som et underforstået spørgsmål om hvem der ellers boede der sammen med ham og var nervøs for at ulvene skulle spise geden. Men Tariq nøjedes med at nikke.

„Jeg blev ked af at høre det om dine forældre,“ sagde han.

„Du har altså hørt det.“

„Jeg talte med et par af naboerne tidligere i dag,“ sagde han. Derefter en pause hvor Laila spekulerede på hvad naboerne ellers havde fortalt ham. „Der var ingen jeg kendte. Fra gamle dage, mener jeg.“

„De er alle væk. Der er ingen tilbage fra dengang.“

„Jeg kunne heller ikke kende Kabul igen.“

„Det kan jeg heller ikke," sagde Laila. „Og jeg har været her hele tiden."

„Mammy har fået en ny ven," sagde Zalmai under aftensmaden samme dag, efter at Tariq var gået. „En mand."

Rashid så op. „Det siger du ikke."

Tariq spurgte om han måtte ryge.

De havde boet et stykke tid i Nasir Bagh, en flygtningelejr i nærheden af Peshawar, fortalte Tariq og slog aske af i en underkop. Da han og hans forældre nåede frem, boede der i forvejen tres tusind afghanere i lejren.

„Den var gudskelov ikke så forfærdelig som så mange andre, for eksempel Jalozai," sagde han. „Jeg forestiller mig at den oven i købet har været en slags mønsterlejr dengang under Den Kolde Krig, et sted som Vesten kunne pege på og hævde at det ikke kun var våben de hjalp Afghanistan med."

Men det havde været under krigen mod Sovjetunionen, sagde Tariq, dengang med jihad og stor international bevågenhed og generøse bidrag og besøg af Margaret Thatcher.

„Du kender resten af historien, Laila. Efter krigen faldt Sovjetunionen fra hinanden, og Vesten mistede interessen for os. Der var ikke længere noget på spil for dem i Afghanistan, og pengestrømmen tørrede ud. Nu er Nasir Bagh ét måltid om dagen, telte, støv og åbne kloakker. Da vi kom dertil, fik vi udleveret en stok og en presenning og fik besked på at bygge os et telt."

Tariq fortalte at det han især kunne huske fra det års tid de havde boet i Nasir Bagh, var den brune farve. „Brune telte. Brune mennesker. Brune hunde. Brun grød."

Der var et udgået træ som han klatrede op i hver dag, og hvor han satte sig på en gren og kiggede ned på flygtningene der lå rundtomkring i solen med deres sår og halve lemmer stillet frit til skue. Han havde set for tidligt voksne børn bære vand i deres syltetøjsglas, samle hundelorte til brændsel, skære legetøjsgeværer ud af træ med sløve knive og være ved at segne under vægten af sække med mel som ingen alligevel kunne bage ordentligt brød af. Og så kunne han huske den flaprende lyd når vinden susede gennem lejren og tog i presenningerne. Vinden der havde sendt vindhekse rullende af sted og løftet drager som børn satte op fra tagene på lerhytterne.

Der døde et menneske om ugen, sagde han. Ofte et barn.

„Der døde så mange børn. Dysenteri. Tuberkulose. Sult og så videre. For det meste den forbandede dysenteri. Åh gud, Laila, jeg så så mange børn blive begravet. Det er det værste et menneske kan være vidne til."

Han lagde det ene ben over det andet. En stund var der stille i stuen.

„Min far overlevede ikke den første vinter," sagde han så. „Han døde om natten mens han sov. Jeg tror ikke han led."

Samme vinter fik hans mor lungebetændelse og havde nær ikke overlevet, sagde han, ja, hun ville være død hvis det ikke havde været for en UNHCR-læge der havde omdannet en stationcar til en mobil klinik. Hun vågnede op om natten, brændende hed af feber og hostede tykt, rustfarvet slim op. Køen foran klinikken var meget lang, fortalte Tariq. Alle stod og rystede, stønnede, hostede, nogle med afføring løbende ned ad deres ben, andre for trætte eller for sultne eller for syge til at kunne sige noget.

„Men det var en retskaffen mand, ham UNHCR-lægen. Han behandlede min mor, gav hende nogle piller og reddede hendes liv den vinter."

Det var også den vinter Tariq jog et barn op i et hjørne.

„Tolv, måske tretten år gammel," sagde han tonløst. „Jeg holdt et glasskår mod hans strube og tog hans tæppe fra ham. Jeg gav det til min mor."

Han svor en ed, sagde Tariq, efter moderens sygdom, om at de ikke skulle tilbringe en eneste vinter mere i lejren. Han ville arbejde, spare penge sammen, leje en lejlighed i Peshawar med indlagt vand og varme. Når foråret kom, ville han begynde at lede efter et arbejde. Fra tid til anden kørte en lastbil ind i lejren tidligt om morgenen, samlede en snes drenge op og kørte dem til en mark for at samle sten eller til en frugtplantage for at plukke æbler til gengæld for en smule penge, en gang imellem et tæppe eller et par sko. Men de ville aldrig have ham, sagde Tariq.

„Et blik på mit ben, og jeg kunne gå igen."

Der var andet arbejde at få. Der var grøfter der skulle graves, hytter der skulle bygges, vand der skulle bæres – og afføring der skulle skylles ud fra latrinhusene. Men de unge mænd kæmpede om at få disse tjanser, og Tariq havde ikke en chance.

Så mødte han om efteråret 1993 en butiksindehaver.

„Han tilbød mig penge for at bringe en læderfrakke til Lahore. Ikke mange penge, men nok, måske, til at betale husleje en måned eller to for en lejlighed."

Butiksindehaveren gav ham en busbillet, sagde Tariq, og opgav en adresse i nærheden af Lahores hovedbanegård hvor han skulle aflevere frakken til en af mandens venner.

„Jeg vidste det jo godt. Selvfølgelig gjorde jeg det," sagde Tariq. „Han sagde at jeg var på egen hånd hvis jeg blev fanget, og at jeg burde skrive mig bag øret at han vidste hvor min mor boede. Men jeg havde brug for pengene og var nødt til at tage chancen. Vinteren nærmede sig."

„Hvor langt nåede du?" spurgte Laila.

„Ikke langt," sagde han og lo næsten undskyldende, næsten skamfuldt. „Jeg kom ikke engang op i bussen. Men jeg troede jo at jeg var født under en heldig stjerne, at der intet ville ske. Som om der var en bogholder deroppe et sted, en fyr med en blyant bag øret som holdt styr på de her ting, som lagde sammen og trak fra, og som ville kigge ned på mig og sige: 'Ja, ja, lad gå, vi ser gennem fingre med det denne gang. Han har allerede betalt rigeligt, ham her.'"

Den var i sømmen, hashen, og den faldt ud og spredte sig ud over gaden da politiet tog en kniv og sprættede sømmen op.

Tariq lo igen da han sagde dette, en rystende latter der steg i diskanten, og Laila tænkte på dengang de begge var små, og han lo den samme latter for at dække over forlegenhed eller for at bagatellisere noget han havde gjort, som var enten skandaløst eller dumdristigt.

„Han haltede," sagde Zalmai.

„Er det hvem jeg tror det er?"

„Han kom kun på høflighedsvisit," sagde Mariam.

„Hold din kæft," hvæsede Rashid og pegede på hende med en stiv finger. Han så tilbage på Laila. „Jamen, ser man det. Laila og Majnoon genforenet. Ligesom i gamle dage." Hans ansigt var som hugget i sten nu. „Og du lukkede ham ind. Ind i mit hus. Du lukkede ham ind. Han var herinde sammen med min søn."

„Du narrede mig. Du løj for mig," sagde Laila sammenbidt. „Du fik den mand til at sidde over for mig og... Du ved at jeg ville være taget af sted hvis jeg havde vidst at han var i live."

„OG DU LØJ MÅSKE IKKE FOR MIG?" brølede Rashid. „Du troede måske ikke at jeg kunne regne det ud. Det om din harami? Regner du mig for en tåbe, din skøge?"

Jo længere tid Tariq talte, jo mere frygtede Laila øjeblikket hvor han blev tavs. Den efterfølgende stilhed ville være signalet til at det nu var hendes tur til at fortælle, til at redegøre for hvorfor og hvordan og hvornår for at bekræfte det han formentlig allerede vidste. Hun blev en smule utilpas hver gang han holdt en mindre pause. Hun undgik hans blik. Hun så ned på hans hænder, på de stride mørke hår der var vokset frem på dem i de mellemliggende år.

Tariq ville ikke sige ret meget om sine år i fængsel, kun at han havde lært at tale urdu der. Da Laila spurgte, rystede han utålmodigt på hovedet. I denne bevægelse så Laila rustne tremmer og uvaskede kroppe, voldelige mænd og overfyldte celler og skimmelsvamp der bredte sig hen over lofter. Hun læste i hans ansigt at det var et fornedrende, uværdigt og desperat sted.

Tariq fortalte at hans mor havde forsøgt at besøge ham efter hans arrestation.

„Hun kom tre gange. Men jeg fik hende aldrig at se,“ sagde han. Fængselsbetjentene havde ikke villet lukke hende ind medmindre Tariq betalte et særligt ‘besøgsgebyr’.

Han skrev et brev til hende, og yderligere nogle stykker, selv om han godt var klar over at hun aldrig ville modtage dem.

„Jeg skrev også til dig.“

„Gjorde du det?“

„Åh ja, massevis af breve,“ sagde han. „Din ven Rumi ville have været misundelig over så produktiv jeg var.“ Så lo han igen, højt denne gang, som han både var betuttet over sin egen dristighed og forlegen over det han var kommet til at afsløre.

Zalmai begyndte at brøle ovenpå.

„Ligesom i gamle dage måske,“ sagde Rashid. „I to sammen. Jeg går ud fra at du lod ham se dit ansigt.“

„Det gjorde hun,“ sagde Zalmai. Og så henvendt til Laila: „Det gjorde De, Mammy, jeg så Dem.“

„Din søn bryder sig vist ikke om mig,“ sagde Tariq da Laila kom tilbage.

„Undskyld,“ sagde hun. „Det er ikke det. Han er bare... Prøv om du kan lade som ingenting.“ Så skiftede hun hurtigt emne fordi det fik hende til at føle sig pervers og skyldig at føle sådan om Zalmai som kun var et barn, og en lille dreng der elskede sin far, at hans instinktive reaktion over for denne fremmede mand var både legitim og forståelig.

Jeg skrev også til dig.

Massevis af breve.

Massevis af breve.

„Hvor længe har du boet i Murree?"

„Mindre end et år," sagde Tariq.

I fængslet var han blevet gode venner med en ældre mand, fortalte han, en pakistaner og tidligere hockeyspiller ved navn Salim som gentagne gange havde været i fængsel, og som denne gang afsonede en dom på ti år for at have stukket en undercover-politimand med en kniv. Alle fængsler havde en Salim, sagde Tariq. Der var altid en som var snu og havde forbindelser, som forstod at udnytte systemet og kunne skaffe ting og sager, en hvor luften omkring ham dirrede af både fare og chancer der skulle tages. Det var Salim der havde fået sendt en forespørgsel ud om Tariqs mor, og Salim der havde sat sig ned og med lavmælt, faderlig stemme fortalt ham at hun var frosset ihjel.

Tariq sad syv år i det pakistanske fængsel. „Det var billigt sluppet," sagde han. „Jeg var heldig. Dommeren i min sag havde, viste det sig, en bror der var gift med en afghaner. Måske blødgjorde det ham. Jeg ved det ikke."

Da Tariq var ved at have udstået sin straf, tidligt på vinteren år 2000, fortalte Salim ham hans brors adresse og telefonnummer. Broderens navn var Sayid.

„Han sagde at Sayid havde et lille hotel i Murree," sagde Tariq. „Tyve værelser og en reception, et lille turisthotel. 'Sig til ham at det er mig der har sendt dig,' sagde han til mig."

Tariq kunne lide Murree i samme øjeblik han stod af bussen: de snetyngede fyrretræer, den kolde, friske luft, træhytterne med deres vinduesskodder, røgen der snoede sig op fra skorstene.

Her var et sted, tænkte Tariq da han bankede på Sayids dør,

som ikke blot var hele verdener fra den elendighed han havde oplevet, men som også gav en indtryk af at bare tanken om lidelse og sorg var noget obskønt, noget som ikke kunne fattes.

„Jeg sagde til mig selv at her var et sted hvor et menneske kunne trives."

Tariq blev ansat som altmuligmand. Han klarede sig godt i prøvetiden, sagde han, den ene måned til halv løn som Sayid i første omgang ansatte ham i. Mens Tariq talte, så Laila Sayid for sig som en mand med smalle øjne og et rødmosset ansigt der stod bag receptionsskranken og kiggede på Tariq der huggede brænde udenfor og skovlede sne i indkørslen. Hun så ham bøjet over Tariqs ben mens Tariq lå under en vask og ordnede et utæt rør. Hun så ham tælle kassen op for at se om der manglede penge.

Tariq flyttede ind i en lille bungalow ved siden af kokken, fortalte han. Kokken viste sig at være en moderlig, ældre enke ved navn Adiba. De to små huse lå afsides i forhold til selve hotellet, adskilt fra hovedbygningen af nogle spredte mandeltræer, en parkbænk og en pyramideformet fontæne med vand der sprang hele dagen. Dog kun om sommeren. Laila så Tariq for sig som han sad der på sengen og kiggede ud gennem vinduet i sin bungalow på en løvrig verden udenfor.

Efter prøveperioden satte Sayid Tariqs løn op til det fulde beløb og sagde at frokosten var en del af lønnen. Han gav ham en varm frakke og udstyrede ham med et nyt ben. Tariq sagde at han havde grædt over mandens venlighed.

Med den første fulde månedsløn i lommen var Tariq gået ned til byen og havde købt Alyona.

„Hendes pels er fuldkommen hvid," sagde Tariq smilende. „Nogle måneder, når det har sneet hele natten, kan man se ud ad vinduet, og det eneste man kan få øje på, er to øjne og en mule."

Laila nikkede. Der fulgte en ny pause. Ovenpå var Zalmai begyndt at kaste sin bold op ad væggen igen.

„Jeg troede du var død,“ sagde Laila.

„Ja, det sagde du.“

Lailas stemme knækkede over. Hun var nødt til at rømme sig, samle sig. „Manden som kom og fortalte det, han virkede så ærlig… Jeg troede ham, Tariq. Jeg ville ønske jeg ikke havde gjort det, men det gjorde jeg altså. Og så følte jeg mig så alene og bange. Ellers ville jeg aldrig have sagt ja til at gifte mig med Rashid. Jeg ville ikke…“

„Du behøver ikke at gøre det her,“ sagde han sagte og undgik hendes blik. Der var ingen skjult bebrejdelse, ingen anklage i måden han sagde det på. Ingen antydning af at han var skuffet over hende.

„Jo, det gør jeg. For der var en anden og vigtigere grund til at jeg giftede mig med ham. Der er noget du ikke ved, Tariq. Noget – nogen – som jeg er nødt til at fortælle dig om.“

„Sad du så også og talte med ham?“ spurgte Rashid Zalmai.

Zalmai svarede ikke. Laila så usikkerhed i hans øjne nu, som om det lige var gået op for ham at det han havde afsløret, var noget langt større end han havde troet.

„Jeg spurgte dig om noget, knægt.“

Zalmai sank besværligt. Hans blik begyndte at flakke. „Jeg var ovenpå og legede med Mariam.“

„Og din mor?“

Zalmai så undskyldende på Laila og var lige ved at briste i gråd.

„Det er godt nok, Zalmai,“ sagde Laila. „Sig sandheden.“

„Hun var… hun var nedenunder og sad og talte med manden,“ sagde han med en stemme der ikke var meget mere end en hvisken.

„Jaså,“ sagde Rashid. „Holdarbejde.“

Før Tariq gik, sagde han: „Jeg vil gerne møde hende. Jeg vil gerne se hende."

„Jeg skal få det arrangeret," sagde Laila.

„Aziza. Aziza." Han smilede mens han smagte på ordet. Hver gang Rashid sagde navnet, lød det groft i Lailas ører, næsten vulgært. „Aziza. Et yndigt navn."

„Som passer til hende. Bare vent og se."

„Jeg glæder mig forfærdeligt."

Det var næsten ti år siden de sidst havde set hinanden. Lailas tanker gik tilbage til alle de gange de havde kysset hinanden i passagen, langt fra nysgerrige blikke. Hun spekulerede på hvordan hun nu så ud i hans øjne. Syntes han stadig at hun var køn? Eller syntes han hun var visnet, reduceret, ynkelig, som en frygtsom gammel kone der slæbte på fødderne? Næsten ti år. Men i et lillebitte øjeblik hvor hun stod der sammen med Tariq under en strålende sol, var det som om alle de år forsvandt. Hendes forældres død, hendes ægteskab med Rashid, myrderiet, raketterne, Taliban, de bank hun havde fået, sulten, ja selv hendes børn, alt sammen var som en drøm, en bizar omvej, et mellemspil mellem den sidste eftermiddag og dette øjeblik.

Så skiftede Tariq udtryk og blev alvorlig. Hun kendte det udtryk. Det var det han havde haft i ansigtet den dag, for alle de mange år siden da de begge havde været børn, og han havde spændt sit ben af for at gå i kødet på Khadim. Han rakte hånden ud nu og lagde en finger mod hendes underlæbe.

„Det var ham der gjorde det mod dig," sagde han iskoldt.

Ved hans berøring mindedes Laila vanviddet den eftermiddag de havde undfanget Aziza. Hun kunne mærke hans ånde mod sin hals, de arbejdende muskler i hans hofteparti, hans bryst der var maset ned mod hendes, og deres hænder der knugede om hinanden.

„Jeg ville ønske at jeg havde taget dig med," sagde Tariq meget stille.

Laila var nødt til at se ned for ikke at briste i gråd.

„Jeg ved at du er en gift kvinde og mor nu. Og så dukker jeg op mange år efter, efter alt det der er sket, og banker på din dør. Formentlig er det ikke rigtigt, eller retfærdigt over for dig, men det var en meget lang rejse, og... Åh Laila, jeg ville ønske at jeg aldrig var rejst fra dig."

„Nej, vær sød ikke at..." kvækkede hun.

„Jeg skulle have forsøgt lidt mere ihærdigt. Jeg skulle have giftet mig med dig dengang jeg havde chancen. Så ville alting have været helt anderledes."

„Du må ikke sige den slags ting, Tariq. Det gør ondt."

Han nikkede og skulle til at gå et skridt nærmere, men gjorde det så alligevel ikke. „Jeg ønsker ikke at tage noget for givet. Og det er ikke min mening at vende op og ned på dit liv ved sådan at dukke op ud af det blå. Hvis du vil at jeg rejse igen, hvis du vil at jeg skal tage tilbage til Pakistan, så sig det nu, Laila. Jeg mener det. Sig det, og jeg tager af sted igen. Jeg lover aldrig mere at genere dig. Jeg vil..."

„Nej!" sagde Laila noget mere skarpt end hun havde haft til hensigt. Hun så at hun havde rakt ud efter hans arm, og at hun stod og knugede om den. Hun lod hånden falde. „Nej. Du må ikke rejse, Tariq. Nej. Vær sød at blive."

Tariq nikkede.

„Han er på arbejde fra tolv middag til klokken otte om aftenen. Kom igen i morgen eftermiddag. Så kan vi følges ad hen til Aziza."

„Jeg er ikke bange for ham, ved du nok."

„Ja, det ved jeg. Kom igen i morgen eftermiddag."

„Og så?"

„Og så... det ved jeg ikke. Jeg er nødt til at tænke mig om. Der er..."

„Ja," sagde han. „Jeg forstår. Undskyld. Undskyld for en hel masse ting."

„Du har intet at undskylde. Du lovede at komme tilbage. Og du holdt dit løfte."

Hans øjne svømmede over. „Det er dejligt at se dig igen, Laila."

Hun så ham gå, skælvende i hele kroppen. Hun tænkte: *I massevis*, og endnu en skælven passerede igennem hende, en strøm af noget trist og hjælpeløst, men også noget ivrigt og ganske uforsvarligt håbefuldt.

45

Mariam

„Jeg var ovenpå og legede med Mariam," sagde Zalmai.

„Og din mor?"

„Hun var… hun var nedenunder og sad og talte med manden."

„Jaså," sagde Rashid. „Holdarbejde."

Mariam så ham slappe af i ansigtet, hun så rynkerne glattes på hans pande. Mistænksomhed og tvivl forsvandt ud af hans øjne. Han rettede sig op, og et meget kort øjeblik så han blot eftertænksom ud, som en kaptajn på et skib der netop var blevet informeret om et forestående mytteri og tog sig tid til at overveje sit næste træk.

Han så op.

Mariam begyndte at sige noget, men han løftede hånden og uden at se på hende, sagde han: „Det er for sent, Mariam."

Og til Zalmai med kold stemme: „Og du kan gå ovenpå, knægt."

Mariam så forskrækkelsen brede sig på Zalmais ansigt. Han

kiggede nervøst fra den ene til den anden. Han fornemmede at hans sludren havde sluppet noget alvorligt, noget voksent alvorligt, ind i stuen. Han så forsagt, brødebetynget på Mariam og bagefter på sin mor.

„Nu!" sagde Rashid truende.

Han tog Zalmai om albuen. Zalmai lod sig ydmygt føre ovenpå.

De stod som stenstøtter, Mariam og Laila, og kiggede ned i gulvet som om de ved at se på hinanden ville bekræfte den måde Rashid så tingene på: at mens han bar kufferter og åbnede døre for folk som ikke ofrede ham et blik, var en utugtig sammensværgelse ved at tage form bag hans ryg, i hans eget hjem, i hans elskede søns nærværelse. Ingen af dem sagde noget. De lyttede til trinnene ude i gangen ovenpå, de ildevarslende og tunge skridt og de andre nervøse som hos et lille dyr. De lyttede til de uhørlige ord der blev udvekslet, en pibende bøn, et afvisende svar, en dør der blev lukket, nøglen der raslede i låsen da den blev drejet om. Så trin der kom samme vej tilbage, nu mere utålmodige.

Mariam så hans fødder komme dundrende ned. Hun så ham stikke nøglen i lommen, så hans bælte og den ende med hullerne i der var viklet stramt om hans knoer. Det uægte messingspænde der slæbte efter ham, hoppende ned et trin ad gangen.

Hun gik frem for at standse ham, men han skubbede hende baglæns og stormede forbi hende. Uden et ord svingede han bæltet mod Laila. Han gjorde det så hurtigt at hun ikke nåede at springe tilbage eller dukke sig eller så meget som løfte en arm for at beskytte sig. Laila tog fingrene op til tindingen, opdagede blodet og så forbløffet på Rashid. Det varede kun et øjeblik eller to, dette vantro blik, før det blev afløst af noget hadefuldt.

Rashid lod bæltet suse igen.

Denne gang nåede Laila at få en arm op mens hun samtidig forsøgte at få fat i bæltet. Det mislykkedes, og Rashid svingede bæltet en tredje gang. Laila fangede det, kortvarigt, før Rashid rev det ud af hendes hånd og slog igen. Og så begyndte Laila at løbe rundt i stuen, og Mariam skreg ord som flød sammen, og tryglede Rashid om at holde inde, men han fór efter Laila, spærrede vejen for hende og lod bæltet suse igen. På et tidspunkt dukkede Laila sig, og det lykkedes hende at få et slag ind, hen over hans øre, hvad der fik ham til at svovle og jagte hende endnu mere ubønhørligt. Han fangede hende, kastede hende op ad væggen og slog med bæltet igen og igen. Spændet ramte hende på brystet, på skulderen, hendes løftede arme, hendes fingre, og trak blod uanset hvor det ramte.

Mariam mistede fornemmelsen for hvor mange gange bæltet smældede, hvor mange bedende ord hun råbte til Rashid, hvor mange gange hun kredsede rundt om virvaret af tænder og næver og bælte, indtil hun så fingre kradse Rashid i ansigtet, flossede negle der gravede sig ned i hans kinder og trak i ham i håret og kradsede ham på panden. Hun mistede fornemmelsen for hvor lang tid der gik, før det på samme tid chokeret og henrykt gik op for hende at fingrene tilhørte hende selv.

Han gav slip på Laila og vendte sig mod hende. I begyndelsen så han på hende uden at se hende, så blev hans øjne smalle, og han kiggede næsten interesseret på Mariam. Blikket i dem skiftede fra forvirring til chok, så misbilligelse, tilmed skuffelse – det udtryk blev hængende lidt.

Mariam tænkte på første gang hun havde set de øjne, under bryllupssløret, i spejlet, mens Jalil kiggede på, hvordan deres øjne var gledet hen over spejlet og havde mødtes, hans uinteresserede, hendes føjelige, resignerede, næsten undskyldende.

Undskyldende.

Mariam så nu i de samme øjne hvilken tåbe hun havde været.

Havde hun været en svigefuld kone, spurgte hun sig selv. En selvbehagelig kone? En æreløs kone? Vanærende? Vulgær? Hvilke skadelige ting havde hun bevidst gjort denne mand der kunne forklare hans uafladelige overfald, hans ondskabsfuldhed, den fornøjelse hvormed han pinte hende? Havde hun ikke plejet ham når han var syg? Lavet mad til ham og hans venner og pligtopfyldende gjort rent efter ham?

Havde hun ikke givet denne mand sin ungdom?

Havde hun nogensinde gjort sig fortjent til hans gemenhed?

Bæltet faldt til gulvet med et dunk da Rashid slap det og kom efter hende. Nogle ting, sagde dunket, gjorde man bedre med de bare næver.

Men netop som han skulle til at kaste sig over hende, så Mariam Laila samle et eller andet op fra gulvet bag ham. Hun så Lailas hånd dukke op over hendes hoved, standse der et øjeblik og så komme susende ned mod siden af hans ansigt. Glas splintredes. Skår fra drikkeglasset regnede ned på gulvet. Der var blod på Lailas hænder, og blod strømmede ud af en dyb flænge i Rashids kind, blod ned ad hans hals, på hans skjorte. Han snurrede rundt, nu kun snerrende tænder og ildspyende øjne.

De bragede om på gulvet, Rashid og Laila, og rullede rundt og rundt. Han endte med at være øverst med hænderne stramt omkring Lailas hals.

Mariam kradsede løs på ham. Hun slog ham i nakken. Hun kastede sig ned oven på ham. Hun kæmpede for at vriste hans fingre væk fra Lailas hals. Hun bed ham. Men fingrene blev liggende og forhindrede Laila i at få luft, og Mariam så at han havde tænkt sig at gennemføre sit forehavende.

Han agtede at kvæle Laila, og der var intet nogen af dem kunne gøre for at forhindre det.

Mariam bakkede væk og forlod stuen. Hun kunne fjernt høre en hamrende lyd ovenpå af små hænder der slog på en låst dør. Hun løb hen ad gangen. Brasede gennem døren. Løb over gården.

Mariam greb spaden inde i redskabsskuret.

Rashid bemærkede ikke at hun var kommet tilbage. Han lå stadig oven på Laila med vanviddet lysende ud af sine opspærrede øjne og hænderne stramt om Lailas hals. Laila var ved at blive blå i hovedet, og øjnene var rullet tilbage i hovedet. Mariam så at hun var holdt op med at kæmpe imod. *Han slår hende ihjel*, tænkte hun. *Han agter virkelig at slå hende ihjel.* Og Mariam kunne ikke, ville ikke, tillade at det skete. Han havde taget så meget fra hende i løbet af deres syvogtyve år lange ægteskab. Hun ville ikke passivt se til at han også tog Laila.

Mariam stillede sig med let spredte ben og strammede grebet om spadens skaft. Hun løftede den. Hun sagde hans navn. Hun ønskede at han skulle se det.

„Rashid."

Han så op.

Mariam svingede spaden.

Hun ramte ham hen over tindingen. Slaget væltede ham væk fra Laila.

Rashid tog hånden op til sit hoved. Han kiggede på blodet på sine fingre og kiggede derefter op på Mariam. Et øjeblik var det som om udtrykket i hans øjne blev blidt. Mariam forestillede sig at der skete noget imellem dem, at hun måske helt bogstaveligt havde slået en smule forståelse og indsigt ind i hans hoved. Måske så han også noget i hendes ansigt, tænkte Mariam, noget som fik ham til at tøve. Måske så han rester af hendes selvfornægtelse, alle ofrene, den rene og skære anstrengelse det havde været at bo sammen med ham i alle de mange år, leve med hans uophørlige vold og nedladenhed, hans evindelige hakkeri og gemenhed. Var det respekt hun så i hans øjne? Fortrydelse?

Men så krøllede hans overlæbe sig sammen i en hadsk snerren, og Mariam erkendte det frugtesløse, måske ligefrem det ansvarsløse i ikke at fuldføre det hun var begyndt på. Hvis hun lod ham slippe nu, hvor længe ville der så gå før han tog nøglen op af sin lomme og gik op for at hente sin pistol i det værelse han havde låst Zalmai inde i? Hvis Mariam havde kunnet overbevise sig selv om at han ville nøjes med at skyde hende, at der var en chance for at han ville spare Laila, ville hun måske have sluppet spaden. Men i Rashids øjne så hun mordet på dem begge.

Og derfor løftede Mariam spaden højt over sit hoved, så højt hun overhovedet kunne, og tilbage over ryggen så den rørte hende i lænden. Hun drejede den så den skarpe side var lodret, og da hun gjorde det, faldt det hende ind at det var første gang *hun* bestemte hvordan hendes liv skulle forme sig.

Og med den tanke i hovedet lod Mariam spaden suse ned. Denne gang lagde hun alle kræfter i slaget.

46

Laila

Laila fornemmede et ansigt over sig, tænder og tobaksånde og hadefulde øjne. Hun fornemmede også svagt Mariam som en tilstedeværelse bag ansigtet og hendes hænder der hamrede ned. Over dem var loftet, og det var loftet som Laila især så, de mørke plamager med skimmelsvamp der bredte sig på det som blækklatter på en kjole, revnen i pudsen der var som et upåvirket smil eller en rynke i panden afhængig af hvor i stuen man så den fra. Laila tænkte på alle de gange hun havde bundet en klud på et kosteskaft og fejet spindelvæv ned fra dette loft. De tre gange hun og Mariam havde frisket den hvide farve op. Revnen var ikke længere et smil, men et spottende grin. Og det blegnede. Loftet bølgede, snævrede sig ind, løftede sig og svævede op mod et sløret dæmpet lys bag det. Det fløj væk indtil det ikke var meget større end et frimærke, strålende og hvidt, og alt omkring det var visket ud af buldermørke. Og på frimærket Rashids ansigt som en solplet.

Korte glimt af blændende lys jog forbi hendes øjne, som sølvfarvede stjerner der eksploderede. Bizarre, geometriske former dannede sig i lyset, orm, æggeformede ting, der bevægede sig op og ned, sidelæns, smeltede sammen, brød fra hinanden igen og forvandlede sig til noget helt andet; så falmede de og veg for mørket.

Stemmer var grødede og kom langvejsfra.

Bag hendes øjenlåg blussede børnenes ansigter op og fusede ud igen. Aziza, vaks og tynget, vidende og hemmelighedsfuld. Zalmai der så op til sin far med dirrende iver.

Sådan skulle det altså ende. Hvilken latterlig afslutning, tænkte Laila.

Men så begyndte mørket at trække sig tilbage. Hun havde en fornemmelse af at blive løftet op, sat op i halvtligggende stilling. Loftet vendte langsomt tilbage, videde sig ud, og nu kunne Laila igen se revnen, og det var det samme upåvirkede smil.

Hun blev rusket. *Er du okay? Svar mig, er du okay?* Mariams ansigt hang over Lailas, skrammet og ude af sig selv af angst.

Laila forsøgte at trække vejret. Det sved i hendes hals. Hun forsøgte igen. Det sved værre denne gang, og ikke kun i halsen, også i brystet. Og så hostede hun og hev efter vejret. Begyndte at trække vejret i gisp, men dog at trække vejret.

Det første hun så, var Rashid. Han lå på ryggen med åben mund og stirrede tomt uden at blinke. Som en fisk. En smule fråde, lyserød, sivede ned ad hans kind. Forsiden af hans bukser var våde. Hun fik øje på hans pande.

Og derefter spaden.

Hun stønnede højt. „Åh,“ kvækkede hun rystet og med næppe hørlig stemme. „Åh, Mariam.“

Laila travede frem og tilbage mens hun klaskede hænderne sammen, Mariam sad i nærheden af Rashid, med hænderne i skødet, rolig og uden at bevæge sig. Mariam var tavs i meget lang tid.

Laila var tør i munden, og hun snublede over ordene, skælvede over hele kroppen. Hun tvang sig til ikke at se på Rashid, på hans gabende mund, hans åbne øjne, på blodet der var ved at størkne i hulningen foran hans hals.

Udenfor var lyset ved at falme, og skyggerne blev lange. Mariams ansigt så smalt og fortrukket ud i det lys, men hun virkede hverken ophidset eller skræmt, mere eftertænksom, grublende, så rolig at en flue kunne være landet på hendes kind uden at hun havde bemærket det. Hun sad med underlæben stukket ud sådan som hun altid så ud når hun var fordybet i tanker.

Til sidst sagde hun: „Sæt dig ned, Laila jo.“

Laila satte sig lydigt.

„Vi er nødt til at flytte ham. Zalmai må ikke se ham sådan her.“

Mariam fiskede nøglen til soveværelset op af hans lomme før de pakkede ham ind i et lagen. Laila løftede i benene, og Mariam tog fat under hans arme. De forsøgte at bære ham, men han var for tung, og det endte med at de måtte slæbe ham. Da de gik ud ad døren og ud i gården, slog Rashids fod imod dørkarmen, og benet bøjede sig i knæet. De var nødt til at gå tilbage og prøve igen, og så var der noget der hamrede løs ovenpå, og Lailas ben knækkede sammen under hende. Hun gav slip på Rashid. Hun sank rystende sammen på jorden og begyndte at græde, og Mariam var nødt til at tårne sig truende op over hende med hænderne i livet og sige at hun bare havde at tage sig sammen. Hvad der var sket, var sket.

Noget efter kom Laila på benene og tørrede sine kinder, og de slæbte Rashid gennem gården uden yderligere problemer. De lagde ham ind i skuret og gemte ham bag arbejdsbænken som var fyldt med ting og sager, en sav, nogle søm, en mejsel, en hammer og et firkantet stykke træ som Rashid havde haft planer om at skære ud til et eller andet til Zalmai, men aldrig havde fået taget sig sammen til at gøre.

Derefter gik de indenfor igen. Mariam vaskede hænder, lod dem løbe igennem håret, tog en dyb indånding og pustede ud igen. „Lad mig nu se på dine sår. Du ser forfærdelig ud, Laila jo."

Mariam sagde at hun var nødt til at tænke tingene igennem. At få styr på sine tanker og lægge en plan.

„Der er en udvej," sagde hun til Laila. „Jeg skal bare lige finde den."

„Vi er nødt til at tage af sted! Vi kan ikke blive her!" sagde Laila med brudt, hæs stemme. Hun kom pludselig til at tænke på den lyd spaden måtte have lavet da den ramte hans hoved, og hun knækkede sammen i livet. Galden steg brændende op i hendes spiserør.

Mariam ventede tålmodigt indtil Laila havde det bedre. Så fik hun Laila til at lægge sig ned med hovedet i hendes skød, og mens Mariam strøg Laila over håret, sagde hun at hun ikke måtte være bekymret, at alt ville ordne sig til det bedste. Hun sagde at de ville tage af sted, hun, Laila, børnene og også Tariq. De ville forlade dette hus, denne ubarmhjertige by. De ville simpelthen forlade dette fortvivlede land, sagde Mariam, mens hun lod fingrene glide gennem Lailas hår, og tage et sted hen, langt derfra, et trygt sted hvor ingen ville kunne finde dem, hvor de kunne glemme fortiden og finde fred.

„Et sted med træer," sagde hun. „Ja. Masser af træer."

De skulle bo i et lille hus i udkanten af en by de aldrig før havde hørt om, sagde Mariam, eller i en fjerntliggende landsby hvor den eneste vej var ganske smal, kun en jordvej, men kantet med alle mulige planter og buske. Måske ville der være en sti de kunne gå tur ad, en sti ned til en græsmark hvor børnene kunne lege, eller måske en grusvej som førte til en krystalklar sø hvor der vrimlede med ørreder, og søgræs stak op gennem overfladen. De ville holde får og høns, og de ville bage brød sammen og lære børnene at læse. De ville skabe sig en ny tilværelse, lykkelige liv uden omskiftelser, og der ville vægten af alt det de havde været igennem, blive løftet fra deres skuldre, og de ville have gjort sig fortjent til al den lykke og fremgang som de kunne finde.

Lailas mumlende svar ansporede Mariam til at tale videre. Det ville blive et liv fyldt med vanskeligheder, så hun for sig, men vanskeligheder af den gode slags, ting som de kunne overvinde og være stolte ved, eje, værdsætte, sådan som man ville værdsætte en ting man havde arvet. Mariam talte og talte med sin blide, moderlige stemme, og langsomt faldt Laila til ro. *Der er en udvej*, havde hun sagt, og snart ville Mariam fortælle hende hvad de skulle gøre, og de ville gøre det, og måske ville de i morgen på samme tid være på vej til dette nye liv, et liv der flød over med muligheder og glæde og vanskeligheder af den gode slags. Laila var taknemmelig for at Mariam havde taget kontrol over situationen, ubekymret og besindigt, i stand til at tænke for dem begge. Hendes eget hoved var én bævrende og hjælpeløs masse.

Mariam rejste sig. „Nu bør du gå op og se til din søn." Og i hendes ansigt så Laila det mest fortvivlede udtryk hun nogensinde havde set i noget menneskes ansigt.

Han lå i mørke da Laila fandt ham, i fosterstilling på Rashids side af sengen. Hun gled ned under tæppet ved siden af ham og trak det over dem begge.

„Sover du?"

Uden at vende sig om mod hende, sagde han: „Kan ikke sove endnu. Babi jan har ikke bedt *Babaloo* med mig endnu."

„Måske kan jeg bede den samme med dig i aften?"

„De kan ikke bede den på samme måde som ham."

Hun gav hans spinkle skulder et klem. Kyssede ham i nakken. „Jeg kan jo prøve."

„Hvor er Babi jan?"

„Babi jan er taget af sted på en rejse," sagde Laila og mærkede sin hals snøre sig sammen igen.

Og der var den så, løgnen, den hæslige løgn. Hvor mange gange mere skulle hun lyve for sin søn, tænkte Laila ulykkeligt, hvor mange gange mere skulle Zalmai føres bag lyset på den måde? Hun så Zalmai for sit indre blik, hans jublende stormløb når Rashid kom hjem, og Rashid der løftede ham op i albuerne og svingede ham rundt og rundt indtil Zalmais ben var helt vandrette, og hvordan de begge bagefter storgrinede sammen når Zalmai vaklede rundt som en beruset. Hun tænkte på deres larmende lege og henrykte latter, deres hemmelighedsfulde blikke.

Skammen og sorgen faldt som et sort ligklæde hen over Laila og var ved at kvæle hende.

„Hvor er han rejst hen?"

„Det ved jeg ikke, lille skat."

Hvornår kom han hjem? Ville Babi jan havde en gave med når han kom hjem igen?

Hun bad bønnen med Zalmai. Enogtyve *bismallah-e-rahman-e-rahim*'er, en for hvert led på syv fingre. Hun så ham hule hænderne foran sit ansigt og puste ind i dem, derefter lægge begge hænder mod panden og gøre en bortjagende bevægelse mens han hviskede *Babaloo, gå væk, kom ikke til Zalmai, han har intet med dig at skaffe, Babaloo gå din vej.* Som afslutning sagde de Allah-u-akbar tre gange.

Og senere, meget senere den aften, vågnede Laila ved lyden af en meget lille stemme: *Rejste Babi jan på grund af mig? På grund af det jeg sagde om Dem og manden nedenunder?*

Hun bøjede sig ind over ham, ville gerne berolige ham, ville gerne have sagt: „Nej, det havde intet med dig at gøre, Zalmai. Intet. Det var ikke din skyld." Men hun så hans lille brystkasse hæve sig og sænke sig. Zalmai sov.

Da Laila gik i seng, var hendes hoved et kaos af forstyrrede, vilde tanker, men da hun vågnede til muezzinens kalden til bøn, var det meste af tågen lettet.

Hun satte sig op og kiggede lidt på Zalmai der sov med hånden knyttet sammen under sin hage. Laila så for sig hvordan Mariam havde sneget sig ind i værelset midt om natten, mens hun og Zalmai sov, og havde betragtet dem mens hun lagde sin plan.

Laila gled ud af sengen. Det var svært at holde sig på benene, hun havde ondt alle vegne, halsen, skuldrene, ryggen, armene, lårene, overalt hvor Rashids bæltespænde havde skåret dybe flænger. Hun skar en grimasse og vaklede ud af værelset.

Lyset i Mariams værelse var en anelse mørkere end gråt, den slags lys Laila altid forbandt med galende haner og dug der trillede ned ad græsstrå. Mariam sad i et hjørne, på et bedetæppe, med ansigtet vendt mod vinduet. Laila faldt langsomt på knæ foran hende.

„Du bør tage hen og besøge Aziza i dag," sagde Mariam.

„Jeg ved hvad du har tænkt dig at gøre."

„Du må ikke gå. Tag bussen hvor du vil falde i med de andre. Det er for iøjnefaldende at tage en taxa. Du vil med sikkerhed blive standset for at køre uden ledsager."

„Det du lovede mig i går aftes..."

Laila kunne ikke gøre sætningen færdig. Træerne, søen, den navnløse landsby. Et blændværk, så hun nu. En vidunderlig løgn beregnet på at trøste og berolige. Som når man pludrede til et fortvivlet barn.

„Jeg mente det," sagde Mariam. „Men for *dig*, Laila jo."

„Jeg vil ikke have det hvis du ikke er med," hviskede Laila hæst.

Mariam smilede mat.

„Jeg vil at det skal være ligesom du sagde, Mariam, at vi alle tager af sted, du, mig, børnene. Tariq har et sted i Pakistan. Vi kan skjule os der et stykke tid og vente på at tingene falder til ro..."

„Det er ikke muligt," sagde Mariam tålmodigt som en forælder til et velmenende, men vildført barn.

„Vi kan passe på hinanden," sagde Laila halvkvalt og med blanke øjne. „Ligesom du sagde. Nej. For en gangs skyld vil *jeg* passe på *dig*."

„Åh, Laila jo."

Laila kastede sig ud i en stammende tirade. Hun tingede, hun lovede, hun tryglede, hun ville tage sig af al rengøring, sagde hun, og også lave maden. „Du behøver ikke at røre en finger. Aldrig nogensinde mere. Du hviler dig, sover længe, passer haven. Hvis der er noget du vil have, skaffer jeg det til dig. Du må ikke gøre det her, Mariam. Du må ikke forlade mig. Du må ikke gøre det mod Aziza, hendes hjerte vil gå i tusind stykker."

„De hugger hænder af folk der har stjålet et brød," sagde Mariam. „Hvad tror du de vil gøre når de finder en død mand og to koner som er stukket af?"

„Ingen får det at vide," gispede Laila halvkvalt. „De vil ikke kunne finde os."

„Jo, de vil. På et eller andet tidspunkt. De er som blodhunde." Mariam talte med lav stemme, advarende, manende. Hun fik Lailas løfter til at virke som grebet ud af luften, opdigtede og fjollede.

„Mariam, jeg beder dig."

„Og når de finder os, vil du i deres øjne være lige så skyldig som mig. For ikke at tale om Tariq. Jeg vil ikke accepteret at dit liv skal være en livslang flugt. Hvad tror du der vil ske dine børn hvis du bliver fanget?"

Tårer sved i Lailas øjne og truede med at flyde over.

„Hvem skal så passe på dem? Taliban? Tænk som en mor, Laila jo. Tænk som en mor. Det er det jeg gør."

„Jeg kan ikke gøre det."

„Det er du nødt til."

„Det er ikke retfærdigt," kvækkede Laila.

„Men det er jo netop det det er. Kom her. Læg dig lidt her."

Laila kravlede hen til Mariam og lagde igen hovedet i hendes skød. Hun tænkte på alle deres eftermiddage sammen hvor de havde flettet hinandens hår, og Mariam tålmodigt havde lyttet til alle hendes flyvske tanker, men også de helt almindelige, med et taknemmeligt udtryk i ansigtet, som hos en der havde fået en gave hun altid havde ønsket sig.

„Det *er* retfærdigt," sagde Mariam. „Jeg har myrdet vores mand. Jeg har berøvet din søn hans far. Det er ikke rigtigt at jeg stikker af. *Jeg kan ikke stikke af.* Måske er vi heldige, måske finder de os ikke, men jeg vil aldrig kunne..." Hendes mund skælvede. „... jeg vil aldrig kunne flygte fra din søns sorg. Hvordan skulle jeg kunne se på ham? Hvordan skulle jeg kunne få mig selv til at se på ham, Laila jo?"

Mariam legede med en lok af Lailas hår, en krølle der stædigt nægtede at lade sig rede ud.

„For mig er det slut nu. Jeg ønsker mig ikke mere. Alt hvad jeg nogensinde har ønsket mig siden jeg var en lille pige, har du givet mig. Du og dine børn har gjort mig så lykkelig. Det er godt nok, Laila jo. Det er som det skal være. Du må ikke være bedrøvet."

Laila kunne ikke komme på et fornuftigt svar på alt det Mariam havde sagt. Men hun vrøvlede videre, usammenhængende, barnagtigt, om frugttræer der skulle plantes, og kyllinger som skulle blive til høns. Hun rablede løs om små huse i unavngivne landsbyer og udflugter ned til en sø med masser af ørreder. Langt om længe tørrede ordflommen ud, men det gjorde tårerne ikke, og det eneste hun så kunne gøre, var at overgive sig og hulke som et barn der måtte bøje sig for den voksnes uangribelige logik. Og så at rulle sig sammen og for sidste gang begrave sit ansigt i Mariams varme, moderlige skød.

Senere samme morgen pakkede Mariam en lille madpakke til Zalmai bestående af en humpel brød og tørrede figner. Til Aziza pakkede hun også et par figner samt et par småkager formet som små dyr. Hun lagde det hele i en papirspose og gav den til Laila.

„Giv Aziza et kys fra mig," sagde hun. „Sig til hende at hun er mine øjnes *noor* og sultan i mit hjerte. Vil du gøre det for mig?"

Laila kneb munden sammen og nikkede.

„Tag bussen, som jeg sagde, og forsøg at gøre dig usynlig."

„Hvornår ses vi igen, Mariam? Jeg *vil* se dig før jeg vidner i sagen. Jeg vil fortælle dem hvad der skete. Jeg vil fortælle dem at det ikke var din skyld. At du var nødt til at gøre det. De vil da kunne forstå det hele, vil de ikke, Mariam? De vil da kunne forstå det."

Mariam så kærligt på hende.

Hun faldt på knæ foran Zalmai. Han havde fået en rød t-shirt på, lasede kakibukser og et par udtjente cowboystøvler som Rashid engang havde haft med til ham fra Mandawi. Han knugede om sin nye bold med begge hænder. Mariam kyssede ham på kinden.

„Nu må du være en stor, tapper dreng," sagde hun. „Og pas godt på din mor." Hun lagde begge hænder om hans ansigt. „Jeg er så ked af det, Zalmai jo. Tro mig, jeg er forfærdelig ked af at have voldt dig smerte."

Laila holdt Zalmai i hånden da de gik ned gennem gaden. Lige før de drejede om et hjørne, så hun sig tilbage og så Mariam stå foran porten. Mariam havde et hvidt tørklæde om hovedet, en mørkeblå cardigan der var knappet hele vejen op, og hvide bukser. En lok gråt hår havde undsluppet tørklædet og lå hen over hendes pande. Sollyset faldt i striber på hendes ansigt og skuldre. Mariam vinkede muntert.

De drejede om hjørnet, og det var sidste gang Laila så Mariam.

47

Mariam

Tilbage i kolbaen, tilsyneladende, efter alle de mange år.

Walayat-fængslet for kvinder var en trist kasse af en bygning i Shahr-i Naw i nærheden af Chicken Street. Det lå midt i et større kompleks som husede de mandlige indsatte. En dør med hængelås adskilte Mariam og de andre kvinder fra de omgivende mænd. Mariam talte fem beboede celler. Det var umøblerede rum med snavsede, skallende vægge og små vinduer der vendte ud mod gården. Der var tremmer for vinduerne selv om celledørene var uläste, og kvinderne havde lov til at gå ud i gården hvis de havde lyst. Der var ingen glas for vinduerne. Der var heller ikke gardiner hvilket betød at Taliban-vagterne som gik runder i gården, kunne se ind i cellerne. Nogle af kvinderne klagede over at vagterne stod og røg lige uden for vinduerne og kiggede liderligt på dem med ophidsede øjne og ulveagtige grin mens de mumlede sjofle vittigheder til hinanden. Derfor bar de fleste kvinder burkaer hele dagen og tog dem først af efter solnedgang når hovedporten var blevet låst, og vagterne var gået tilbage til deres poster.

Om aftenen var den celle som Mariam delte med fem andre kvinder og fire børn, helt mørk. De aftener hvor der var strøm, løftede de Naghma, en lille, fladbarmet pige med sort viltert hår op til loftet. Der var der en ledning hvor isoleringsmaterialet var blevet fjernet. Naghma ville derefter med hånden forene den strømførende ledning med en pære og på den måde skabe et kredsløb.

Toiletterne var på størrelse med et kosteskab, og betongulvet var revnet. Der var et lille firkantet hul i gulvet og nede i det en bunke afføring. Fluer summede ud og ind af hullet.

Midt i fængslet var der en åben, firkantet gård, og midt i den en brønd. Der var intet afløb ved brønden hvilket betød at gården ofte var som en sump, og at vandet smagte råddent. Vasketøjssnore fyldt med håndvaskede sokker og bleer slog imod hinanden ude i gården. Det var her de indsatte mødte deres besøgende, og hvor de kogte den ris familierne kom med – fængslet sørgede ikke for mad til fangerne. Gården var også børnenes legeplads – Mariam havde erfaret at mange af børnene var født i Walayat, de havde aldrig set verden uden for disse mure. Mariam så dem løbe efter hinanden, så deres bare fødder sprøjte mudder op. Dagen lang løb de rundt, fandt på muntre lege og var tilsyneladende ikke plaget af stanken af den afføring og urin der hang over Walayat og på deres egne kroppe. Taliban-vagterne overså de indtil en af dem begyndte at stikke lussinger.

Mariam havde ingen besøgende. Det var den første og eneste ting hun bad de talibanske embedsmænd om: Ikke at lukke besøgende ind.

Ingen af kvinderne i Mariams celle sad der på grund af en voldsforbrydelse – de var der alle på grund af et helt almindeligt fænomen: De var stukket af hjemmefra. Derfor nød Mariam et vist ry blandt dem, var en slags berømthed. Kvinderne så på hende med respekt, næsten ærefrygt i øjnene. De gav hende deres tæpper. De konkurrerede om at få lov at dele deres mad med hende.

Den mest ivrige var Naghma som altid hang i Mariams albuer og fulgte hende i hælene uanset hvor hun gik hen. Naghma var den slags menneske der elskede at fortælle vidt og bredt om ulykkelige skæbner, hendes egen eller andres. Hun sagde at hendes far havde lovet hende til en skrædder der var næsten tredive år ældre end hende.

„Han lugter som en *goh* og har færre tænder end fingre,“ sagde Naghma om skrædderen.

Hun havde forsøgt at stikke af til Gardez sammen med en ung mand hun var blevet forelsket i, den lokale mullahs søn. De var knap nok nået ud af Kabul. Da de blev fanget og sendt retur, blev mullahens søn pisket indtil han angrede og sagde at Naghma havde forført ham med sine kvindelige ynder. Hun havde forhekset ham, sagde han. Han lovede fremover at ville hellige sig studiet af Koranen. Mullahens søn blev løsladt. Naghma fik en dom på fem år.

Men det var fint nok at sidde i fængsel, sagde hun. Hendes far havde svoret at ville skære halsen over på hende den dag hun blev løsladt.

Når Mariam sad og lyttede til Naghma, tænkte hun på en kølig morgen med blege stjerner på himlen og tottede, lyserøde skyer der drev hen over Safid-koh-bjergene, og Nana der sagde til hende: *Som en kompasnål der peger mod nord, vil en mands anklagende finger altid finde en kvinde. Altid. Læg dig det på sinde, Mariam.*

Mariams retssag havde fundet sted ugen før. Der havde ingen domsforhandling været, ingen advokatbistand, ingen appelmulighed. Mariam havde fravalgt sin ret til at føre et vidne. Det hele havde varet mindre end et kvarter.

Den midterste mand, en skrøbeligt udseende talibaner, var overdommer. Han var en bemærkelsesværdig mager mand med gullig, læderagtig hud og et krøllet rødt skæg. Han havde briller på der forstørrede hans øjne og afslørede hvor gult det hvide i dem var blevet. Hans hals virkede for tynd til at kunne bære den omhyggeligt viklede turban på hans hoved.

„Tilstår De denne forbrydelse, hamshira?“ spurgte han igen med træt stemme.

„Det gør jeg,“ sagde Mariam.

Manden nikkede. Eller måske gjorde han ikke. Det var svært at sige: Der var en udtalt rysten på hænder og hoved som mindede Mariam om mullah Faizullah. Når han nippede til sin te, rakte han ikke ud efter koppen. Han gjorde tegn til den firskårne mand til venstre for sig som respektfuldt løftede koppen op til hans læber. Derefter lukkede dommeren stille sine øjne i et ordløst udtryk for taknemmelighed.

Mariam syntes at der var noget afvæbnende over ham. Når han talte, var der en antydning af blidhed i hans stemme. Hans smil var tålmodigt. Han så ikke på Mariam med øjne der var fulde af foragt. Han henvendte sig ikke til hende med spot eller anklage i stemmen, men på en måde en smule undskyldende.

„Forstår De alvoren i det De siger?“ spurgte talibaneren på hans højre side, en mand med markerede ansigtstræk, ikke tegiveren. Det var den yngste af de tre. Han talte hurtigt og med fyndig arrogance. Han havde været irriteret over at Mariam ikke talte pashto. Det havde slået Mariam at det var sådan en slags krakilsk ung mand der nød sin magt, som så forbrydere overalt, og som så det som sin ret at dømme andre mennesker.

„Jeg forstår,“ sagde Mariam.

„Mon?“ sagde den unge talibaner. „Gud har skabt os forskelligt, I kvinder og os mænd. Vores hjerner er forskellige. I kan ikke tænke ligesom os. Vestlige læger og deres videnskab har bevist dette. Det er derfor vi kun bruger ét mandligt vidne, men to kvindelige.“

„Jeg tilstår min forbrydelse, broder,“ sagde Mariam. „Hvis jeg ikke havde gjort det, havde han slået hende ihjel. Han var i fa med at kvæle hende."

„Det påstår De jo. Men kvinder vil aflægge ed på hvad som helst når som helst."

„Det er sandheden."

„Har De nogen vidner? Andre end Deres ambagh?"

„Nej, ingen," sagde Mariam.

„Jamen så." Han løftede opgivende armene og kluklo.

Det var den sygdomsplagede talibaner der dernæst tog ordet.

„Jeg har en læge i Peshawar," sagde han. „En fin, ung pakistansk fyr. Jeg var til konsultation for en måned siden og igen i sidste uge. Jeg sagde: 'Sig mig sandheden, min ven,' og han sagde: 'Tre måneder, mullah sahib, måske seks hvis Gud vil.'"

Han nikkede diskret til manden til venstre for sig og tog endnu en slurk af den te han fik rakt. Han tørrede sig om munden med en rystende hånd. „Det skræmmer mig ikke at skulle forlade dette liv som min søn forlod for fem år siden, dette liv der insisterer på at dynge sorger op på vores skuldre indtil vi ikke kan bære flere. Nej. Jeg tror at jeg vil være glad for at sige farvel når tiden er inde.

Det der gør mig bange, hamshira, er tanken om den dag Gud kalder mig til sig og spørger: *Hvorfor gjorde du ikke som jeg sagde, mullah? Hvorfor adlød du ikke mine love?* Hvordan skal jeg forklare mig over for Ham, hamshira? Hvad vil mit forsvar være for ikke at have ænset Hans bud? Det eneste jeg kan gøre, det eneste vi alle kan gøre i den tid der er blevet os tilstået, er at blive ved med at adlyde de bud Han har givet. Jo tydeligere jeg ser afslutningen på mit liv, hamshira, jo nærmere jeg er den dag hvor jeg vil blive kaldt for Ham, jo mere fast besluttet er jeg på at adlyde Hans bud. Uanset hvor smerteligt det vil være for mig."

Han skiftede stilling i stolen og krympede sig. Hans kollega rettede på den broderede pude han sad på, og klappede den på plads.

Jeg tror Dem når De siger at Deres mand havde et ubehageligt temperament," fortsatte han mens han så på Mariam gennem brillerne med et både strengt og medlidende blik. „Men jeg er foruroliget over vildskaben i Deres handling, hamshira. Jeg er foruroliget over det De har gjort, jeg er foruroliget over at hans lille dreng sad ovenpå og græd mens De gjorde det.

Jeg er en træt og døende mand, og jeg vil gerne være barmhjertig. Jeg ønsker at tilgive Dem. Men når Gud kalder mig til sig og siger: *Men det var ikke op til dig at tilgive, mullah,* hvad svarer jeg Ham så?"

Hans meddommere nikkede og så beundrende på ham.

„Et eller andet siger mig at De ikke er en ond kvinde, hamshira. Men De har begået en ond handling. Og De må betale prisen for det De har gjort. Sharia udtaler sig ikke i vage vendinger om sager som denne. Den siger at jeg skal sende Dem hen hvor jeg selv snart vil slutte mig til Dem.

Forstår De hvad jeg siger, hamshira?"

Mariam så ned på sine hænder. Hun svarede ja til hans spørgsmål.

Før de førte Mariam ud, fik hun et dokument med besked om at skrive under på sin egen tilståelse og mullahens dom. Og med de tre dommere som vidner skrev Mariam sit navn, *meem*, *reh*, *yah* og så *meem* igen mens hendes tanker gik tilbage til dengang for syvogtyve år siden da hun på Jalils bord underskrev et andet dokument med en anden mullah som vidne.

Mariam sad ti dage i fængsel. Hun sad ved vinduet og fulgte med i fængselslivet ude i gården. Når der blæste en sommerbrise, så hun papirstumper blive ført af sted i hektiske hvirvlende bevægelser mens de blæste først den ene vej, så den anden, højt oppe over fængselsmuren. Hun så vinden sætte støvet i oprør og piske det af sted som bittesmå skypumper der dansede gennem gården. Alle – vagterne, børnene, fangerne, Mariam – begravede deres ansigter i albuerne, men støvet lod sig ikke holde ude. Det slog sig ned i øregange og næsebor, i øjenkroge og alle rynker i huden, mellem tænder. Først om aftenen løjede vinden af. Og hvis der blæste en nattebrise, gjorde den det frygtsomt som for at sone for sin dagsøsters voldsomme udskejelser.

På Mariams sidste dag i Walayat gav Naghma hende en mandarin. Hun lagde den i Mariams hånd og lukkede hendes fingre omkring den. Så bristede hun i gråd.

„Du er den bedste ven jeg nogensinde har haft," sagde hun.

Mariam tilbragte resten af dagen henne ved vinduet og sad og så gennem tremmerne ud på de indsatte i gården. Nogle var ved at lave mad, og varm luft og røg, duftende af spidskommen, bølgede ind gennem vinduet. Mariam kunne se børnene lege blindebuk. To små børn sang en sang som Mariam kunne huske fra sin egen barndom hvor Jalil havde sunget den for hende mens de sad på en sten og fiskede i åen:

Lili lili sad på et fuglebad
pippede efter lidt mere mad.
Minnow sad på kanten og drak
gled, faldt i, og benet brak.

Den sidste nat var fyldt med drømme i brudstykker. Hun drømte om små sten, ti i alt, som var lagt ned i lodrette rækker. Jalil, igen en ung mand, lutter vindende charme og smilehuller i kinderne og svedskjolder under armene og med jakken slynget over skulderen når han kom for at tage sin datter med ud på en køretur i sin skinnende sorte Buick Roadmaster. Mullah Faizullah snoede sin bedekrans mellem fingrene mens han gik sammen med hende langs åen, og deres tvillingeskygger gled over vandet og videre op på bredden hvor der voksede lavendelblå irisser der i denne drøm duftede som kløver. Hun drømte om Nana, i døren til kolbaen, hendes stemme svag og fjern der kaldte Mariam ind til aftensmad mens Mariam legede i det kølige, høje græs hvor myrer kravlede rundt, og biller fartede af sted, og græshopper sprang rundt mellem de forskellige nuancer af grønt. Den knirkende lyd fra en trillebør der blev skubbet hen ad en støvet sti. Kobjælder ringlede. Får brægede oppe på en bakkeskråning.

Mariam blev kastet rundt på ladet af bilen da den ad hullede veje og med dæk der spyttede småsten op efter sig, i fuld fart kørte af sted til Ghazi Stadion. Bumpene forplantede sig smertefuldt op i hendes haleben. En ung, bevæbnet talibaner sad over for hende og kiggede på hende.

Mariam spekulerede på om det skulle være ham, denne venligt udseende unge mand med de dybtliggende, strålende øjne og det lidt spidse ansigt der sad og trommede på siden af ladet med en sort negl.

„Er De sulten, moder?" spurgte han.

Mariam rystede på hovedet.

„Jeg har en kiks. Den smager godt. De må få den hvis De er sulten. Jeg er ligeglad."

„Nej. Tashakor, broder."

Han nikkede og så mildt på hende. „Er De bange, moder?"

En klump i halsen gav Mariam synkebesvær. Med skælvende stemme sagde hun sandheden: „Ja. Jeg er meget bange."

„Jeg har et billede af min far," sagde han. „Jeg kan ikke huske ham. Han var cykelsmed engang, så meget ved jeg. Men jeg kan ikke huske hvordan han gik, eller hvordan han lo, eller hvordan hans stemme lød." Han så væk og så tilbage på Mariam. „Min mor plejede at sige at han var den modigste mand hun kendte. Som en løve, sagde hun. Men hun sagde at han græd som et barn den morgen kommunisterne kom og hentede ham. Jeg fortæller Dem det for at De skal vide at det er normalt at være bange. Der er intet at skamme sig over, moder."

For første gang den dag græd Mariam en lille smule.

Tusinder af øjne kiggede ned på hende. På de fyldte bænke strakte folk hals for bedre at kunne se. Bønner blev fremmumlet. Tunger klikkede. En mumlen løb gennem tilskuermængden da Mariam blev hjulpet ned fra lastbilen. Mariam forestillede sig hoveder der blev rystet da hendes forbrydelse blev annonceret i højtalerne, men hun så ikke op for at se om de rystede af misbilligelse eller medlidenhed, af vrede eller godhed. Mariam lukkede dem alle ude af sit hoved.

Tidligere på morgenen havde hun været bange for at hun ville gøre sig til grin, at hun ville blive et grædende, tryglende syn. Hun havde frygtet at hun måske ville skrige eller kaste op eller ligefrem gøre sig våd, at et eller andet dyrisk instinkt eller noget kropsligt skændigt ville falde hende i ryggen i hendes sidste minutter. Men da Mariam fik besked på at stige ned fra ladet, knækkede benene ikke sammen under hende. Hendes arme piskede ikke rundt. Det var ikke nødvendigt at slæbe hende. Og da hun et øjeblik vaklede, tænkte hun på Zalmai, og på at hun havde berøvet ham hans livs kærlighed så hans dage nu ville være formet af sorg over faderens forsvinden. Og så vendte kræfterne tilbage i benene, og Mariam gik ydmygt videre.

En bevæbnet mand nærmede sig og sagde til hende at hun skulle gå hen til målstolperne i sydenden. Mariam kunne mærke tilskuerne blive anspændte af forventning. Hun så ikke op. Hun fastholdt blikket mod jorden, mod sin egen skygge, mod bødlens skygge der fulgte hende i hælene.

Skønt der havde været smukke øjeblikke i Mariams liv, vidste hun at livet for det meste havde behandlet hende uvenligt, men da hun gik de sidste tyve skridt, kunne hun ikke lade være med at ønske sig lidt mere af det. Hun ville så gerne se Laila igen, høre hendes klingende latter og sætte sig sammen med hende endnu en gang med en kop chai og resterne af halwaen under en stjerneklar himmel. Hun sørgede over ikke at skulle se Aziza blive voksen, aldrig skulle se den smukke unge kvinde som hun en dag ville være, aldrig skulle male henna på hendes hænder og lave *noqul*-konfekt til hendes bryllup. Hun skulle aldrig lege med Azizas børn. Det var noget hun især havde ønsket sig: at blive gammel og lege med Azizas børn.

Manden bad hende standse i nærheden af målstolperne. Mariam adlød. Gennem burkaens krydsende tråde så hun skyggen af hans arm hæve skyggen af en Kalashnikov.

Der var så meget Mariam ønskede sig i disse sidste øjeblikke. Alligevel var det ikke fortrydelse, men en følelse af overvældende fred der skyllede over hende da hun lukkede øjnene. Hun tænkte på hvordan hun var kommet til verden, som en harami af en lavtstående landsbykone, en uønsket ting, en elendig, beklagelsesværdig ulykke, noget ukrudt der burde være luget væk. Og nu forlod hun denne verden som en kvinde der havde elsket og var blevet elsket. Hun forlod den som en ven, en ledsager, en værge. En mor. Langt om længe som et menneske af betydning. Nej. Det var ikke det værste at dø på den måde, tænkte Mariam. Ikke det værste. Dette var en ægte afslutning på et liv fyldt med uægte begyndelser.

Mariams sidste tanker var et par ord fra Koranen som hun reciterede med lav stemme.

Han har skabt himlene og jorden, Han drejer natten omkring dagen og dagen omkring natten. Han sætter solen og månen i omløb; hver især skal de have gennemløbet deres bane på et fastlagt tidspunkt. Han er den mægtige og den tilgivende.

„Ned på knæ," sagde talibaneren.

Herre! Tilgiv og forbarm Dig, for Du er den barmhjertigste af de barmhjertige.

„Hamshira, ned på knæ. Og se ned."

Og for sidste gang adlød Mariam en ordre.

Fjerde del

48

Tariq lider af hovedpine nu.

Nogle nætter vågner Laila og ser ham sidde og rokke på sengekanten med undertrøjen trukket op over hovedet. De begyndte i Nasir Bagh, siger han, og blev værre i fængslet. En gang imellem kaster han op, og smerterne kan blive så voldsomme at han mister synet på det ene øje. Han siger det mærkes som en slagterkniv der bliver boret ind i den ene tinding og langsomt drejet rundt gennem hjernen til den kommer ud på den anden side.

„Jeg kan oven i købet smage metallet når hovedpinen begynder."

Nogen gange kommer Laila med fugtige klude til at lægge på panden, og det hjælper en lille smule. De små runde, hvide piller som Sayids læge giver Tariq, hjælper også. Men visse nætter kan Tariq kun sidde med blodskudte øjne og løbende næse og holde stønnende om sit hoved. Laila sidder hos ham når han har den slags anfald, og gnider ham på ryggen og holder ham i hånden så vielsesringen føles kold mod hendes håndflade.

De giftede sig den dag de ankom til Murree. Sayid så lettet ud da Tariq fortalte ham om deres planer. Så var han ikke nødt til at komme ind på det ømtålelige emne at have et ugift par boende på hotellet. Sayid er slet ikke som Laila havde forestillet sig, rødmosset og med øjne på størrelse med en ært. Han har et gråsprængt overskæg hvis ender han drejer til en spids tip, og en manke af langt gråt hår der er redt tilbage fra panden. Han er en blid, høflig mand med afmålt tale og yndefulde bevægelser.

Det var Sayid der tilkaldte en ven og en mullah til dagens nikka. Sayid der trak Tariq til side og gav ham penge. Tariq ville ikke tage imod dem, men Sayid insisterede. Tariq gik til Hovedgaden og kom tilbage med to enkle, spinkle vielsesringe. De giftede sig sent den aften, efter at børnene var lagt i seng.

I spejlet under det grønne slør som mullahen lagde over deres hoveder, mødte Laila Tariqs blik. Der var ingen tårer, ingen bryllupssmil, ingen hviskende løfter om evig kærlighed. Tavs så Laila ned i spejlet på deres ansigter der var ældede før tid, på poserne under deres øjne og furerne i kinderne der nu prægede deres engang så glatte, ungdommelige ansigter. Tariq åbnede munden og begyndte at sige noget, men i det samme trak en eller anden sløret væk, og Laila gik glip af det han ville have sagt.

Den nat lå de i sengen som mand og kone mens børnene sov på drømmesenge for fodenden. Laila mindedes den lethed hvormed afstanden imellem dem, hende og Tariq, blev fyldt med ord dengang de var yngre, den hurtige, livlige talestrøm der hele tiden brød ind i den andens, napperiet i hinandens ærmer for at understrege en pointe, lattermildheden, iveren efter at glæde hinanden. Der var sket meget siden disse barndomsdage, der var meget der skulle tales om. Men denne første nat var hun for overvældet af det hele til at kunne ytre så meget som et enkelt ord. Det var nok at ligge ved siden af ham. Det var nok at vide at han var der, at mærke varmen fra hans krop og berøringen af hans hoved mod hendes og hans højre hånd der var flettet ind i hendes venstre.

Da Laila vågnede midt om natten og var tørstig, var deres hænder stadig knuget om hinanden på den hvidknoede, anspændte måde som børn klamrer sig til deres ballonsnore på.

Laila holder af Murrees tågede morgener og de fantastiske soldnedgange, den strålende glans på himlen om natten, de grønne nåletræer og rødbrune egern der piler op og ned ad tykke stammer, de pludselige skybrud der sender folk på indkøb i Hovedgaden i løb ind i den nærmeste døråbning. Hun holder af souvenirboderne og de forskellige turisthoteller selv om de lokale stønner over den konstante byggeaktivitet og udvidelsen af infrastrukturen som de siger æder sig ind i Murrees naturlige skønhed. Laila synes det er mærkeligt at folk kan klage over huse der *opføres*. I Kabul ville de fejre det.

Hun holder af at de har et badeværelse, ikke et udhus, men et rigtigt badeværelse med toilet med skyl, et brusebad og også en håndvask med blandingsbatteri så hun med et skub med håndleddet kan få vand der hverken er for varmt eller for koldt. Hun holder af at vågne om morgenen til lyden af Alyonas brægen og den krakilske, men harmløse kok Adiba der skramlende udretter mirakler i køkkenet.

En gang imellem, når Laila ser på Tariq mens han sover, når hendes børn ligger og mumler i søvne og flytter uroligt på sig, danner der sig en enorm klump i hendes hals som får taknemmelige tårer til at stige op i hendes øjne.

Om morgenen følger Laila efter Tariq på hans runde fra værelse til værelse. Nøgler rasler i en ring der er bundet til hans bælte, og en spray med vinduesrens hænger i en strop i hans jeans. Laila medbringer en spand med klude, sprit, en toiletbørste og en møbelpolish til kommoderne. Efter Laila kommer Aziza med en svaber i den ene hånd og den bønnefyldte dukke som Mariam lavede til hende, i den anden. Til sidst kommer Zalmai, modvilligt, surmulende, altid en smule bagefter de andre.

Laila støvsuger, reder senge og tørrer støv af. Tariq renser håndvaske og badekar, skrubber wc-kummer og vasker linoleumsgulvet. Han skifter håndklæder, fylder op med minishampoo og mandelduftende sæber. Aziza har sat sig på jobbet med at sprøjte vinduessprit på ruderne og pudse efter. Dukken er altid i nærheden af hende mens hun arbejder.

Laila fortalte Aziza om Tariq få dage efter brylluppet.

Det er mærkeligt, tænker Laila, næsten urovækkende den kontakt der er mellem Aziza og Tariq. Aziza er allerede begyndt at afslutte Tariqs sætninger og han hendes. Hun rækker ham ting før han har bedt om dem. Indforståede smil udveksles hen over spisebordet som om de slet ikke er fremmede for hinanden, men kammerater der er blevet genforenet efter lang tids adskillelse.

Aziza så tænksomt ned på sine hænder da Laila fortalte hende det.

„Jeg kan godt lide ham," sagde hun efter en lang pause.

„Han elsker dig."

„Har han sagt det?"

„Det behøver han ikke, Aziza."

„Fortæl mig resten, Mammy. Fortæl mig det så jeg ved det."

Og det gjorde Laila så.

„Din far er en god mand. Han er den bedste mand jeg nogensinde har kendt."

„Hvad hvis han forlader os?" sagde Aziza.

„Det gør han ikke. Se på mig, Aziza. Din far vil aldrig gøre dig fortræd, og han vil aldrig forlade os."

Lettelsen på Azizas ansigt var hjerteskærende at se.

Tariq har givet Zalmai en gyngehest og bygget en vogn til ham. Fanger i fængslet lærte ham at lave dyr af papir, så han har klippet og foldet endeløse mængder af papir til løver og kænguruer til Zalmai, til heste og fugle med strålende fjerpragt. Men alle disse tilnærmelse bliver uden videre afvist af Zalmai, en gang imellem med ganske uforskammede ord.

„De er et æsel!" råber han. „Jeg vil ikke have Deres legetøj."

„Zalmai!" gisper Laila.

„Det gør ikke noget," siger Tariq. „Laila, det er okay. Lad ham bare."

„De er ikke min Babi jan. Min rigtige Babi jan er bortrejst, og når han kommer tilbage, giver han Dem bank. Og De vil ikke kunne løbe Deres vej, for han har to ben, og De har kun et."

„Han har brug for tid," siger Tariq.

Om aftenen holder Laila Zalmai ind til brystet og beder Babaloo-bønnerne med ham. Når han spørger, lyver hun for ham igen, fortæller ham at hans Babi jan er ude at rejse, og at hun ikke ved hvornår han kommer hjem. Hun hader at gøre det, hader sig selv fordi hun lyver for sit barn.

Laila ved at denne skammelige løgn skal fortælles igen og igen. Det er nødvendigt, for Zalmai vil spørge når han hopper ned fra en gynge, vågner op efter eftermiddagsluren, og senere, når han er gammel nok til at binde sine sko og gå alene til skolen, skal løgnen fortælles endnu en gang.

Laila ved at spørgsmålene på et tidspunkt vil ebbe ud. Zalmai vil langsomt høre op med at undre sig over at hans far har forladt ham. Han vil ikke længere få øje på ham ved trafiklysene og se ham i rundryggede, gamle mænd der tøfler ned ad gaden eller drikker te på terrassen foran samovarhuse. Og en dag, måske når han går langs en langsomtflydende flod eller kigger ud over en snehvid mark, vil hans fars forsvinden ikke længere være et åbent, blødende sår, men noget andet. Noget der ikke gør så ondt. Noget som han kun har hørt om. Noget som han kan tænke på med ærefrygt og en smule undren.

Laila er lykkelig her i Murree. Men det er ikke en sorgløs lykke. Den har sine omkostninger.

Når Tariq har fri, tager han Laila og børnene med ned på Hovedgaden for at kigge på butikker der sælger nipsting, og den anglikanske kirke fra midten af det 19. århundrede. Tariq køber krydrede *chapli*-kabobber til dem fra gadesælgerne. De spadserer af sted blandt de lokale, europæerne med deres mobiltelefoner og små digitalkameraer og punjabierne der er flygtet herop fra heden længere nede på sletterne.

En gang imellem tager de bussen til Kashmir Point. Fra dette udsigtspunkt viser Tariq dem Jhelum-dalen og floden, de nåletræsbeklædte skråninger og de frodige, skovdækkede bakker hvor han siger at man stadig kan opleve aber der hopper rundt mellem grenene. De tager også til Nathia Gali nogle og tredive kilometer fra Murree hvor Tariq holder Laila i hånden mens de spadserer under ahorntræerne til guvernørboligen. De står stille ved den gamle britiske kirkegård eller tager en taxa op til bjergtinden for at kigge ud over den grønne, tågeindhyllede dal langt nede.

En gang imellem kommer de forbi et butiksvindue hvor Laila får et glimt af deres spejlbilleder. Mand, kone, datter, søn. I fremmede menneskers øjne ligner de formentlig en helt almindelig familie, uden hemmeligheder, løgne og sorger.

Aziza har mareridt og vågner med et skrig. Laila er nødt til at lægge sig hos hende på drømmesengen, tørre tårerne væk med sit ærme og vugge hende i søvn igen.

Også Laila drømmer. I sine drømme er hun tilbage i Kabul, i huset, og går gennem entreen og op ad trappen. Hun er alene, men bag døre hører hun rytmiske dunk fra et dampende strygejern, lagener der bliver slået ud og får lov til at dale ned på senge. En gang imellem hører hun en kvinde sagte nynne en gammel herati-sang. Men når hun går ind i værelset, er det tomt. Der er ingen.

Det er en rystende oplevelse. Laila vågner badet i sved og med blanke, sviende øjne. Det er gruopvækkende. Hver eneste gang gruopvækkende.

49

En søndag i september måned er Laila ved at putte Zalmai som er forkølet og skal sove eftermiddagssøvn, da Tariq kommer brasende ind i deres bungalow.

„Har du hørt det?" spørger han en smule stakåndet. „De har slået ham ihjel. Ahmad Shah Masud. De har slået ham ihjel."

„Hvad siger du?"

Tariq står i døråbningen og fortæller hvad han ved.

„De siger at han gav et interview til et par journalister der påstod at de var belgiere, men oprindelig fra Marokko. Mens de taler sammen, springer en bombe som er skjult i et kamera. Dræber Masud og den ene af journalisterne. De skyder den anden da han forsøger at flygte. De siger at journalisterne formentlig er al-Qaeda-mænd."

Laila kan huske plakaten med Ahmad Shah Masud som Mammy havde sømmet op på væggen i sit soveværelse. På den lænede Masud sig frem, løftede et øjenbryn og havde koncentrerede furer i ansigtet som om han respektfuldt lyttede til en eller anden. Laila kan huske hvor taknemmelig Mammy var over at Masud havde bedt en bøn ved hendes sønners begravelse, hvordan hun havde fortalt gud og hvermand om det. Selv efter at krigen var brudt ud mellem hans fraktion og de andre, havde Mammy benægtet at det kunne være hans skyld. *Han er en god mand*, plejede hun at sige. *Han ønsker fred. Han ønsker at genopbygge Afghanistan. Men de vil ikke give ham lov til at gøre det. Det vil de simpelthen ikke.* For Mammy var Masud stadig Panjshirs Løve, selv til sidst, efter alt var gået så forfærdelig galt, og Kabul lå i ruiner.

Laila er ikke så tilgivende. Masuds voldelige endeligt giver hende ingen glæde, men hun husker kun alt for godt de kvarterer der blev pulveriseret mens han havde kontrollen, de døde der blev gravet ud af ruinerne, børns hænder og fødder der blev fundet på hustage eller i høje træer flere dage efter at de var blevet begravet. Hun husker alt for klart udtrykket på Mammys eget ansigt få øjeblikke før raketten slog ned, og – uanset hvor meget hun forsøger at glemme det – Babis hovedløse overkrop der landede lige i nærheden, og brotårnet på hans t-shirt der stak op gennem tæt tåge og blod.

„Han skal selvfølgelig begraves," siger Tariq. „Det er jeg sikker på. Formentlig i Rawalpindi. Det bliver en enorm affære."

Zalmai, som næsten var faldet i søvn, sætter sig nu op og gnider sig i øjnene med sine små næver.

To dage efter hører de tumult mens de er ved at rengøre et værelse. Tariq lader svaberen falde og skynder sig ud. Laila følger efter.

Larmen kommer nede fra hotellobbyen. Der er et siddeområde til højre for receptionsskranken med adskillige stole og to sofaer betrukket med beige ruskind. I hjørnet med front mod sofaerne står et fjernsyn, og Sayid, receptionisten og adskillige gæster har forsamlet sig foran det.

Laila og Tariq maser sig frem.

Fjernsynet er stillet ind på BBC. På skærmen ser de en bygning, et kontortårn og sort røg der bølger ud fra de øverste etager. Tariq siger noget til Sayid, og Sayid begynder at svare da et fly kommer til syne i hjørnet af skærmen. Det smadrer ind i nabotårnet, eksploderer i en ildkugle der får alle andre ildkugler som Laila har set, til at virke som det rene ingenting. Alle de forsamlede i lobbyen gisper som med én mund.

Mindre end to timer efter er begge tårne styrtet sammen.

Snart er det eneste der tales om på alle tv-stationer, Afghanistan og Taliban og Osama bin Laden.

„Hørte du hvad Taliban sagde?" spørger Tariq. „Om bin Laden?"

Aziza sidder over for ham på sengen og studerer situationen

på brættet. Tariq har lært hende at spille skak. Hun rynker panden og prikker sig på underlæben som en efterligning af det kropssprog hendes far bruger når han er ved at træffe beslutning om sit næste træk.

Zalmais forkølelse er på retur. Han sover, og Laila gnider Vicks på hans bryst.

„Ja," siger hun.

Taliban har meddelt at de ikke vil udlevere bin Laden fordi han er en *mehman* der har fundet et fristed i Afghanistan, og det er imod *pashtunwali*-kodeksen at udlevere en gæst. Tariq klukker vredt, og Laila hører i hans kluklatter at han væmmes ved denne forvrængning af pashtunsk etik, dette misbrug af hans folks leveregler.

Et par dage efter angrebet befinder Laila og Tariq sig igen nede i lobbyen. George W. Bush taler til sit folk på tv. Der er et stort amerikansk flag bag ham. På et tidspunkt bæver hans stemme, og Laila har på fornemmelsen at han er tæt på at briste i gråd.

Sayid, som taler engelsk, forklarer dem at Bush netop har erklæret krig.

„Mod hvem?" spørger Tariq.

„Mod jeres land, til en begyndelsen."

„Måske er det ikke det værste der kan ske," siger Tariq.

De har netop elsket, og han ligger ved siden af hende med hovedet på hendes bryst og armen over hendes mave. De første gange de prøvede, var det svært. Tariq var lutter undskyldninger, Laila lutter beroligelse. Der er stadig problemer, ikke fysiske, men logistiske. Huset de bor i, er ganske lille, og deres privatliv er begrænset. De fleste gange må de elske sammen i stilhed, med kontrolleret, stum lidenskab, fuldt påklædte under tæppet for det tilfælde at børnene skulle vågne. De er hele tiden på vagt over for knitrende lagener og knirkende sengefjedre. Når de elsker, føler Laila at hun er kommet i havn, hun føler sig beskyttet. Hendes frygt for at deres liv sammen er en midlertidig velsignelse som snart vil ligge i ruiner, trækker sig tilbage. Hendes angst for adskillelse forsvinder.

„Hvad mener du?" spørger hun nu.

„Det der sker derhjemme. Måske er det ikke så slemt når det kommer til stykket."

Hjemme falder bomberne igen, denne gang amerikanske bomber – Laila har set billeder fra krigen hver eneste dag på fjernsyn som er tændt mens hun støvsuger og skifter sengetøj. Amerikanerne har endnu en gang bevæbnet krigsherrerne og sikret sig Nordalliancens hjælp til at fordrive Taliban og finde bin Laden.

Men det Tariq siger, skurrer i hendes ører. Hun skubber vredt hans hoved væk fra sit bryst.

„Ikke så slemt? Folk der dør? Kvinder, børn, gamle mennesker? Hjem der ødelægges igen? Ikke så slemt?"

„Shh, du vækker børnene."

„Hvordan kan du sige sådan, Tariq?" hvæser hun. „Efter den såkaldte brøler i Karam? Et hundrede uskyldige mennesker. Du så selv alle ligene!"

„Nej," siger Tariq. Han løfter sig op på en albue og kigger ned på Laila. „Du misforstår mig. Det jeg mente, var…"

„Du aner intet om det," siger Laila. Hun er bevidst om at hun har hævet stemmen, og at de har deres første skænderi som mand og kone. „Du tog af sted kort efter at Mujahedin var begyndt at slås, husker du nok. Det var mig der blev tilbage. Mig. Jeg *kender* krig. Jeg mistede mine forældre i krigen. Mine *forældre*, Tariq. Og nu hører jeg dig sige at krig ikke er det værste."

„Undskyld, Laila. Undskyld." Han lægger begge hænder om hendes ansigt. „Du har ret. Undskyld. Tilgiv mig. Det jeg mente, var at der måske er håb et sted når krigen er forbi, at vi måske for første gang i meget lang tid…"

„Jeg ønsker ikke at tale om det," siger Laila, noget beklemt over måden hun havde langet ud efter ham på. Det var uretfærdigt, ved hun, det hun sagde, og hvad det end var, der blussede op i hende, er det allerede ved at dø ud igen. Tariq fortsætter med at tale blidt til hende, og da han trækker hende ind til sig, lader hun ham gøre det. Da han kysser hende på hånden og så på panden, lader hun ham gøre det. Hun ved at han formentlig har ret. Hun ved hvordan hans bemærkning skulle opfattes. Måske *er* krigen nødvendig. Måske *vil* der være håb når bomberne holder op med at falde. Men hun kan ikke få sig selv til at sige det højt, ikke efter at det der skete Babi og Mammy, nu sker for en anden i Afghanistan, ikke hvis et barn intetanende kommer hjem og opdager at det netop er blevet forældreløst ligesom det skete for hende. Laila kan ikke få sig selv til at sige det højt. Det forekommer hende hyklerisk, perverst.

Den aften vågner Zalmai op og hoster. Før Laila når at reagere, svinger Tariq benene ud over sengekanten. Han spænder sin protese på og går over til Zalmai og løfter ham op i armene. Henne fra sengen ser Laila omridset af Tariq bevæge sig frem og tilbage i mørket. Hun ser konturen af Zalmais hoved mod hans skulder, hans hænder der er foldet omkring Tariqs hals og hans små fødder der bumper mod Tariqs hofte.

Da Tariq kommer tilbage i seng, ligger de begge uden at sige noget. Så rækker Laila over og rører ved hans ansigt. Tariqs kinder er våde.

50

For Laila er livet i Murree fredeligt og rart. Arbejdet er ikke anstrengende, og på fridage tager hun, Tariq og børnene af sted for at køre med svævebane op i Patriatas bakker eller til Pindi Point hvor man på en klar dag kan se så langt som til Islamabad og centrum i Rawalpindi. Der breder de et tæppe ud på græsset og spiser sandwicher med kød og agurk og drikker en kold ginger ale.

Det er et godt liv, siger Laila til sig selv, et liv man skal være taknemmelig for. Faktisk er det nøjagtigt som det liv hun plejede at drømme om i den allermørkeste periode af hendes år sammen med Rashid. Hver dag minder Laila sig selv om dette.

Så en varm nat, i juli 2002 ligger hun og Tariq i sengen og taler med dæmpet stemme om alle forandringerne hjemme i Afghanistan. Der har været så mange. Koalitionen har drevet Taliban ud af alle større byer og helt over til grænsen til Pakistan og til bjergene i syd og øst. Den internationale sikkerhedsstyrke ISAF er ankommet til Kabul. Landet har en midlertidig præsident nu, Hamid Karzai.

Laila beslutter at tiden er inde til at fortælle ham det.

For et år siden ville hun gladeligt have ofret et lem for at slippe ud af Kabul, men i de sidste par måneder har hun opdaget at hun savner sin barndomsby. Hun savner travlheden i Shor-basaren og Babur-haven, vandbærernes råb når de kom gående med deres gedeskindssække. Hun savner tøjsælgernes prutten om prisen i Chicken Street og melonboderne i Karteh Parwan.

Men det er ikke kun hjemve og nostalgi der har fået Laila til at tænke så meget på Kabul i den seneste tid. Hun er blevet rastløs. Hun hører om skoler der bygges i Kabul, veje der bliver udbedret, kvinder der vender tilbage til arbejdsmarkedet, og hendes liv her virker, så rart det end er, så taknemmelig hun end er for det... utilstrækkeligt. Ubetydeligt. Nej, værre end det: som spild af tid. På det seneste er hun begyndt at høre Babis stemme i sit hoved: *Du kan blive til lige hvad du vil, Laila. Jeg ved det. og jeg ved også at Afghanistan når denne krig er forbi, vil få brug for dig.*

Laila hører også Mammys stemme. Hun husker Mammys svar til Babi da han foreslog at de skulle rejse fra Afghanistan: *Jeg ønsker at se mine sønners drøm gå i opfyldelse. Jeg ønsker at være her når det sker, når Afghanistan er blevet frit, sådan at også mine drenge ser det. De skal se det gennem mine øjne.* Der er en del af Laila der nu ønsker at vende tilbage til Kabul, for Mammy og Babis skyld, så de kan se det gennem hendes øjne.

Og så, vigtigst af alt for Laila, er der Mariam. Døde Mariam for dette? spørger Laila sig selv. Ofrede hun sig for at hun, Laila, kunne være stuepige på et hotel i et fremmed land? Måske ville det ikke have betydet noget for Mariam hvad Laila gjorde, når blot hun og børnene var trygge og glade. Men det betyder noget for Laila. Pludselig betyder det en hel masse.

„Jeg vil gerne hjem," siger hun.

Tariq sætter sig op i sengen og ser ned på hende.

Det slår atter Laila hvor smuk han er, pandens perfekte bue, de faste overarmsmuskler, hans grublende, kloge øjne. Der er gået et år, og der er stadig gange, som dette øjeblik, hvor Laila ikke kan fatte at det lykkedes dem at genfinde hinanden, at han virkelig er her, hos hende, at han er hendes mand.

„Hjem? Mener du til Kabul?" spørger han.

„Kun hvis du også vil."

„Er du ikke lykkelig her? Du virker lykkelig. Også børnene."

Laila sætter sig op. Tariq rykker lidt til siden så hun kan være der.

„Jeg *er* lykkelig," sagde Laila. „Selvfølgelig er jeg det. Men... Hvordan kommer vi videre, Tariq? Hvor længe skal vi blive boende her? Det er ikke vores hjem. Kabul er vores hjem, og der sker så meget i øjeblikket, en masse gode ting. Jeg ønsker at tage del i det. Jeg ønsker at *gøre* noget. Jeg ønsker at yde mit. Forstår du hvad jeg mener?"

Tariq nikker langsomt. „Så det er hvad du ønsker. Er du sikker?"

„Ja, det er hvad jeg ønsker, og ja, jeg er sikker. Men det er mere end det. Jeg føler at jeg *er nødt til* at tage hjem. Det føles ikke længere rigtigt at blive boende her."

Tariq ser ned på sine hænder og så op på hende igen.

„Men kun, *kun* hvis du også gerne vil hjem."

Tariq smiler. Rynkerne på hans pande glattes ud, og et kort øjeblik er han den gamle Tariq igen, den Tariq som ikke får hovedpine, som engang sagde at i Sibirien frøs snot til is når man snød næse. Måske er det ren fantasi, men Laila synes at hun nu om dage oftere og oftere får et glimt af den gamle Tariq.

„Mig?" siger han. „Laila, jeg vil følge dig til verdens ende."

Hun trækker ham ind til sig og kysser ham på munden. Hun er sikker på at hun aldrig har elsket ham så højt som i dette øjeblik. „Tak," siger hun og hviler sin pande mod hans.

„Lad os tage hjem."

„Men først vil jeg til Herat," siger hun.

„Herat?"

Laila forklarer.

Børnene skal beroliges, hver på deres måde. Laila er nødt til at sætte sig hos en ophidset, næsten hysterisk Aziza der stadig har mareridt, og som forskrækket bristede i gråd sidste uge da nogen affyrede deres pistoler op i luften efter et bryllup. Laila er nødt til at forklare Aziza at når de vender hjem til Kabul, er Taliban forsvundet, der er ikke længere krig, og hun vil ikke blive sendt tilbage til børnehjemmet. „Vi skal bo sammen, din far, mig, Zalmai og dig, Aziza. Du vil aldrig aldrig mere skulle undvære mig. Det lover jeg dig." Hun smiler til sin datter. „Det vil sige, der kommer jo en dag hvor du gerne vil. Når du forelsker dig i en ung mand og gerne vil giftes med ham."

Den dag de forlader Murree, er Zalmai utrøstelig. Han har slynget armene omkring Alyonas hals og vil ikke give slip.

„Jeg kan ikke vriste ham løs, Mammy," siger Aziza.

„Zalmai, vi kan ikke have en ged med i bussen," forklarer Laila igen.

Det er først da Tariq lægger sig på knæ ved siden af Zalmai

og lover at købe en ged nøjagtig ligesom Alyona når de er kommet til Kabul, at Zalmai modstræbende giver slip.

De tager også tårevædet afsked med Sayid. For at ønske dem lykke på rejsen står han med Koranen henne i døren som Tariq, Laila og børnene kysser tre gange, og holder den så højt i vejret mens de går under den. Han hjælper Tariq med at løfte de to kufferter op i bilens bagagerum. Det er Sayid der kører dem til stoppestedet, og som står på fortovet og vinker farvel da bussen hostende kører væk.

Da Laila læner sig tilbage og kigger på Sayid der bliver mindre og mindre i bussens bagrude, hører hun en tvivlende stemme i sit indre. Er det dumt af dem at forlade deres trygge tilværelse i Murree? spørger stemmen. Dumt at tage tilbage til det land hvor hendes forældre og brødre omkom, og hvor røgen fra bomberne kun lige akkurat har lagt sig?

Og så, et sted dybt inde i hendes hjernevindinger, rejser der sig to verslinjer, Babis farvelode til Kabul, og, viste det sig, sit liv:

Fjern er den måne der flimrer koldt på Kabuls tage,
mens tusind strålende sole skjuler sig bag mure.

Laila sætter sig til rette på sædet og blinker tårerne ud af øjnene. Kabul venter. Kabul har brug for dem. Det er rigtigt at rejse hjem nu.

Men først er der et sidste farvel at sige.

Krigene i Afghanistan har lavet ravage på vejene mellem Kabul, Herat og Kandahar. Den nemmeste måde at komme til Herat på er nu via Mashad i Iran. Laila og hendes familie overnatter der kun en enkelt nat. De tilbringer aftenen på hotellet, og den næste morgen stiger de om bord på en ny bus.

Mashad er en stor og travl by. Laila ser ud på parker, moskeer og *chelo*-kabob-restauranter som de kører forbi. Da bussen passerer Imam Rezas Helligdom, den ottende shia-imam, strækker hun hals for bedre at kunne se de skinnende tegl, minareterne, den prægtige gyldne kuppel, det hele så omhyggeligt og kærligt vedligeholdt. Hun tænker på buddhaerne i sit eget land. De er nu kun støv der bliver blæst rundt i Bamiyan-dalen af vinden.

Busturen til grænsen mellem Iran og Afghanistan tager næsten ti timer. Omgivelserne bliver mere og mere trøstesløse, goldere, jo nærmere de kommer Afghanistan. Kort før de krydser grænsen til Herat-provinsen, kommer de forbi en afghansk flygtningelejr. For Laila er det et udvisket billede af gult støv og sorte telte og bølgeblik der er blevet hamret nødtørftigt sammen til huse. Hun rækker over sædet og tager Tariq i hånden.

I Herat er de fleste gader asfalteret og flankeret af duftende cedertræer. Der er offentlige parker og biblioteker under opførelse, klippede græsplæner og nymalede huse. Trafiklysene virker, og – det der især overrasker Laila – elforsyningen er stabil. Laila har hørt at Herats feudale krigsherre, Ismail Khan, har hjulpet til med at genopføre husene i byen ved hjælp af den told han opkræver ved den afghansk-iranske grænse, penge som Kabul siger ikke tilhører ham, men centralregeringen. Der er både frygt og ærbødighed i stemmen da taxachaufføren, som kører dem til Muwaffaq Hotel, nævner Ismail Khans navn.

De to overnatninger på Muwaffaq vil koste dem næsten en femtedel af deres opsparing, men turen fra Mashad har været lang og anstrengende, og børnene er udmattede. Mens den ældre receptionist bag skranken henter værelsesnøglen, fortæller han Tariq at Muwaffaq er populært blandt journalister og ngo'er.

„Bin Laden har overnattet her engang," praler han.

Der er to senge på værelset og et badeværelse med rindende, men koldt vand. Desuden hænger der et maleri af digteren Abdullah Anzari på væggen mellem sengene. Fra vinduet har Laila udsigt ned til den travle gade under dem og til parken på den anden side af gaden med pastelfarvede fliser på stier der skærer sig igennem blomstrende buske rundtomkring. Børnene, som er blevet vant til at se fjernsyn, er skuffede over at der ikke er et på værelset, men de falder hurtigt i søvn. Og næsten lige så hurtigt er Laila og Tariq faldet om på sengen. Laila sover trygt i Tariqs arme bortset fra en enkelt gang midt om natten hvor hun vågner på grund af en drøm som hun ikke kan huske.

Næste morgen, efter at de har spist morgenmad med te og friskbagt brød, kvædemarmelade og blødkogte æg, skaffer Tariq en taxa til hende.

„Er du sikker på at du ikke vil have mig med?" spørger han. Aziza holder ham i hånden. Det gør Zalmai ikke, men han står klinet op ad ham med den ene skulder mod hans hofte.

„Ja."

„Jeg er nervøs."

„Bare rolig, jeg skal nok klare mig," siger Laila. „Gå en tur med børnene på markedet. Køb et eller andet til dem."

Zalmai begynder at græde da taxaen kører væk, og da Laila ser sig tilbage, ser hun at han rækker op efter Tariq. Det er både en lettelse og hjerteskærende for Laila at se at han er begyndt at acceptere Tariq.

„De stammer ikke fra Herat," siger taxachaufføren.

Han har mørkt, skulderlangt hår – en almindelig pegen fingre ad de fordrevne talibanere, har Laila allerede opdaget – og et ar der deler hans overskæg på venstre side af ansigtet. Der er klistret et foto på forruden i hans side. Det viser en ung pige med lyserøde kinder og håret skilt på midten og flettet i to fletninger.

Laila fortæller ham at hun har boet i Pakistan det sidste år, og at hun er på vej hjem til Kabul. „Dihmazang."

Gennem ruden ser Laila kobbersmede svejse hanke på kander og sadelmagere lægge ubehandlede skind til tørre i solen.

„Har De boet her længe, broder?" spørger hun.

„Åh, hele mit liv. Jeg er født her. Jeg har set alt. Husker De opstanden?"

Laila svarer bekræftende, men han fortæller alligevel løs.

„Det var tilbage i marts 1979, omkring ni måneder før Sovjetunionens invasion. Nogle vrede heratiere dræbte et par russiske rådgivere, så russerne sendte kampvogne og helikoptere af sted for at bombe byen. I tre dage, hamshira, beskød de byen. Huse styrtede sammen, en af minareterne blev totalt ødelagt, og der døde i tusindvis af mennesker. Tusindvis. Jeg mistede to søstre i løbet af de tre dage. En af dem var kun tolv år gammel." Han banker på fotoet på forruden. „Hende her."

„Det gør mig ondt," siger Laila og forundres over hvordan alle afghanere har en fortid fyldt med død og tab og ufattelig sorg. Alligevel har de fundet en udvej til at komme videre, ser hun. Laila tænker tilbage på sit eget liv og på alt det der er hændt hende, og hun er forbløffet over at også hun overlevede, at hun er i live og nu sidder her i en taxa og lytter til mandens historie.

Gul Daman er en landsby der består af nogle få murede huse der hæver sig højt over flade kolbaer bygget af mudder og strå. Uden for kolbaerne ser Laila solbrændte kvinder i gang med madlavningen med sveden løbende ned ad ansigterne på grund af heden der stiger op fra gryder på provisoriske grillriste. Muldyr der æder fra et trug. Børn der jagter høns, begynder i stedet at jagte taxaen. Laila ser mænd der kører af sted med trillebøre fyldt med sten. De står stille og kigger efter bilen. Chaufføren drejer, og de kommer forbi en kirkegård med et eroderet mausoleum i midten. Chaufføren fortæller hende at der ligger en landsby-sufi begravet derinde. Der er også en vindmølle. Tre små drenge sidder på hug i skyggen fra dens stillestående, rustfarvede vinger og leger med jord. Chaufføren kører ind t. siden og stikker hovedet ud ad vinduet. Det er den dreng der ser ældst ud, der svarer. Han peger på et hus længere oppe ad gaden. Chaufføren takker og sætter bilen i gear igen.

Han holder ind foran et muromkranset etplanshus. Laila kan se det øverste af figentræer over muren, nogle af grenene rager ud over siden.

„Jeg er straks tilbage," siger hun til chaufføren.

Den midaldrende mand der åbner døren, er lavstammet, mager og rødhåret. I hans skæg er der grå striber mellem det røde. Han er iført en chapan over sin *pirhan*-tumban.

De udveksler et *salaam alaykum*.

„Er dette mullah Faizullahs hjem?" spørger Laila.

„Ja, jeg er hans søn, Hamza. Hvad kan jeg gøre for Dem, hamshireh?"

„Jeg er kommet på grund af en af Deres fars gamle venner, Mariam."

Hamza blinker. Et forvirret udtryk farer hen over hans ansigt. „Mariam..."

„Jalil Khans datter."

Han blinker igen. Så lægger han en hånd mod kinden, og hans ansigt lyser op i et smil der afslører både manglende og rådnende tænder. „Åh, Mariam! Er De hendes datter? Er hun...?" Han vrider hovedet til siden nu og ser ivrigt forbi hende, søgende. „Er hun her? Det er så længe siden. Er Mariam med Dem?"

„Jeg er bange for at hun er gået bort."

Smilet forsvinder fra Hamzas ansigt.

Et øjeblik står de bare der, i døråbningen, mens Hamza ser ned i jorden. Et æsel skryder et sted i nærheden.

„Kom indenfor," siger Hamza så. Han lukker døren helt op. „Kom indenfor."

De sidder på gulvet i et sparsomt møbleret rum. Der ligger et nerati-tæppe på gulvet, der er puder med perlemønster at sidde på, og der hænger et indrammet fotografi af Mekka på væggen. De sidder ved det åbne vindue på hver sin side af en lang solplet. Laila kan høre kvinder der hvisker sammen inde i det tilstødende værelse. En lille dreng uden sko på fødderne kommer med en anretning bestående af grøn te og pistacie-*gaaz*-konfekt. Hamza nikker i retning af ham.

„Min søn."

Drengen går lydløst ud af rummet igen.

„Fortæl mig om det," siger Hamza træt.

Og det gør Laila så. Hun fortæller ham det hele. Det tager længere tid end hun havde forestillet sig. Hen imod slutningen kæmper hun for at bevare fatningen. Det er stadig meget svært, her et år efter, at tale om Mariam.

Da hun endelig tier, er Hamza tavs meget længe. Han drejer langsomt tekoppen på underkoppen, først den ene vej, så den anden.

„Min far, må han hvile i fred, holdt meget af hende," siger han til sidst. „Det var ham der sang azan i hendes øre da hun var kommet til verden, ved De måske. Han besøgte hende hver eneste uge, uden undtagelse. En gang imellem tog han mig med. Han var hendes lærer, ja, men han var også hendes ven. Min far var et godt menneske. Hans hjerte bristede da Jalil Khan gav hende bort."

„Det gør mig ondt at høre om Deres far. Må Gud se i nåde til ham."

Hamza nikkede som tak. „Han blev en meget gammel mand. Han overlevede faktisk Jalil Khan. Vi begravede ham på landsbykirkegården ikke langt fra hvor Mariams mor ligger begravet. Min far var et meget kærligt menneske, der kan ikke være nogen tvivl om at han kom i Himlen."

Laila satte sin kop fra sig.

„Må jeg spørge Dem om noget?"
„Selvfølgelig."
„Vil De vise mig stedet?" siger hun. „Der hvor Mariam boede. Vil De gå med mig derop?"

Chaufføren går med til at vente lidt længere.
Hamza og Laila forlader landsbyen og går ned ad bakken på vejen mellem Gul Daman og Herat. Efter et kvarter eller deromkring peger han mod en smal åbning i det høje græs der vokser på begge sider af vejen.
„Det er den vej," siger han. „Ad den sti der."
Stien er ufremkommelig og snoet, og lyset er svagt under vegetationen og underskoven. Vinden får det høje græs til at piske mod Lailas lægge da hun og Hamza klatrer op ad den stejle sti. På begge sider af dem svajer et kalejdoskop af vilde blomster i vinden, nogle høje med kronblade som en kop, andre lave og med lancetblade. Her og der stikker et par forpjuskede smørblomster op under de lave buske. Laila hører svalekvidren oppe på himlen, og for fødderne af hende filer græshopperne løs.
De fortsætter på denne måde op ad bakken endnu et par hundrede meter eller mere. Så flader stien ud og munder ud i et fladt stykke jord. De standser og hiver efter vejret. Laila dupper panden med sit ærme og vifter en sværm myg væk som summer foran hendes ansigt. Her kan hun se den lave bjergkæde i det fjerne, et par balsamtræer, enkelte poppeltræer og en masse forskellige buske som hun ikke kender navnet på.
„Der plejede at være en å her," siger Hamza en smule forpustet. „Men den er for længst tørret ud."
Han siger at han vil vente her. Han siger til hende at hun skal over den tørre å og gå i retning af bjergene.
„Jeg venter her," siger han og sætter sig på en sten under en poppel. „Gå De bare videre."
„Jeg vil nødig..."

„Bare rolig. Giv Dem god tid. Gå nu, hamshireh.“

Laila takker ham. Hun går over det udtørrede vandløb ved at træde fra sten til sten. Hun får øje på en smadret sodavandsflaske mellem stenene, rustne dåser og en mugdækket metalbeholder med et zinklåg der ligger halvt begravet i lejet.

Hun går i retning af bjergene, mod grædepilene som hun nu kan se, med de lange, hængende grene som hvert eneste vindstød sætter i bevægelse. Hjertet hamrer i brystet på hende. Hun ser at grædepilene står nøjagtig som Mariam fortalte, i en rundkreds med en lysning i midten. Laila sætter farten op, hun næsten løber nu. Hun ser sig tilbage over skulderen og ser Hamza som en lillebitte skikkelse med chapanen som en strålende farveklat mod den brune træbark. Hun snubler over en sten og er lige ved at falde, men genvinder balancen. Hun tilbagelægger den sidste del af vejen med buksebenene rullet op. Hun er stærkt forpustet da hun når frem til grædepilene.

Mariams kolba ligger der stadig.

Da Laila nærmer sig, ser hun at ruden mangler i vinduet, og at døren er væk. Mariam beskrev en hønsegård og en tandoor, der var også et udhus bygget af planker, men det er væk nu, ser Laila. Hun tøver foran døren til kolbaen. Hun kan høre fluer summe rundt indenfor.

For at komme ind er hun nødt til at dukke sig under et stort, svajende spindelvæv. Der er halvmørkt derinde. Laila er nødt til at stå stille et øjeblik for at øjnene kan vænne sig til mørket. Da hun igen kan se, konstaterer hun at rummet er meget mindre end hun ville have gættet på. Der er kun halvdelen af en enkel mørnet planke tilbage af gulvet. Resten er vel, forestiller hun sig, revet op og brugt som brændsel. I stedet for gulvplanker er der nu et lag af visne blade, knuste flasker, tyggegummipapir, vilde svampe, gamle cigaretskod. Men især er der ukrudt, nogle planter små og forkrøblede, andre næsten trodsigt på vej op ad væggene.

Femten år, tænker Laila. Femten år i dette hus.

Laila sætter sig ned med ryggen mod væggen. Hun lytter til blæsten der suser i grædepilene. Der er flere spindelvæv der strækker sig hen over loftet. Nogen har sprøjtemalet et eller anden på en af væggene, men det meste af det er skallet af, og Laila kan ikke regne ud hvad der har stået. Så går det op for hende at bogstaverne er russiske. I et hjørne ser hun en fuglerede, og en flagermus hænger i et andet hjørne, der hvor væggen og det lave loft mødes.

Laila lukker øjnene og sidder der bare.

I Pakistan var det en gang imellem svært at huske præcis hvordan Mariam så ud. Der var gange hvor hun simpelthen ikke kunne genkalde sig Mariams ansigt – ligesom når et ord ligger en på tungen, men ikke vil ud. Men nu, her på dette sted, er det nemt at kalde Mariam frem bag øjenlågene: hendes blide, klare blik, den lange hage, den ru hud i hendes nakke, den smalle mund. Her kan Laila igen lægge sin kind ned i Mariams bløde skød, her kan hun mærke Mariam rokke blidt frem og tilbage mens hun reciterer vers fra Koranen, her kan hun fornemme ordene vibrere i Mariams krop helt ned til knæene og ind i hendes egne ører.

Så begynder ukrudtet pludselig at forsvinde, som om en eller anden trækker det i rødderne nede i jorden. Det synker længere og længere ned indtil jorden i kolbaen har opslugt de sidste af deres tornede stængler. Spindelvævene spinder som ved magi sig selv op igen. Fuglereden demonteres, de enkelte kviste i den forsvinder en for en og flyver ud af kolbaen. Et usynligt viskelæder visker den russiske graffiti af væggen.

Gulvplankerne er på plads igen. Laila ser nu et par senge, et træbord, to stole, en smedejernsovn i hjørnet, hylder på væggene og på hylderne lergryder og pander, en sortsveden kedel, kopper og skeer. Hun hører hønsene klukke udenfor og i det fjerne rislen af vand.

En ung Mariam sidder ved bordet og laver en dukke i det svage lys fra en petroleumslampe. Hun nynner en sang. Hendes ansigt er glat og ungdommeligt, håret nyvasket og redt tilbage fra hovedet. Hun har alle sine tænder.

Laila ser til mens Mariam limer garnstumper på dukkens hoved. Om få år vil denne lille pige være en kvinde som ikke stiller store krav til tilværelsen, som aldrig er en byrde for nogen, som ikke viser andre at hun har haft sorger, skuffelser... og drømme som er blevet latterliggjort. En kvinde der er som en klippe under en flod, som udholder uden at beklage sig. En kvinde hvis væsen ikke er besudlet, men *formet* af al den turbulens der har ramt hende. Laila kan allerede nu se et eller andet i den unge piges øjne, noget dybt, dybt inde som hverken Rashid eller Taliban vil kunne knække. Noget som er hårdt og ubøjeligt som kalksten. Noget som til sidst bliver Mariams endeligt og Lailas frelse.

Den lille pige ser op. Lægger dukken fra sig. Smiler.

Laila jo?

Lailas øjne flyver op. Hun gisper, og hun knækker sammen i livet. Hun forskrækker flagermusen som flakser fra den ene ende af kolbaen til den anden med vinger der pisker som blafrende sider i en bog. Til sidst finder den vinduet og flyver væk.

Laila kommer op at stå og børster visne blade af sin buksebag. Hun træder ud af kolbaen. Udenfor er lyset vigende. Det er blæst op, og græsset bølger, og grenene i træerne knirker.

Før Laila går igen, kaster hun et sidste blik på kolbaen hvor Mariam har sovet, drømt og ventet ængsteligt på at Jalil skulle komme. En grædepil kaster mærkelige mønstre på væggen, mønstre der skifter for hvert vindstød. En krage har slået sig ned på det flade tag. Den hakker i et eller andet, skriger op og flyver sin vej.

„Farvel, Mariam."

Og med de ord begynder Laila at løbe gennem græsset uden

at ænse at tårerne strømmer ned ad hendes kinder.

Hamza sidder stadig på stenen og venter. Da han ser hende, kommer han op at stå. „Lad os gå tilbage," siger han. „Jeg har noget til Dem."

Laila venter på Hamza ude i haven ved siden af hoveddøren. Drengen som kom med te til dem tidligere på dagen, står under et af figentræerne med en høne i favnen mens han ser apatisk på hende. Laila kan se to ansigter i vinduet, en gammel kvinde og en ung pige i hijab der kigger alvorligt ud på hende.

Døren går op, og Hamza kommer til syne. Han har en æske under armen.

Han giver den til Laila.

„Jalil Khan afleverede den til min far en måned før han døde," siger Hamza. „Han bad min far passe på den og give den til Mariam når hun kom og bad om at få den. Min far passede på den i to år, og så, lige før han døde, gav han den til mig og bad mig om at give den til Mariam når hun kom. Men hun... ja, hun kom jo aldrig."

Laila ser ned på en oval blikæske. Den ligner en gammel chokoladeæske. Den er olivengrøn med et falmet guldmønster rundt om begge hængsler. Der er en smule rust på siderne og to små buler i låget. Laila forsøger at åbne den, men den er låst.

„Hvad er der i den?" spørger hun.

Hamza lægger en lille nøgle i hånden på hende. „Min far kiggede aldrig efter. Heller ikke jeg. Jeg går ud fra at det er Guds vilje at det skal være Dem der får det at vide."

Tariq og børnene er ikke hjemme da hun kommer tilbage på hotellet.

Laila sætter sig på sengen med æsken i skødet. På en måde har hun ikke lyst til at åbne den, måske er det bedst at lade det Jalil ville sige, forblive en hemmelighed. Men til sidst overmander nysgerrigheden hende. Hun stikker nøglen i låsen. Hun er nødt til at vride og vrikke, men til sidst går låget op.

Nede i æsken ser hun tre ting: en konvolut, en pose af groft lærred og et videobånd.

Laila tager båndet og går ned til receptionen. Her får hun at vide af den ældre receptionist der tog imod dem dagen før, at der er en videoafspiller i hotellets største suite. Suiten er ledig i øjeblikket, og han indvilger i at gå op med hende. Han overlader skranken til en ung mand med overskæg som står og taler i mobiltelefon.

Den gamle mand går foran Laila op til anden etage og hen til en dør for enden af en lang korridor. Han låser døren op og viser Laila indenfor. Lailas blik falder med det samme på tv'et henne i hjørnet. Alt det andet i suiten er hun blind for.

Hun tænder for fjernsynet, tænder for videoen. Skubber båndet ind og trykker på play. Et øjeblik er skærmen sort, og Laila når lige at undre sig over hvorfor Jalil skulle bruge så mange kræfter på at give Mariam et tomt bånd. Men så hører hun musik, og billeder kommer til syne på skærmen.

Laila får rynker i panden. Hun ser videre et minut eller to. Så trykker hun på stop, hurtig fremadspoling og på play igen. Det er den samme film.

Den gamle mand ser spørgende på hende.

Filmen der vises, er Walt Disneys *Pinocchio*. Laila forstår intet.

Tariq og børnene kommer tilbage til hotellet lidt over seks. Aziza løber hen til Laila og viser hende de ørenringe som Tariq har købt til hende, sølv med en emaljesommerfugl. Zalmai knuger en oppustelig delfin ind til sig som kan knirke når man trykker den på snuden.

„Hvordan har du det?" spørger Tariq og lægger en arm om hendes skulder.

„Fint," siger Laila. „Jeg skal nok fortælle dig det hele bagefter."

De går hen til en kabob-restaurant i nærheden og spiser aftensmad. Det er et lille, ydmygt sted med klistret voksdug på bordene, tilrøget og larmende. Men lammet er mørt, og brødet lunt. Bagefter går de lidt rundt i gaderne. Tariq køber is med rosensmag til børnene fra en gadesælger. De sætter sig alle på en bænk mens børnene spiser dem, med bjergene bag sig som en mørk silhuet mod solnedgangens blodrøde himmel. Det er lunt, og duften fra cedertræerne er overvældende.

Laila havde åbnet konvolutten tidligere på dagen, efter at være kommet tilbage til hotellet og efter at have set filmen. Der lå et brev i den, håndskrevet med blåt blæk på gult, linjeret papir.

Der stod:

13. maj 1987

Min kære Mariam.

Jeg beder til at du, når du modtager dette brev, har det godt.

Som du ved, kom jeg til Kabul for en måned siden for at tale med dig. Men du ville ikke se mig. Jeg var skuffet, men kan ikke bebrejde dig noget. I dit sted ville jeg nok have gjort det samme. Jeg mistede retten til din kærlighed for længe siden, og jeg har kun mig selv at bebrejde. Men hvis du læser dette brev, har du også læst det brev jeg skubbede ind under din dør. Du har læst det, og du har opsøgt mullah Faizullah, sådan som jeg bad dig om at gøre. Jeg er taknemmelig for at du har gjort det, Mariam jo. Jeg er taknemmelig for at få denne sidste chance for at få dig i tale.

Hvor skal jeg begynde?

Din far har oplevet megen sorg siden vi sidst talte sammen, Mariam jo. Din stedmor Afsoon blev dræbt den første dag i 1979-opstanden. En vildfaren kugle dræbte din søster Niloufar samme dag. Jeg kan stadig se hende for mig, min lille Niloufar, stå på hovedet for at imponere vores gæster. Din bror, Farhad, sluttede sig til jihad i 1980. Russerne slog ham ihjel i 1982 lige uden for Helmand. Jeg fik aldrig hans lig at se. Jeg ved ikke om du har børn, Mariam jo, men hvis du har, beder jeg til at Gud vil passe på dem og spare dig for den sorg som jeg har oplevet. Jeg drømmer stadig om dem. Jeg drømmer stadig om mine døde børn.

Jeg drømmer også om dig, Mariam jo. Jeg savner dig. Jeg savner lyden af din stemme, din latter. Jeg savner at læse højt for dig og tage dig med på fisketur. Kan du huske alle de gange vi var på fisketur sammen? Du var en god datter, Mariam jo, og jeg kan ikke tænke på dig uden at føle skam og anger. Med hensyn til anger... hvad dig angår er min anger bundløs som havet. Jeg angrer at jeg ikke tog imod dig den dag du kom til Herat. Jeg er ked af at jeg ikke åbnede døren og tog imod dig. Jeg er ked af at jeg ikke gjorde dig til min datter, lod dig bo hos mig i alle de mange år. Jeg angrer at jeg var så grusom en far der ikke gav dig alle de ting som du havde fortjent at få. Og grunden til at jeg ikke gjorde det? Angsten for at miste ansigt? Angsten for at få en plet på mit såkaldt 'gode' navn? Hvor betyder det dog lidt, disse ting, efter mine tab, efter alle de forfærdelige ting jeg har oplevet i denne forbandede krig. Men nu er det selvfølgelig for sent. Måske er det en retfærdig straf til dem som har opført sig hjerteløst, først at forstå det hele når det er for sent at ændre noget. Nu er der kun tilbage at sige at du var en god datter, Mariam jo, og at jeg aldrig gjorde mig fortjent til dig. Nu er der kun tilbage at bede om tilgivelse. Så tilgiv mig, Mariam jo. Tilgiv mig. Tilgiv mig. Vær nådig, og tilgiv din far.

Jeg er ikke længere den velhavende mand du engang kendte. Kommunisterne konfiskerede så meget af min jord foruden alle mine forretninger. Men det er ynkværdigt at beklage sig, for Gud har – af grunde jeg ikke fatter – været langt mere nådig mod mig end mod så mange andre mennesker. Da jeg kom tilbage fra Kabul, lykkedes det mig at sælge hvad jeg havde tilbage af mine besiddelser. Jeg har sørget for at du får din arvepart. Du kan se at det langtfra er en formue, men det er dog noget. Det er noget. (Du vil måske også have bemærket at jeg har taget mig den frihed at veksle pengene til dollars. Jeg tror det er en klog beslutning. Kun Gud ved hvordan det vil gå vores hårdt plagede valuta.)

Jeg håber ikke at du nu tror at jeg forsøger at købe mig til din tilgivelse. Jeg håber at du dog vil kreditere mig for at vide at din gunst ikke er til salg. Det var den aldrig. Jeg giver dig blot, om end forsinket, det der retmæssigt tilhører dig. Jeg var ikke en pligtopfyldende far mens jeg levede. Måske er jeg det nu hvor jeg er død.

Åh, død. Jeg vil ikke bebyrde dig med detaljerne, men døden står nu og venter lige om hjørnet. Et slidt hjerte, siger lægerne. Hvor upassende, måske, at dø af et slidt hjerte for en far der ikke altid brugte sit hjerte lige ivrigt.

Mariam jo, jeg vover, ja, jeg tillader mig at håbe på at du, efter at have læst mit brev, vil være mere barmhjertig over for mig end jeg nogensinde var over for dig. At du endnu en gang vil banke på min dør og give mig chancen for at åbne den denne gang og byde dig velkommen, at tage dig i min favn, min datter, sådan som jeg skulle have gjort for mange år siden. Det er et håb som banker lige så svagt som mit hjerte. Det ved jeg godt. Men jeg vil lytte efter et bank på døren. Jeg vil ikke miste håbet.

Må Gud give dig et langt og lykkeligt liv, min datter. Må Gud give dig mange raske og smukke børn. Må du finde den fred, den lykke og den anerkendelse som jeg ikke gav dig. Lev vel. Jeg overlader dig i Guds kærlige hænder.

Din far som ikke havde fortjent dig.
Jalil

Den aften, efter at de er kommet tilbage til hotellet, og børnene har leget og senere er blevet puttet, fortæller Laila Tariq om brevet. Hun viser ham pengene i lærredsposen. Da hun begynder at græde, kysser han hende overalt på ansigtet og holder hende i sine arme.

51

April 2003

Tørken er forbi. Det sneede sidste vinter, op til knæene, og nu har det regnet i dagevis. Kabul-floden er igen fyldt med vand. Smeltevandet har skyllet Titanic City væk.

Der er mudder i gaderne. Sko knirker af væde. Biler sidder fast i sølet. Æsler, læsset med æbler, trasker tungt af sted, og hver gang en hov rammer jorden, sprøjter der slud til alle sider. Men der er ingen der beklager sig over mudderet, ingen der savner Titanic City. *Kabul skal være grøn igen, det er vigtigt,* siger folk.

I går så Laila sine børn lege ude midt under et skybrud. De hoppede fra pyt til pyt ude i gården under en blygrå himmel. Hun så dem fra køkkenvinduet i et lille hus med to soveværelse som de har lejet i Dihmazang. Ude i gården vokser der et granatæbletræ, og en rose er netop sprunget ud. Tariq har lappet muren og bygget en rutsjebane og en gynge til børnene. Og en lille fold til Zalmais nye ged. Laila ser vanddråber trille ned ad Zalmais hoved – han har bedt om at blive kronraget ligesom Tariq som nu er den der beder Babaloo-bønnen. Regnen får Azizas hår til at klistre til hendes hoved, men de lange lokker er blevet som våde slanger der sprøjter vand ud over Zalmai når hun drejer hovedet og ser på ham.

Zalmai er lige knap seks år gammel. De fejrede Azizas tiårs fødselsdag i sidste uge, tog hende med i Cinema Park hvor *Titanic* langt om længe og for første gang kunne vises offentligt for Kabuls befolkning.

„Kom nu, børn, vi er sent på den," siger Laila og lægger deres madpakker ned i en pose.

Klokken er otte om morgenen, Laila har været oppe siden

seks. Som altid var det Aziza der vækkede hende til morgen-namaz. Laila ved at bønnerne er Azizas måde at klynge sig til Mariam på, det er sådan datteren holder fast i Mariam indtil tiden får sin vilje, indtil den river Mariam op af jorden i hendes hukommelse sådan som man luger ukrudt væk med rødder og det hele.

Efter namaz gik Laila i seng igen og sov stadig da Tariq gik. Hun kan svagt huske at han kyssede hende på kinden. Tariq har fået arbejde hos en fransk ngo-organisation der skaffer proteser til overlevende fra landmineulykker og andre der har fået amputeret et ben.

Zalmai kommer stormende ind i køkkenet efter Aziza.

„Har I jeres kladdehæfter, I to? Blyanter? Bøger?"

„Her," siger Aziza og viser sin mor tasken. Aziza er næsten holdt op med at stamme, bemærker hendes mor endnu en gang.

„Så går vi."

Laila går efter børnene ud af huset og låser efter sig. De træder ud i den kølige morgenluft. Det regner ikke i dag. Himlen er blå, og i det fjerne ser Laila skyer trække sammen over bjergtinderne. Med hinanden i hånden går de tre hen til busstoppestedet. Der er allerede en del trafik på gaden, en støt strøm af rickshaws, taxaer, FN-biler, busser, ISAF-jeeps. Søvndrukne butiksindehavere er ved at skubbe skodder op som har været rullet ned for natten. Gadesælgere sidder bag bjerge af tyggegummi og cigaretpakker. Enkerne har allerede indtaget deres pladser på gadehjørner hvor de tigger penge af forbipasserende.

Laila synes det er mærkeligt at være tilbage i Kabul. Byen er helt forandret. Hver eneste dag ser hun folk plante små træer, male de gamle huse, slæbe mursten fra det ene sted til det andet. De graver kloakker og brønde. I vindueskarme ser hun potteplanter hvor skålene er rester af Mujahedin-raketter – raketblomster, kalder Kabuls indbyggere dem. For nylig tog Tariq Laila og børnene til Babur-parken som nu er blevet genskabt. For første gang i mange år hører Laila musik på gaderne i Kabul, rubab og tabla, *dootar,* harmonika og tamboura, gamle Ahmad Zahir-sange.

Laila ville ønske at Mammy og Babi var i live og kunne se alle disse forandringer. Men ligesom for Jalil og hans brev kom bodsøvelsen for sent til Kabul.

Laila og børnene skal til at krydse gaden over til busstoppestedet da en sort Landcruiser med tonede ruder pludselig kommer susende forbi. Den viger udenom i sidste øjeblik og undgår med kun en armslængde at ramme Laila. Den sprøjter brunt regnvand ud over begge børnenes skjorter.

Laila flår børnene tilbage på fortovet, og hendes hjerte slår kolbøtter.

Landcruiseren suser videre ned ad gaden, dytter to gange i hornet og drejer så skarpt til venstre.

Laila står der, forsøger at få luft ned i lungerne igen mens hun med et jerngreb holder børnene om håndleddene.

Det slår Laila. Det slår hende som med et kølleslag at krigsherrerne har fået lov til at vende tilbage til Kabul. At hendes forældres mordere bor i fine huse med muromkransede haver, at de er blevet udnævnt til minister af ditten og viceminister af datten, at de risikofrit suser gennem de kvarterer som de lagde i grus, i deres pansrede, skinnende firhjulstrækkere. Det slår hende.

Men Laila har besluttet at hun ikke vil lade fortiden farve nutiden. Mariam ville ikke have ønsket det. *Hvad nytter det?* ville hun have sagt med et smil der både var uskyldigt og meget klogt. *Hvad nytter det, Laila jo?* Så Laila har besluttet at komme videre. Både for sin egen skyld, men også for Tariqs og børnenes. Og for Mariam, som stadig viser sig for Laila i drømme, som aldrig er mere end et pust eller to under hendes bevidsthed. Laila er kommet videre. For det er, ved hun, når alt kommer til alt, det eneste hun kan gøre. Det, og så håbe.

Zaman står på frikastlinjen med bøjede ben og hopper med bolden. Han er træner for en flok drenge i ens t-shirts der sidder i en halvkreds i salen. Zaman får øje på Laila, stikker bolden ind under armen og vinker. Han siger noget til drengene som så også vinker og råber: „Salaam, moalim sahib.“

Laila vinker tilbage.

Gården i børnehjemmet har nu en række æbletræer langs østmuren. Laila har planer om også at plante nogen langs sydmuren så snart den er blevet genopført. Der er også nye gynger, nye vipper og klatrestativer.

Laila åbner netdøren og går ind i huset.

Der er blevet malet både indvendigt og udvendigt i børnehjemmet. Tariq og Zaman har tætnet taget, pudset mure, sat nye vinduer i, lagt tæpper de steder hvor børnene sover og leger. Forrige vinter købte Laila senge til børnene, og puder og uldtæpper. Og der blev sat ovne op til den kommende vinter.

Anis, en af Kabuls aviser, havde haft genopbygningen af børnehjemmet som tema. De havde taget et billede af Zaman, Tariq, Laila og en af hjælperne hvor de stod bag en række børn. Da Laila så artiklen, kom hun til at tænke på sine barndomsvenner Giti og Hasina, og Hasina der sagde: *Når vi engang er tyve, vil Giti og jeg hver især have fået fire-fem børn. Men du, Laila, vil have gjort os to dummernikker stolte. Du skal nok blive til noget stort. Jeg ved at jeg en dag vil købe en avis og se et billede af dig på forsiden.* Billedet havde ikke været bragt på forsiden, men det havde været der, præcis som Hasina havde forudsagt.

Laila vender sig om og går ned ad den samme korridor som hun og Mariam for to år siden gik ned ad da de kom med Aziza. Laila kan stadig huske hvordan de havde måttet vriste Azizas fingre fri af hendes håndled. Hun kan huske hvordan hun med et undertrykt hyl var løbet ned gennem denne gang, hvordan Mariam havde råbt efter hende, og Aziza havde skreget panisk. Nu er væggene i gangen dækket med plakater af dinosaurer, tegneseriefigurer, buddhaerne i Bamiyan og en masse af børnenes tegninger. Mange af tegningerne viser kampvogne der kører hen over hytter, mænd der står og peger med AK-47'ere, telte i flygtningelejre, rædsler fra Den Hellige Krig.

Når børnene får øje på Laila, kommer de farende så hurtigt som deres små ben kan bære dem. Laila drukner i børn. Luften giver genlyd af skingre barnestemmer, og der klappes, røres ved, klynges til, famles ved og skubbes og mases. Der er hænder der række ud i håb om at blive taget. Nogle af dem kalder hende 'mor'. Laila retter dem ikke.

Det tager tid i dag at få ro blandt børnene, at få dem stillet på række og gennet ind i klasseværelset.

Det er Tariq og Zaman der indrettede klasseværelset. De rev simpelthen væggen ned mellem to rum. Gulvfliserne er revnede, nogle steder er de forsvundet, men som en nødløsning har man lagt en presenning over, og Tariq har lovet at lægge nye fliser og skaffe dem et gulvtæppe.

Sømmet op på væggen over døren ind til klasseværelset er der et bræt, et træbræt, som Zaman har slebet glat og malet hvidt. På det har Zaman skrevet fire linjer fra et digt, hans svar, ved Laila, til dem som knurrer over at nødhjælpen til Afghanistan ikke kommer som lovet, at genopbygningen af landet går for langsomt, at der er korruption, at Taliban er ved at omgruppere og vil vende frygteligt tilbage, at verden endnu en gang har vendt Afghanistan ryggen. Digtet er fra en af hans mest elskede ghaseler af Hafiz:

Josef kommer tilbage til Kana'ens land, sørg ikke,
ørkener bliver til rosenhaver, sørg ikke,
Hvis en flodbølge kommer og drukner alt levende,
er Noa jeres fører igennem stormens øje, sørg ikke.

Laila ser altid op på dette skilt før hun går ind i klasseværelset. Børnene finder deres pladser, slår op i bøger, pludrer løs. Aziza snakker med en pige på rækken ved siden af sig. En papirflyver suser i en høj bue gennem rummet. En eller anden sender den retur.

Til lyden af en masse bøger der bliver slået op, går Laila hen til det gardinløse vindue. Gennem ruden ser hun ned på drengene der leger nede i gården eller er ved at stille sig på række før de skal øve sig i frikast. Over dem, og over bjergene, er solen ved at stå op. Strålerne fra den glimter i målkurvens metalring, i kæden den er hængt op i, i fløjten der hænger om Zamans hals, i hans nye, hele brilleglas. Laila lægger håndfladerne mod ruden. Lukker øjnene. Hun lader solen varme sine kinder, sine øjenlåg, sin pande.

Da de kom tilbage til Kabul, var Laila ulykkelig over ikke at vide hvor Taliban havde begravet Mariam. Det havde været vigtigt for hende at kunne besøge Mariams grav, at sidde der lidt, lægge en blomst eller to. Men Laila indser nu at det er uden betydning. Mariam er altid lige i nærheden. Hun er her hvor væggene er nymalede, i de træer de har plantet, i tæpperne som holder børnene varme om natten, i alle puder, blyanter og bøger. Hun er i børnenes latter. Hun er i de vers Aziza reciterer, og de bønner hun mumler når hun bøjer sig mod vest. Men især er Mariam i Lailas hjerte hvor hun skinner og stråler som tusind sole døgnet rundt, også i mørket.

Laila hører pludselig at nogen har kaldt på hende. Hun vender sig om, lægger instinktivt hovedet på skrå så det gode øre vender i den rigtige retning. Det er Aziza.

„Mammy, er der noget i vejen?"

Der er blevet helt stille i klasseværelset. Børnene kigger på hende.

Laila skal lige til at svare, men pludselig må hun holde vejret.

Hendes hånd suser nedad. Den finder det sted hvor hun et sekund forinden mærkede en dirren. Hun venter. Men der er helt stille nu igen.

„Mammy?"

„Ja, min skat," svarer Laila smilende. „Jeg har det godt. Ja. Jeg har det rigtig godt."

Da Laila går op til katederet, tænker hun på de navnelege, de har leget igen og igen, over aftensmaden i går. Det er blevet et ritual lige siden Laila fortalte Tariq og børnene nyheden. Frem og tilbage mellem navne går de, og hver især har de deres yndlingsnavne. Tariq synes bedst om Mohammad, Zalmai som for nylig så *Superman* i fjernsynet, forstår ikke helt hvorfor en afghansk dreng ikke kan hedde Clark. Aziza arbejder hårdt for Aman. Laila synes bedst om Omar.

Men legen drejer sig kun om drengenavne. For hvis det bliver en pige, har Laila allerede valgt navnet.

Efterskrift

Den afghanske flygtningekrise har nu i tre årtier været en af de værste på jordkloden. Krig, sult, anarki og undertrykkelse har tvunget millioner af mennesker – som Tariq og hans familie i denne roman – til at forlade deres hjem og flygte ud af Afghanistan for at slå sig ned i nabolandene Pakistan og Iran. På højdepunktet af denne exodus levede så mange som otte millioner afghanere som flygtninge i et andet land. I dag bor der stadig over to millioner afghanske flygtning i Pakistan.

I det forløbne år har jeg været så privilegeret at arbejde som amerikansk ambassadør for UNHCR, FN's Flygtningehøjkommissariat, en af verdens fremmeste humanitære organisationer. UNHCR's mandat går ud på at beskytte flygtninges almene menneskerettigheder, skaffe nødhjælp og at hjælpe flygtninge til at stable en ny tilværelse på benene i trygge omgivelser. UNHCR yder hjælp til mere end tyve millioner fordrevne mennesker over hele verden, ikke kun i Afghanistan, men også i for eksempel Colombia, Burundi, Congo, Chad og Sudans Dafur-region. Mit arbejde som UNHCR-ambassadør har været en af de mest givende og meningsfyldte erfaringer i mit liv.

Hvis man vil hjælpe, eller bare læse mere om UNCHR, organisationens arbejde og flygtninges lidelser, kan man gå ind på www.UNrefugees.com eller på (det danske) Udenrigsministeriums hjemmeside www.um.dk.

Khaled Hosseini
31. januar, 2007

Tak

Et par opklarende ord før jeg begynder listen over de mennesker jeg gerne vil takke: Landsbyen Gul Daman findes ikke – såvidt jeg ved. De som kender byen Herat, vil have lagt mærke til at jeg har taget visse små friheder i min beskrivelse af egnen omkring den. Digtet som Babi reciterer for Laila før de skal til at forlade Kabul, er skrevet af Saeb-e-Tabrizi, en persisk digter fra det syttende århundrede. De som kender digtet på dets oprindelige sprog, farsi, vil uden tvivl have lagt mærke til at den sidste linje ikke er en bogstavelig oversættelse. Det er imidlertid en alment accepteret oversættelse af dr. Josephine Davis, og jeg blev betaget af den.

Jeg vil gerne takke Qayoum Sarwar, Hekmat Sadat, Elyse Hathaway, Rosemary Stasek, Lawrence Quill og Haleema Jazmin Quill for deres hjælp og støtte.

En særlig tak til min far, Baba, for at læse manuskriptet og kommentere det, og som altid for hans kærlighed og støtte. Og til min mor, hvis uselviske, blide væsen gennemstrømmer denne historie. Også tak til mine svigerforældre for deres generøsitet og uendelige venlighed. Til resten af min vidunderlige familie: Jeg står i dyb gæld til jer og er dybt taknemmelig.

Jeg vil gerne takke min agent, Elaine Koster, for altid, altid at tro på mig, Jody Hotchkiss (Videre!), David Grossman, Helen Heller og den utrættelige Chandler Crawford. Jeg står i gæld til og takker alle ansatte på Riverhead Books. Især ønsker jeg at takke Susan Peterson Kennedy og Geoffrey Kloske for deres tro på denne roman. Hjertelig tak til Marilyn Ducksworth, Mih-Ho Cha, Catharine Lynch, Craig d. Burke, Leslie Schwartz, Honi Werner og Wendy Pearl. En stor tak til Tony Davis med falkeblikket der intet overser, og til sidst til min talentfulde redaktør, Sarah McGrath, for hendes tålmodighed, indsigt og vejledning.

Til sidst tak til dig, Roya. For at have læst denne historie igen og igen, for at have stået mine mindre kriser igennem (foruden et par større), for aldrig at tvivle. Denne bog ville ikke være blevet til uden dig. Jeg elsker dig.